아비투어

철학 논술
자기주도학습

아비투어
철학 논술 자기주도학습 6

2판 2쇄 발행일 | 2020년 8월 18일

지은이 | 정명환, 김광식, 박기호, 박현정
펴낸이 | 정은영
펴낸곳 | (주)자음과모음

출판등록 | 2001년 11월 28일 제2001-000259호
주　　소 | 04047 서울시 마포구 양화로6길 49
전　　화 | 편집부 (02)324-2347, 경영지원부 (02)325-6047
팩　　스 | 편집부 (02)324-2348, 경영지원부 (02)2648-1311
e-mail | jamoteen@jamobook.com

ISBN | 978-89-544-3768-4 (03100)

• 잘못된 책은 교환해 드립니다.

아비투어

철학 논술

자기주도학습

철학자가 들려주는 철학이야기 051~060

6

(주)자음과모음

차례

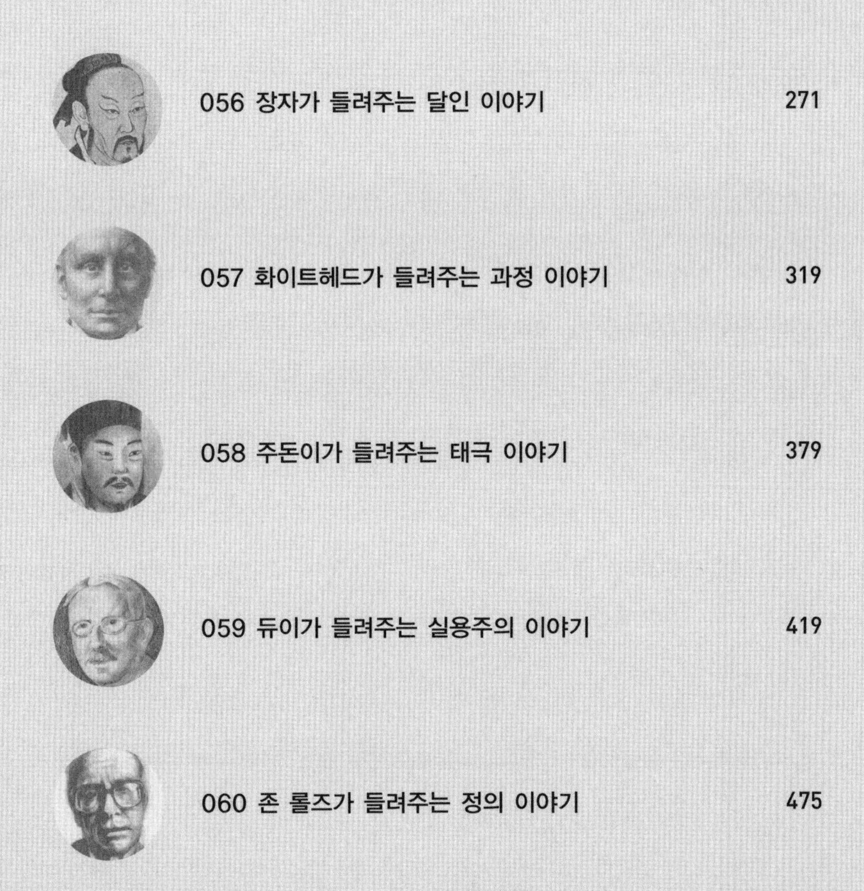

철학자가 들려주는 철학이야기 051

마호메트가 들려주는 평화 이야기

저자_**정명환**
연세대학교 경제학과를 졸업하고 종로학원 강사로 활동하고 있다.
저서로는 《새로운 언어 시작하기》, 《언어와 논술의 만남》, 《뻔뻔통합수리논술》(감수) 등이 있다.

배경 지식 넓히기

마호메트와 '평화'

마호메트 주요 개념

1. 마호메트는 어떤 시대를 살았을까?

마호메트는 570년 아라비아의 귀족 가문에서 아버지가 이미 돌아가신 뒤 태어났다. 그래서 할아버지와 삼촌의 손에서 자라났다. 마호메트 이름은 그의 할아버지가 지어 주었다. Muhammad는 오늘날 '무함마드' 또는 '무하마드' 라고 발음하는 것이 보통이지만, 우리는 오래전부터 마호메트로 발음해 왔다.

독자이자 유복자인 마호메트를 할아버지가 키우게 되었다. 당시 아이들은 베드윈(사막 유목민)의 기질을 키우기 위해 사막에 보내지는 관습이 있었다. 이에 따라 어린 마호메트는 사막에 사는 바누 싸이드 부족의 여인 할리마가 유모를 겸해서 그를 데려다 키웠다. 그러다 그의 나이 여섯 살이 되던 해 어머니가 찾아왔다. 어머니는 아들에게 돌아가신 아버지의 무덤을 보여주려고 친정이 있는 메디나로 갔는데, 뜻밖에도 도착하자마자 갑자기 세상을 떠났다. 졸지에 마호메트는 부모를 잃은 고아가 되었다. 2년 후에는 자신을 키우던 할아버지마저 사망해 삼촌 아부리브와 함께 살았다.

삼촌의 도움을 받아 마호메트는 물건을 파는 상인을 따라 다니면서 먼 시리아까지 자주 여행하였다. 어린 마호메트는 할아버지나 삼촌의 보호를 받았으나 물려받은 유산이 없어 어릴 적부터 가축을 기르고 물건을 팔면서 자신의 힘으로 생계를 꾸려야 했다. 그러다 보니 변변한 교육을 받을 수 없었다.

코란
마호메트가 신으로부터 받은 계시를 기록한 이슬람 경전으로서, 이슬람인의 종교 의례는 물론 생활 규범까지 기록하고 있다.

마호메트는 15세 연상의 돈 많은 과부와 결혼했다. 그리고 15년간 긴 명상을 통해 알라의 뜻을 전하는 성사(聖使)가 되었다. 이후 종교 지도자이자 정치가, 군사지휘관, 외교관으로 파란만장한 일생을 보내며 이슬람 세계를 통일했다.

15년간 명상과 수행을 거듭하던 그는 40세 때 드디어 크게 깨달아 알라의 계시를 인간에게 전달하기 시작하였다. 그 후 20여 년간 성사(聖使)로서 이슬람을 뿌리내리게 하고 정교합일(政敎合一)의 정치하는 사람으로서 첫 이슬람 공동체를 세웠다. 마호메트는 메디나를 거점으로 이슬람 공동체를 세우고 이슬람을 주변 여러 부족과 유목민에게 보급함으로써 아라비아반도의 이슬람화를 실천해 나갔다. 그는 몇 차례 전투를 거쳐 여러 정적(政敵)과 종적(宗敵)을 제압하고 630년 이슬람의 본향인 메카에 무혈 입성하였다. 그리고 두 번의 메카 순례를 단행해 이슬람교의 창시를 마무리하였다. 특히 632년의 순례에서 발표한 유명한 '고별 연설'은 마지막 계시를 전달하는 행사답게 이슬람교의 완성을 만천하에 선포하였다. 마호메트는 이 순례에서 돌아온 후 3개월간 심한 열병을 앓다가 6월 8일 향년 62세(570~632)로 세상을 떠났다.

마호메트가 세상을 떴을 때는 이미 전 아라비아 반도가 이교도 주의와 우상숭배에서 벗어나 유일신만을 숭배하게 되었다. 부족 싸움과 전쟁으로부터 벗어나 국가적 단결과 일치로, 어둠과 방탕으로부터 절제와 경건함으로, 무법과 무정부상태에서 규율 있는 삶으로, 순전한 도덕적 타락 수준에서 고결한 도덕심의 높은 수준에까지 전 아라비아 반도가 탈바꿈했다.

이슬람교? 마호메트교? 회교?

이슬람교를 '마호메트교' 혹은 '회교(回敎)' 라고도 한다. 그러나 마호메트교, 회교는 알맞지 않은 표현이다. 이슬람교도인 무슬림은 마호메트를 존경하고 따르긴 하지만 종교 신앙의 대상으로 믿는 것은 아니기 때문에 마호메트교라는 말은 맞지 않다.

이슬람교 신앙의 유일한 대상은 오직 '알라(Allah)'뿐이다. 그런데 알라가 이슬람교에만 있는 특정한 신의 이름을 뜻하지 않는다. 아랍인들이 신을 부를 때 쓰는 호칭이다. 하느님을 하느님이라고 부르듯이, 아랍인 중 기독교를 믿는 사람은 하느님을 알라라고 한다. 아랍어 성경 또한 하느님을 알라로 번역하고 있다. 또한 '회교(回敎)' 라는 말도 중국 서부 지역에 사는 위구르족이 믿는 종교라 하여 붙여진 이름이기 때문에 잘못되었다.

이슬람 사람들은 왜 돼지고기를 먹지 않을까?

이슬람 사람들은 알라가 《코란》을 통해 해야 하는 일과 하지 말아야 하는 일을 말해 주고 있다고 본다. 《코란》은 '믿는 자들이여, 알라께서 너희들에게 부여한 음식 중 좋은 것을 먹되 하느님께 감사하라. 죽은 고기와 피와 돼지고기를 먹지 말라. 그러나 고의가 아니고 어쩔 수 없이 먹는 경우는 죄악이 아니니라.' 라고 되어 있다. 《코란》은 먹어서는 안 되는 고기에 대해 말하고 있는데 그중 목 졸라 죽인 것, 때려잡은 것, 제물로 바쳤던 것 등이 있다. 그런데 왜 굳이 돼지고기를 특별히 못 먹게 하였을까? 이는 지역 환경적 영향이 크다. 아랍 지역은 대부분 사막으로 되어 있다. 더운 날씨 때문에 돼지고기는 부패하기 쉬워 건강상 문제를 크게 일으킨다. 더욱이 돼지는 한 우리에서 기르는 가축이지, 사막을 떠돌아다니는 유목민들이 데리고 다니는 가축이 아니다.

2. 이슬람교의 '적극적 평화'와 '소극적 평화'

이슬람교에서 말하는 평화 개념은 적극적 평화와 소극적 평화로 나눌 수 있다. 적극적 평화란 이슬람 종교가 커지면서 이슬람 공동체가 형성되면 평화는 자동적으로 찾아온다는 것을 말한다.

인간은 선하게 태어났고 지구의 모든 것을 다스릴 수 있는 능력을 받았다. 그럼에도 불구하고 인간은 권력과 부귀 등 세속적 욕망에 눈이 어두워 하느님에게 절대 복종한다는 약속을 어기고 하느님을 거역하고 말았다. 그 결과 인간의 도덕적 타락이 시작되었고 전쟁과 폭력이 인류의 평화를 해치게 되었다.

도덕적 무정부주의를 극복하고 평화를 되찾는 최선의 길은 이슬람으로 귀의하여 알라에게 절대복종하는 것이다. 따라서 이슬람의 영역을 확장시켜 나가는 것은 적극적 평화를 이루는 데 가장 중요한 요소이다.

반면 소극적 평화란 전쟁의 위협, 국민을 억압하는 정치, 부패와 타락, 빈곤 등에서 자유롭게 해방되는 것을 뜻한다. 즉 전쟁의 원인을 제거하고 전쟁에 따른 낭비와 부패를 방지하면서, 궁극적으로는 전쟁으로부터 인류를 해방하는 것이 이슬람의 또 다른 평화 개념이라 할 수 있다.

이와 관련된 코란의 구절을 읽어 보자.

"압제가 없어지고 모든 종교가 모두 알라께 귀속될 때까지 싸워라."

—《코란》, 8:39

이 구절은 소란과 압제가 사라지고 정의와 믿음이 풍만할 때 참된 평화가 찾아든다는 신념을 나타낸다. 그밖에도 이슬람의 평화관을 단적으로 묘사해주는 코란 구절들을 더 알아보자.

"악에 대한 보복은 악 그 자체와 같으니라. 적을 용서하고 평화를 구하는 자 그들은 하느님과 함께하는 보상을 누릴지니라."

—《코란》, 42:40

"그들이 평화를 원하면 너희는 그들을 평화로 받아들일지어다. 하느님을 신뢰할지어니 그분만이 모든 것을 듣고 아느니라."

—《코란》, 8:61

"오, 인간들이여. 우리는 한 쌍의 남과 여로부터 너희들을 창조했고 너희들을 다시 여러 인종과 종족으로 만들었나니 이는 그대들을 서로 알도록 하기 위함이다."

—《코란》, 49:13

이러한 코란의 구절들은 인류의 다원적 성격을 인정하는 동시에 서로를 경멸하지 않는 평화공존의 중요성을 일깨워 주고 있다. 이렇게 볼 때 이슬람의 평화관은 이상적 현실주의로 규정지을 수 있다. 이슬람은 평화주의적 입장을 가지고 있긴 하지만 맹목적인 평화주의를 내세우지는 않는다. 그들은 용서와 인내로서 전쟁의 가능성을 최소화하고 평화의 가능성을 최대화해야 한다고 생각한다. 그러나 그것이 불가능해질 때 전쟁이란 선택이 허용된다. 가능한 평화로운 방법으로 사태를 해결하고 불가피한 경우에만 폭력적 수단을 쓰도록 권유하고 있는 것이다.

지하드(Jihad)
무슬림 지도자들은 자신들의 사명을 행하는 과정에서 폭력적 수단을 쓰기도 한다. 이때 그들은 자신들이 행하는 폭력이 알라의 뜻을 펼치기 위해 사용되는 정당한 폭력이라고 주장하였다. 이것이 지하드이다.
일반적으로 지하드는 악에 대항하는 것을 뜻한다. 무슬림들은 지하드가 이슬람의 최고 도덕적 가치인 '정의'에 기초한다고 주장한다. 그리고 정의란 통일된 사회질서와 정치적 연대라고 생각한다. 그들은 정의를 생존의 필수적인 요소로 바라보고 있다.

이것은 바로 세상사가 전쟁과 평화간의 팽팽한 긴장 상태로 이루어지고 있다는 것을 암시하기도 한다. 전쟁과 평화가 뒤섞인 세계 속에서 슬기롭게 대처해 살아가는 것이 이슬람 평화 사상의 기본 축을 이루고 있다.

3. 교과서에서 만난 이슬람 문화와 종교 분쟁

1) 이슬람 문화의 특징

우리나라의 초등학교나 중학교의 교과서에서 마호메트나 이슬람 문화에 관해 소개하는 경우는 거의 찾아 볼 수 없다. 단지 중학교 사회 교과서 2에서 십자군 원정과 관련해서 이슬람교를 믿는 셀주크 투르크가 크리스트교의 성지인 예루살렘을 장악해 십자군 원정이 시작되었다는 설명만이 있을 뿐이다. 이 설명에서 이슬람 교인들은 크리스트교 순례자를 박해하고, 비잔티움 제국을 자주 침략했다는 악역을 맡고 있다.

하지만 고등학교《사회》교과서는 이슬람 문화에 관해 비교적 자세하게 설명하고 있다. 교과서 내용을 정리하면 다음과 같다. 우선 이슬람 교인들의 주거지인 서아시아 지방은 건조한 기후로 인해 농사를 짓기가 어려웠다. 그리하여 일찍부터 상업과 수공업이 발달하고 상인들의 활동이 두드러졌다.

또한 이슬람 문화권은 유럽과 아시아를 연결하는 지리적 위치로 인해 동서 문화 교류에 있어서 중요한 역할을 했다. 이슬람 세력은 점령지 주민들의 종교를 인정하고, 개종자에 한해 면세 혜택을 줌으로써 남부 아시아와 아프리카, 이베리아 반도에 이르기까지 빠른 속도로 확장되어 나갔다. 주로 상인들이 동남아시아, 유럽, 아프리카 등지에까지 진출하여 이슬람교의 전파와 문화 교류에 크게 기여하였다.

특히 코란과 아랍어의 보급은 이슬람 세계를 통일된 문화권으로 발전시키는 데 결정적인 역할을 하였다. 코란을 다른 언어로 번역하는 것이 금지되었기 때문에 아랍어가 이슬람 문화권의 공용어로 자리 잡게 되었다. 코란을 체계화하고 규범화하는 과정에서 신학과 법학이 발달하였고, 정복민에게 아랍어를 보급하면서 언어학이 발달하였으며, 아랍어로 쓰인 문학작품이 유행하였다. 코란은 의식주 등 일상생활을 영위하는 율법 중심의 사회로서, 음주와 도박을 금지한다. 또한, 남녀 차별이 엄격하고 일부다처제를 인정한다.

따라서 이슬람 문화의 특징은 다음과 같이 정리할 수 있다. 첫째, 이슬람 문화는 신자들의 신앙과 행동 방식 그리고 관습에 근거를 두고 있다. 둘째, 이슬람교와 언어인 아랍어는 밀접한 관련이 있다. 셋째, 이슬람교의 의식이 일상생활에 큰 영향을 미치고 있다.

2) 종교 분쟁

미국의 학자 헌팅턴은 서로 다른 문명에 속한 집단들 사이의 전쟁, 그중에서도 특히 이슬람권과 비이슬람권의 분쟁이 세계의 핵심적인 이슈가 될 것이라고 예상했다. 이념적 갈등이 끝나고 그 대신 부족이나 종교 간 갈등에서 보이는 "문명 충돌"이 노골화된다는 것이다. 종교 분쟁은 자신의 종교 잣대로만 가치를 판단하려는 믿음에서 비롯된 것이다. 따라서 상대방의 종교와 신앙을 이해하고 존중하려는 태도가 종교 간 갈등과 분쟁을 없애는 지름길이 될 수 있다. 그러나 종교 분쟁의 밑바탕을 보면, 경제적 격차와 이해관계의 차이에서 발생한 경우가 많다. 예를 들면 영토와 자원, 무역로 등을 확보하려는 욕구가 종교 간 분쟁의 원인이 된 경우도 많다. 오늘날은 자국의 이익을 추구하는 국가 이기주의 시대이기도 하기 때문이다.

— 고등학교 《사회》 참고

3) 문명의 충돌인가, 공존인가?

문명의 충돌이 일어날 가능성이 있다.

주요 문명의 강대국들이 대거 개입하는 세계 대전이 일어날 가능성은 적지만, 그렇다고 해서 전혀 불가능한 것도 아니다. 그런 전쟁은 서로 다른 문명에 속한 집단들 사이의 전쟁, 그 중에서도 특히 이슬람권과 비이슬람권의 분쟁에서 시작될 가능성이 높다. 이슬람 강국들이 주도권을 잡기 위하여 분쟁에 휩싸인 이슬람 동포들을 돕겠다고 나설 경우 사태는 걷잡을 수 없이 악화될 수 있다. (새뮤얼 헌팅턴, 《문명의 충돌》)

문명의 충돌은 피할 수 있다.

서유럽의 크리스트교 교회가 이슬람교, 힌두교, 불교와 같은 다른 세계 종교들을 이해하고자 한다면 대화는 훨씬 쉬워질 것이다. 오늘날 세계화의 흐름 속에서 서로 다른 문명들 사이에는 공통점이 더 늘어나고 있다. 어디서나 찾기만 하면 대화와 협력에 관심이 있는 상대방을 발견하게 될 것이다.

(……)

21세기는 어느 방향으로 나아갈 것인가? 이는 서유럽의 대응에 달려 있다. 초강대국인 미국도 커다란 책임을 지고 있다. (하랄트 뮐러, 《문명의 공존》)

— 고등학교 《사회》, 대한교과서 출전

실전 논술

논술 문제

case 1 제시문 〈가〉와 〈나〉를 통해 '정교일치'가 무엇인지 간략히 설명하고, 제시문 〈다〉를 읽은 후 여러분이 생각하는 우리나라 종교의 역할을 비판적으로 논술하시오.

가 "아니, 이슬람교는 신앙의 자유를 강조하는 종교란다. 그리고 다른 종교들이 세속의 삶, 그러니까 지금의 현실보다 내세라고 하는 죽음 이후의 세계를 더 강조하고, 인간의 육체적인 면보다 정신적인 영역을 중시하는 데 반해, 이슬람은 내세와 똑같이 현세의 삶도 중요시해. 때문에 종교와 정치를 갈라놓지 않고 하나의 합일체로 보는 '정교일치'를 국가와 사회의 기본 체제로 유지하고 있단다."

"정교일치? 그게 뭐예요?"

"정치와 종교는 하나로써 둘을 따로 분리할 수 없다고 생각하는 거야. 흔히 이슬람교 국가들이 전쟁하는 걸 두고 종교적인 이유 때문이라고 오해하는데, 사실은 그렇지 않아."

"그럼요?"

"정치적인 이유 때문이지. 다른 국가들처럼 그저 국가의 이익을 두고 서로 싸우는 것뿐이야. 그러니 종교 자체에 대한 오해나 편견은 바람직하지 않아."

— 《마호메트가 들려주는 평화 이야기》 중에서

나 다른 종교와는 달리 이슬람교가 세워졌던 시기는 정치적 대립이 곧 종교적 대립과 완벽하게 일치했던 때입니다. 기존의 아랍 부족들의 신앙은 여러 우상과 신들을 믿는 다신교였으며, 그중 일부 부족은 '메카(사우디아라비아 남서부에 있는 홍해 연안의 도시로 이슬람교의 창시자인 마호메트가 태어난 이슬람교 최고의 성지)'에서의 그릇된 풍요와 지배적 지위를 누렸습니다.

그에 반해 마호메트는 유일신 알라만을 믿는 평등·평화의 신앙을 주창했습니다. 그런데 그것은 단순히 신앙의 변화만을 뜻하는 것이 아니라 지배적 지위의 변화도 함께 요구하는 것이었습니다. 곧 새로운 신앙의 주장은 자연히 정치적 투쟁과 같은 뜻을 갖게 되었습니다.

이것은 이슬람교가 급속도로 전파됐던 이유를 설명해 주고, 무력을 사용하여 전파하는 종교라는 오해를 풀어 주는 실마리가 됩니다. 어느 나라나 겪게 되는 정치적 대립이 마침 종교적 대립과도 일치하는 부분이 있었을 뿐, 이슬람교가 무력과 전쟁을 종교의 수단으로 이용하는 종교는 결코 아닌 것입니다.

—《마호메트가 들려주는 평화 이야기》 중에서

다 종교계의 사회참여, 바람직한가?

종교계가 시국의 전면에 나서면서 종교계가 현실 사회 문제에 참여한다는 점에 보수 세력의 반대 여론이 커지고 있다. 천주교 정의구현 전국사제단이 지난달 30일부터 서울광장에서 매일 시국 미사를 열면서부터다. 과거 나라에 고비가 있을 때마다 사제단이 나서면 국민들이 움직이기 시작했다. 그리고 그에 따라 역사도 새로 쓰였다. 이번 사제단의 등장도 큰 파장을 일으키고 있다. 곧 불교계도 법회를 열고, 원불교도 함께 힘을 합하다보니 '종교계의 현실 참여가 지나치다'는 주장이 나오고 있다.

그러나 한국의 역사를 보면 종교계가 종종 현실 참여 정도를 넘어 새로운 역사를 만들어가는 데에 큰 역할을 해왔다. 특히 1970년대 이후 독재 정권의 인권 탄압에 맞서 민주화를 이루는 데 주도적인 구실을 했다는 평가를 받고 있다.

— ○ ○신문, 2008년 7월 3일자 기사

생각 쓰기

case 2 제시문 〈가〉의 평화주의와 제시문 〈나〉의 평화주의를 비교해 보고 공통점과 차이점을 설명하시오.

가 "이슬람교에서 가장 보편적인 인사말은 '앗쌀라무 알레이쿰' 이에요. 이는 '당신께 평화가 깃드소서' 라는 뜻입니다. 평화는 이슬람의 가장 핵심적인 사상이지요. 이슬람에서의 평화 개념은 적극적 평화와 소극적 평화로 나눌 수 있어요."

"그게 무슨 말이에요?"

엄마가 물었다.

"이슬람의 확대를 통해서 이슬람 공동체가 형성되면 평화는 자동적으로 찾아 올 수 있다고 하는 적극적 평화이고, 전쟁의 위협과 공포 등으로부터 인간을 자유롭게 하는 것이 소극적 평화예요.

이슬람은 평화주의적 입장을 견지하지만 맹목적으로 평화을 보여주지는 않아요. 용서와 인내로써 전쟁의 가능성을 최소화 하고 평화의 가능성을 최대화해야 한다는 것으로 보아 이슬람의 평화관은 이상적 현실주의라고 할 수 있어요.

그러나 그것이 불가능해질 때 전쟁을 허용하게 되는 거예요. 남들이 먼저 공격해 오는데 가만히 있으면 곤란하잖아요."

"맞아! 그럼 다 죽지!"

"가능하다면 평화로운 방법으로 사태를 해결하고 불가피한 경우에만 폭력적 수단을 쓰도록 권유하고 있는 거야."

— 《마호메트가 들려주는 평화 이야기》 중에서

나 톨스토이는 국가 권력의 폭력에 저항하기 위해 '시민 불복종'과 '비폭력 직접 행동'의 방법을 내세운 것으로 잘 알려져 있습니다. 그는 자신의 전략을 '비저항'이라고 불렀지요. 톨스토이는 예수의 가르침으로부터 비저항의 원칙과 전쟁에 대한 절대적인 거부를 이끌어 냈습니다. 평화주의자로 유명한 간디가 무저항과 불복종 운동을 발전시킨 비폭력 저항도 모두 톨스토이의 평화 사상으로부터 영향 받은 것입니다.

그럼 톨스토이는 어떻게 사회를 변혁시키려 했을까요?

"사회를 변화시키는 효과적인 단 하나의 방법은 '이성에 의한', 궁극적으로는 '설득과 모범에 의한' 것이다. 남에게 대접을 받고자 하는 대로 너희도 남을 대접하라."

이 말을 통해 톨스토이는 가장 기본적인 윤리를 지키며 사는 것이 중요한 일이라고 지적합니다. '민주'와 '평화'에 공감한다면 공권력이든 시위대든 이제 폭력은 거둡시다. 폭력은 또 다른 폭력을 낳을 뿐이니까요.

— ㅇㅇ신문, 2008년 8월 8일자 기사

생각 쓰기

생각 쓰기

case 3 **다음 제시문을 읽고 핵심적인 내용을 설명하고, 글쓴이의 의견에 대해 본인의 생각을 말해 보시오.**

탈냉전 시대에 들어오면서 깃발이나 십자가, 초승달과 같이 문화적 정체성을 표현하는 상징물이 중요해졌다. 문화의 중요성이 부각되면서 문화 정체성이 대부분의 사람들에게 가장 의미 있는 것으로 받아들여지고 있다. 탈냉전 시대에는 사람과 사람을 나누는 가장 중요한 기준이 이념이나 정치, 경제가 아니라 문화이다. 사람들은 조상, 종교, 언어, 역사, 가치관, 관습을 바탕으로 스스로를 규정하면서 가장 넓은 의미에서 '문명' 이라고 하는 문화적 집단에 자신을 귀속시킨다. 이 중에서 종교는 문명을 규정하는 핵심적 특성이다. 현재 존재하는 주요 문명은 서구, 정교, 이슬람, 힌두, 중화, 일본, 아프리카, 라틴아메리카이다. 이제 세계 정치는 문화와 문명의 경계선을 따라 재편되고 있다. 탈냉전 시대에 가장 큰 파급력을 지닌 갈등은 사회적 계급이나 빈부 차이에서 나타나지 않고 상이한 문화적 배경에 속하는 사람들 사이에 나타난다. 상이한 문명에 속하는 국가나 집단 사이의 투쟁은 세계 전쟁으로 확산될 수 있는 가능성을 지니고 있다. 유고슬라비아 내전에서 각 국가들이 어느 세력을 지원했는지를 보면 알 수 있듯이, 이것은 이념이나 정치적 역학 관계, 경제적 이득이 아니라 문화적 동질성에서 기인한 것이다. 따라서 현대 사회에서 가장 위험한 분쟁은 서로 다른 문명과 문명이 만나는 단층선에 발생한다.

— 새뮤얼 헌팅턴, 《문명의 충돌》 중에서

생각 쓰기

실전 논술

예시 답안

case 1

'정교일치' 는 정치와 종교가 같음을 의미한다. 쉽게 말하면 한 나라의 대통령이 스님, 혹은 목사님, 신부님 정도로 생각할 수 있다. 종교인은 나라의 정치를 하는 큰 권력을 가진 사람이 된다. 여기에는 정치와 종교는 별개가 아니라는 기본 의식이 있다. 종교는 신앙, 믿음, 죽은 후 좋은 곳에 가기 위한 믿음이 아니다. 현실에 종교가 있고 신앙을 믿는 것은 현재, 지금 이곳에서 잘 살기 위함이다. 죽은 후도 중요하지만 현실에서 잘 살아가는 것이 중요하고, 정치를 잘하기 위해서는 종교의 도움이 크다고 본다. 그러나 우리나라는 종교가 사회 문제를 해결하기 위해 참여하는 데 비판적으로 보고 있다. 물론 정치와 종교가 분리된 사회에서 종교가 자기들의 힘을 크게 만들려는 태도로 볼 수도 있다. 이는 종교를 단지 신앙의 방편으로만 보는 데 국한되어 있는 시각이다. 종교가 어지러운 사회 질서를 바로 잡아주는 것이 아니라 개인의 내세를 위해 있다고 보기 때문이다.

우리나라처럼 다양한 종교가 인정되고 다양한 종교가 활동하고 있는 나라에서 특정 종교의 권력이 잘못 행해지면 문제시 될 수 있다. 그러나 잘못된 사회 문제를 함께 해결하는 것을 곱지 않은 시선으로만 볼 것이 아니라 종교 활동도 하나의 사회참여 활동이라 여기고 적극적인 문제해결 참여는 긍정적인 효과를 낳을 수 있다.

case 2

제시문 〈가〉에서 말하는 이슬람의 평화주의와 제시문 〈나〉에서 말하는 톨스토이, 간디 등의 평화주의는 모두 주어진 현실 속에서 평화를 이루는 것을 가장 중요하게 생각한다. 평화를 이루려면 부당한 권력이나 억압에 저항함으로써 정의를 실현해야 한다. 부당한 권력의 주체는 국가가 될 수도 있고 전쟁과 폭력 그 자체가 될 수도 있다. 이러한 공포로부터 해방되어 사회를 변화시키고 자유를 되찾는 것이 진정한 평화이다.

하지만 〈나〉의 톨스토이나 간디가 어떠한 억압에도 절대로 폭력을 사용하지 않는 비저항의 방법으로 평화를 주장했던 것과는 달리, 〈가〉의 이슬람교는 불가피한 상황에서는 폭력을 사용해서라도 평화를 이루어야 한다고 주장한다.

폭력의 방법으로 권력에 대응하려면 부당한 지배를 당하는 이들이 서로 힘을 모아 대항해야 한다. 이는 이슬람교가 공동체를 통한 평화를 주장하는 것과 맥락을 같이 한다. 하지만 비폭력, 비저항은 개인의 차원에서 할 수 있는 저항 방식이다. 따라서 〈나〉에서는 평화를 이루는 또 하나의 요소로 '민주'를 거론하고 있다.

민주주의는 개인의 의사가 모여 합의를 이루어 나가는 정치 체제이다. 개인으로부터 출발하여 공동체를 이루어 간다는 원리이며, 개인이 행복을 통해 공동체의 행복을 추구하는 것을 기본으로 한다. 이는 이슬람교가 공동체로 인해 개인의 행복이 자연히 이루어진다고 주장하면서 개인보다 공동체적 가치를 우선하는 것과 다른 점이라고 할 수 있다.

case 3

글쓴이는 현대 사회의 분쟁이 생기는 원인을 주로 문화와 문명의 충돌에서 찾고 있다. 냉전 시대에는 정치나 경제적인 요소가 갈등을 유발했지만, 탈냉전 시대에 접어들면서 종교나 관습, 언어를 중심으로 하는 문화와 문명의 충돌이 분쟁의 주된 이유라는 것이다.

하지만 중동 지역에서 지금도 벌어지고 있는 미국과 이슬람 근본주의자들과의 분쟁을 문화와 문명의 충돌로 단순화시키는 것은 문제가 있다. 석유 자원을 둘러싼 경제적 갈등이나 미국을 중심으로 한 세계화 전략 등에서 나타나듯이, 경제나 정치적인 요소도 여전히 영향을 미치고 있기 때문이다.

따라서 문제의 해결책도 문화와 문명의 충돌을 예방할 수 있는 서로 다른 문화나 종교에 대한 이해와 관용 정신의 확립뿐만 아니라 서구의 이슬람 세계에 대한 경제적 침해의 중단과 지역적 불균형을 심화시키는 정책의 수정 등과 같이 정치와 문화, 두 가지 측면에서 화해와 타협이 필요하다.

Abitur

철학자가 들려주는 철학이야기 052

데리다가 들려주는 해체 이야기

저자_**김광식**

서울대학교 철학과에서 학사 · 석사과정을 마쳤다. 독일 베를린 자유대학교와 공과대학교에서 철학을 공부하고 공과대학교 과학 · 기술 · 철학과에서 철학박사학위를 받았다. 저서는 《체화된 행위방식으로서의 행위지식》(Mensch & Buch), 《사회철학대계4: 기술시대와 사회철학》(공저, 민음사), 《철학대사전》(공저, 동녘)과 자음과모음에서 펴낸 아비투어 철학논술 시리즈 중 《롤스》, 《데리다》, 《리쾨르》, 《화이트헤드》, 《한나 아렌트》, 《흄》, 《맹자》, 《왕수인》, 《복희씨》, 《이이》, 《최한기》 등이 있으며, 2007년 경향신문에 "하버마스 '의사소통행위론'", "존 롤스의 '정의론'", "아도르노 '계몽의 변증법'", "맹자의 '성선설'", "이이의 '이기론'"을 연재했다. 번역서는 《흄-나는 존재하지 않는다》(스트래던, 편앤런) 등이 있으며, 논문은 《본질과 현상의 범주를 통해서 본 인식들 사이의 모순의 문제》(서울대), 《하버마스의 보편화용론에 대한 연구》(서울대) 등이 있다. 독일학술진흥협회의 연구프로젝트(준비중) "조종-조형-소통: 미디어비판적 행위이론에 초점을 맞춘 음악적 인간-기계-상호작용"의 공동연구자로 참여하고 있으며, 인지과학철학을 중심으로 인지과학(신경생물학, 사이버네틱스 등), 인식론, 행위론, 과학 · 기술철학, 언어 및 커뮤니케이션이론, 미디어이론, 문화이론, 윤리학, 동양철학에 걸친 광범위한 분야를 통합하는 연구를 하고 있다.

배경 지식 넓히기

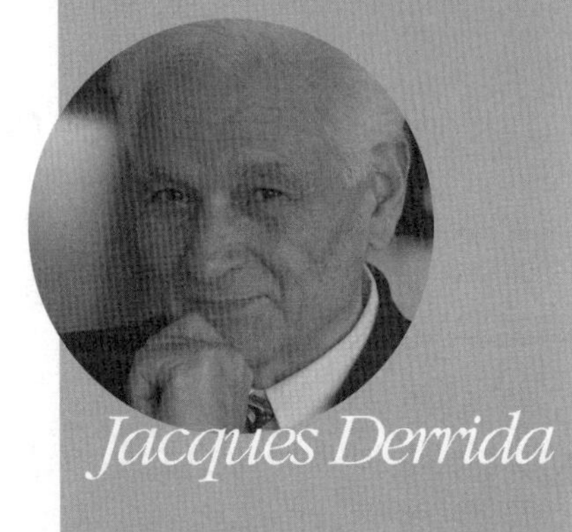
Jacques Derrida

데리다와 '해체'

자크 데리다 주요 개념

1. 세계무역센터 (World Trade Center)

세계무역을 관할하는 미국 뉴욕에 있던 110층의 쌍둥이 건물입니다. 2001년 9월 11일 테러리스트들이 탄 두 대의 여객기가 부딪히는 바람에 무너졌습니다. 여객기에 타고 있던 승객 전원이 사망했으며, 건물 안에 있던 2500~3500명의 인원이 사망하거나 실종되었습니다. 미국 중심의 세계화에 반대한 이슬람 테러 집단이 저지른 일이라고 추정됩니다. 미국은 아프가니스탄에서 활동하는 빈 라덴의 소행이라고 단정 짓고 테러와의 전쟁을 선포하고 아프가니스탄을 침공하여 점령하였지만 결국 빈 라덴을 잡지 못했습니다. 데리다는 미국의 테러와의 전쟁 선포를 강력하게 비판했습니다.

2. 계몽 (Enlightenment)

18세기에 유행했던 인간의 이성이 중심이 되어야 한다는 생각입니다.

계몽이란 깨닫지 못하고 몽롱한 상태에 있는 인간을 이성으로 이끌어 깨닫게 한다는 뜻입니다. 종교나 관습에 묶여 있는 인간을 해방시키고 이성이 주도하는 과학에 대한 꿈을 북돋고 주체적으로 자아를 실현하여 세계를 창조할 것을 일깨웠습니다. 볼테르, 몽테스키외, 루소 등이 계몽사상가로 유명합니다.

3. 형이상학 (Metaphysics)

세계의 궁극적인 근거를 연구하는 학문입니다. 형이상학은 부분적인 지식이 아니라 보편적이고 총체적인 지식을 추구합니다. 형이상학을 학문으로 확립한 철학자는 아리스토텔레스입니다. 그는 존재자의 궁극적인 원인을 연구하는 학문을 제1철학이라고 불렀습니다. 그 후 아리스토텔레스 전집을 편찬하는 과정에서 제1철학에 관한 책을 자연학(physics)에 관한 책 다음에 두었기 때문에 '자연학 다음의 책(ta meta ta physica)' 이라는 뜻으로 형이상학(metaphysics)이라고 불렀습니다. 변화하는 세계의 배후에 있는 변하지 않는 본질적인 궁극적인 어떤 존재를 찾으려는 경향은 그리스도교와 일치하여 중세에는 신학 속에 받아들여지기도 했습니다. 하지만 근대 과학이 발달하면서 경험적인 연구방법인 실증주의가 유행하면서 경험으로 연구할 수 없는 형이상학은 가짜 학문으로 배척되기도 했습니다.

4. 코시안 (Kosian)

한국인과 아시아인이 결혼한 가정의 아이들을 일컫는 말입니다. 한국인을 뜻하는 Korean과 아시아인을 뜻하는 Asian을 합친 말입니다. 겉모습을 한국인과 구별하기 힘든 일본인이나 대만인, 중국인들과 결혼한 가정의 아이들은 보통 포함하지 않습니다.

한국보다 잘 살거나 비슷하게 사는 나라들 출신들은 포함시키지 않는다는 점과, 한국인들도 아시아인이면서 아시아인들과 구별되려한다는 점과, 한국 국적을 가졌는데도 겉모습만으로 차별하려 한다는 점이 비판됩니다.

국립국어연구원은 코시안 대신 온누리안이라는 새로운 말을 대안으로 제시했지만 크게 호응을 얻지 못하고 있습니다.

현재 결혼하는 쌍의 1/8이 국제결혼이며, 현재는 약 3만 명(0.5%) 정도지만 2020년에는 아동들의 30%가 국제결혼 가정의 2세들일 것으로 예상합니다.

5. 우상 (偶像, idol)

인간이 숭배하는 대상을 뜻합니다. 모습을 뜻하는 그리스말 에이돌론(eidolon)에서 왔습니다. 고대 그리스에서는 인식대상에서 분리되어 나온 대상의 모습(에이돌론)이 감각기관으로 들어와 인식이 이루어진다고 생각하기도 했습니다.

그러나 무엇보다 유명한 것은 영국의 철학자 베이컨(F. Bacon)의 우상입니다. 베이컨은 "아는 것이 힘이다"는 말로 우리에게 잘 알려져 있죠. 베이컨은 우상이 진리를 인식하는 것을 방해한다고 주장했습니다.

그는 네 가지 우상을 제시했습니다. 종족의 우상은 인간 본성에 들어 있는 선입견이고, 동굴의 우상은 개인 속에 들어 있는 선입견입니다. 시장의 우상은 사회 속에 들어 있는 선입견이고, 극장의 우상은 이론 속에 들어 있는 선입견을 말합니다.

6. 시니피앙(signifiant)과 시니피에(signifié)

시니피앙과 시니피에는 소쉬르의 기호이론에 나오는 개념입니다. 시니피앙은 귀로 들을 수 있는 소리나 눈으로 볼 수 있는 모양으로써 의미를 전달하는 외적 형식을 이르는 말입니다. 말이나 글이 소리나 모양과 그 소리나 모양으로 표시되는 의미로 성립된다고 할 때 그 소리나 모양을 시니피앙이라고 합니다. 기호 표현 또는 줄여서 기표라고 하기도 합니다. 반면에 시니피에는 말이나 글에 있어서 소리나 모양으로 표시되는 의미를 이르는 말입니다. 기호 의미 또는 줄여서 기의라고 부르기도 합니다.

어떤 사람이 흰 마스크를 끼고 그 마스크에 검은 테이프로 'X' 라는 표시를 했다고 합시다. 'X' 라는 기호의 시니피앙은 'X' 라는 모양입니다. 'X' 가 도대체 무슨 뜻일까요? 동생과 말하지 말라는 뜻일 수도 있고, 동생과 말하지 않겠다는 뜻일 수도 있습니다. 'X' 라는 기호에 담겨져 있는 의미가 바로 'X' 라는 기호의 시니피에입니다.

철학 법정

자크 데리다와 '해체'의 철학 법정

아비투어 철학 법정에 오신 것을 환영합니다. 철학 법정에서는 9.11 세계무역센터 해체사건을 다루겠습니다. 데콘 씨를 피의자로 기소한 검사는 플라톤 씨며 데콘 씨의 변호를 맡으신 분은 데리다 변호사입니다. 이번 재판을 맡으실 분은 아비투어 판사님이시며, 여러분을 배심원으로 모셨습니다. 재판의 진행을 잘 관찰하시고 어떤 분이 옳은지 심판해 주시기 바랍니다. 재판에 앞서 명변호사이신 자크 데리다 씨를 모셨습니다. 신사 숙녀 여러분! 자크 데리다 씨를 소개합니다!

위대한 변호사, 데리다

이름 : 자크 데리다(Jacques Derrida, 1930~2004).

나이 : 74살.

성별 : 남자.

국적 : 프랑스.

직업 : 철학자.

업적 : 해체주의 철학.

저서 : 《글과 차이》(1967), 《목소리와 현상》(1967), 《그라마톨로지에 관하여》(1967) 등이 있음.

자모 : 신사 숙녀 여러분, 위대한 철학자, 자크 데리다 씨입니다.

데리다 : 아비투어 철학 법정 배심원 여러분, 직접 만나 뵙게 되어 반갑습니다.

자모 : 바쁘신데도 이렇게 참석해 주셔서 감사합니다. 데리다 씨, 당신은 철학자 아닙니까? 어떻게 해서 이번 사건의 변호사로 임명되셨는지 궁금합니다.

데리다 : 저는 이론만 주장하는 철학자로 머물지 않고 저의 철학을 직접 실천하려고 노력했습니다. 그런 노력들 때문에 변호를 맡게 되었다고 생각합니다.

자모 : 어떤 일들을 하셨는데요?

데리다 : 동유럽의 민주화운동에 앞장섰고요, 체코의 프라하에서 민주화를 주장하는 저항지식인들의 편에 섰다가 체포되기도 했습니다.

자모 : 아프리카에서도 활동하셨다고 들었습니다.

데리다 : 아프리카는 제가 태어나서 자란 알제리가 있는 곳이어서 다른 곳

보다 애정이 많습니다. 저는 인종차별이 심한 남아프리카 공화국에서 흑인지도자 만델라가 민주화운동을 하다 사형선고를 받았을 때 그를 살리려는 운동을 하였습니다.

자모 : 중동지방에서도 활동하셨다고 하던데요?

데리다 : 저도 유대인입니다만, 유대인들이 세운 나라인 이스라엘이 자신들이 핍박받던 과거를 잊어버리고 팔레스타인인들을 억압하는 것을 보고 가만히 앉아서 지켜보고 있을 수만은 없었습니다. 그래서 저는 팔레스타인의 지식인들과 만나 팔레스타인 문제를 논의하고 팔레스타인 해방을 위해 노력하였습니다.

자모 : 그러한 실천들이 당신의 철학과는 무슨 관계가 있습니까?

데리다 : 그러한 실천들은 모든 우열과 지배와 억압을 낳는 자기중심주의를 해체하려고 했던 저의 해체주의를 몸소 실천한 것이지요.

자모 : 자기중심주의라니, 이기주의를 뜻합니까?

데리다 : 그렇게도 볼 수 있겠죠.

아비투어 : 데리다 박사님, 당신은 정말 이론과 실천 모두에서 해체의 달인이었군요. 어느 정도로 해체를 잘 하기에 달인이란 존칭을 받았습니까? 어떤 것들을 해체했는지 몇 가지만 소개해 주시죠.

데리다 : 우리는 보통 글은 말을 밖으로 표현한 것일 뿐이라고 믿습니다. 저는 이러한 믿음의 뿌리인 말 중심주의를 해체했습니다. 또한 우리는

보통 글은 그것을 쓰는 이성적 주체가 나타내려고 의도하는 하나의 의미를 담고 있다고 믿습니다. 저는 이러한 믿음의 뿌리인 이성 중심주의나 주체 중심주의나 의미 중심주의를 해체했습니다.

자모 : 어떻게 해체하셨죠?

데리다 : 단 하나의 글자 e를 a로 바꿈으로써 해체했습니다.

자모 : 아니 그게 무슨 소리입니까? 그리고 그러한 믿음들을 왜 해체하는 것입니까?

데리다 : 궁금증이 많으시군요. 모든 궁금증을 철학 법정에서 시원하게 풀어드릴 것입니다. 자, 홍미진진한 철학 법정으로 함께 떠나 보실까요?

첫 번째 재판 — 피의자, 해체

아비투어 : 지금부터 아비투어 철학 법정 첫 번째 재판을 시작하겠습니다. 먼저 피의자 심문이 있겠습니다. 피의자 데콘 씨는 앞으로 나와 주십시오.

플라톤 : 정식 이름이 뭡니까?

데콘 : 디컨스트럭션(deconstruction 해체, 해체주의)이라고 합니다. 사람들이 줄여서 데콘이라고 부릅니다.

플라톤 : 구성을 뜻하는 컨스트럭션(construction)의 반대말입니까?

데콘 : 그렇습니다. 디컨스트럭션이란 이미 구성해 놓은 것을 해체한다는 뜻입니다.

플라톤 : 그럼 그 구성해 놓은 것이 뭡니까?

데콘 : 오랫동안 많은 사람들이 아무런 반성이나 비판 없이 무의식적으로 옳다고 받아들인 생각이나 믿음 또는 그것을 담고 있다고 여겨지는 글이나 텍스트(text)죠.

플라톤 : 그렇다면 그것을 어떻게 해체합니까?

데콘 : 해체는 해체하려는 생각이나 글 또는 텍스트 속에서 텍스트에 명시적으로 드러나 있지 않고 숨겨져 있는, 그 생각과 반대되는 생각이나 가정을 드러냄으로써 그 생각이 스스로 해체되게 만드는 것입니다.

플라톤 : 드러내는 것들이 무엇입니까?

데콘 : 텍스트 안에 있는 의도적이지 않고 우연적이고 부수적인 요소들을 드러냅니다. 그 요소들이 의도적이고 본질적인 중심적 메시지를 배반하고 전복시키는 것이죠.

플라톤 : 쉽게 예를 들어주시죠?

데콘 : "잘한다. 잘해!" 라는 텍스트를 봅시다. 의도적이고 본질적인 중심적 메시지는 '칭찬' 입니다. 하지만 비꼬는 어투로 말하면, 그 어투가 '칭찬' 을 '비난' 으로 바꿔버리죠. 어투라는 의도적이지 않고 우연적이고

부수적인 요소가 의도적이고 본질적이며 중심적인 메시지를 배반하는 예입니다.

플라톤 : 해체라 하면 주로 단단하게 결합되어 있는 것을 깨뜨려 분해하는 것을 뜻하지 않습니까?

데콘 : 물론이지요. 해체는 확실하고 강력해 보이는 공리나 준칙을 발견하면 단단한 조개껍질을 깨듯 깨뜨려 그 평온함을 어지럽혀 놓습니다. 해체는 텍스트나 전통이 제공하는 완벽해 보이는 대답들 뒤에 숨어 있는 문제점들을 폭로합니다. 조개껍질을 깬다는 것은 일사불란한 질서를 어찌할 수 없이 난처한 역설적인 상황으로 내몬다는 것을 뜻합니다.

플라톤 : 그러니까 해체란 확고해 보이는 믿음들과 싸워 이기는 방법이군요?

데콘 : 이긴다는 표현은 해체의 취지와 맞지 않습니다. 해체는 오랜 시간 동안 모든 형이상학적인 생각들을 지배해 온 공리들이나 규칙들이나 근본적인 개념들을 뒤집거나 제거하거나 이기는 것이 아니라 스스로 공중분해 시키는 비판적인 사고 프로젝트입니다.

자모 : 공중분해 시킬 구체적인 대상이 무엇입니까?

데콘 : 서양지성사를 관통하여 이어지는 이성을 앞세운 모든 형이상학이나 계몽 프로젝트를 근본적으로 해체하려고 합니다. 이 프로젝트의 총책임자가 바로 플라톤 검사님입니다.

플라톤 : 아니, 내가 총책임자라는 걸 어떻게 알았지?

아비투어 : 검사님, 진정하시고 데콘 씨를 9.11 세계무역센터 해체사건의 피의자로 보는 이유가 무엇인지 밝히십시오.

플라톤 : 세계무역센터는 인간 이성이 중심이 되어 세계의 모든 장벽을 무너뜨리고 계몽의 빛으로 세계를 하나로 만들려는 세계화라는 야심찬 계몽 프로젝트를 총지휘하던 곳입니다. 데콘 씨가 자신의 입으로 직접 밝혔듯이 그가 은밀히 추진하고 있는 프로젝트가 바로 이성을 앞세운 계몽 프로젝트를 해체하려는 것입니다. 바로 그 프로젝트가 세계무역센터를 해체한 것입니다.

아비투어 : 잘 알겠습니다. 데콘 씨가 이번 사건에 책임이 있는 지는 앞으로 재판을 통해 밝혀질 것입니다. 이번 재판은 이것으로 마치겠습니다. 감사합니다.

두 번째 재판 — 증인, 중심과 양파

아비투어 : 아비투어 철학 법정 배심원 여러분, 두 번째 재판을 시작하겠습니다. 검사 측에서 센터 씨를 증인으로 요청했습니다. 센터 씨 증인석으로 나오시기 바랍니다.

플라톤 : 센터 씨 정식 이름이 무엇입니까?

센터 : 로고스 중심주의(Logoscentrism)라고 합니다. 이성 중심주의 또는 말 중심주의라고 부르기도 합니다.

플라톤 : 그런 이름으로 부르는 이유는 뭡니까?

센터 : 로고스(logos)가 이성을 뜻하기도 하고 말을 뜻하기도 한다는 이유도 있지만, 무엇보다 저를 겨냥한 이성 형이상학 해체작업이 주로 말이나 글과 관련하여 이루어지고, 말에 대한 비판이 이성적 주체의 생각이나 의미에 대한 비판으로 파고들기 때문입니다.

플라톤 : 또 다른 이름은 없습니까?

센터 : 물론 있습니다. 로고스는 생각이나 말이 떠나버리고 없는 글이나 텍스트와 달리 '지금 여기 생생하게 살아 있으면서' 모든 담론과 의미를 만들어내는 존재입니다. 그래서 로고스 중심주의를 '지금 여기 있음(presence)의 형이상학' 또는 줄여서 현전(現前)이나 현존(現存)의 형이상학이라고 부르기도 합니다.

플라톤 : 도대체 로고스 중심주의란 게 뭡니까? 자신을 소개해 주시죠.

센터 : 절대적인 이성적 진리를 중심으로 구성한 체계입니다.

플라톤 : 데콘 씨가 로고스 중심주의를 해체하려고 한다고 하는데 어떻게 해체한다는 말입니까?

센터 : 데콘 씨는 로고스 중심주의의 중심이 되는 절대적인 진리라는 것은

그것과 반대되는 것을 내쫓음으로써 만들어진 허구일 뿐이라고 주장합니다.

플라톤 : 예를 들어 설명해 주시죠.

센터 : 데콘 씨는 로고스 중심주의가 정상과 비정상을 구분하고 비정상을 광기로 내몰아서 이성이라는 가상을 만들어 냈다고 주장합니다.

플라톤 : 그런 식으로 이성이라는 정상이 만들어졌다는 겁니까? 그런 말도 안 되는 소리를. 이성이란 원래 있는 것이지 일부러 만든 게 아닙니다.

데리다 : 로고스 중심주의의 절대적인 중심인 이성이 원래 있는 것이 아니라 당신들이 만든 가상일 뿐이라는 것을 보여줄 수 있습니다. 양파 씨를 증인으로 요청합니다.

아비투어 : 양파 씨, 증인석으로 나오십시오.

데리다 : 이름이 뭡니까?

양파 : 양파라고 합니다.

데리다 : 당신은 중심이 없다고 들었는데.

양파 : 누가 그런 말도 안 되는 소리를 합니까? 세상에 중심이 없는 게 어디 있습니까?

데리다 : 그렇다면 옷을 벗어 보시죠.

양파 : 아니, 벗으라면 못 벗을 줄 알아요. 자, 벗었습니다.

데리다 : 그 옷도 벗어 보시죠.

양파 : 아니, 하나만 벗으면 됐지. 또 벗어요? 원한다면 제가 입고 있는 옷을 다 벗겠습니다.

데리다 : 그것도 마저 벗으시죠.

양파 : 이건 마지막 옷인데. 이걸 벗으면 제 발가벗은 몸(중심)이 드러난단 말이에요.

데리다 : 그럴 일은 없으니, 안심하고 마저 벗으세요.

양파 : 정 원하신다면, 자! 엉? 내 몸이 어딜 갔지?

데리다 : 보십시오. 이처럼 모든 것이 중심이 있다는 로고스 중심주의의 주장도 환상일 뿐입니다. 데콘 씨는 로고스 중심주의가 주장하는 절대적인 중심은 없으며 끊임없이 주인이 바뀌는 빈자리만 있다는 것을 드러냈습니다. 데콘 씨는 어떤 중심을 중심으로 치밀하게 짜여진 '전체'(totality)를 추구하는 사고방식을 해체한 것입니다.

아비투어 : 어떤 방법으로 해체했다는 거죠?

데리다 : 데콘 씨는 전통적으로 철학적 담론에서 무시되어왔던 주변 영역들에 관심을 가졌습니다. 서명, 인용, 문자, 표현방식, 실수, 여백 등 주변적인 것의 역할을 드러내어 그것들이 텍스트에서 결정적인 역할을 하는 본질적인 구성요소라는 것을 보여 주었습니다.

아비투어 : 그렇죠. 텍스트는 여백이 없이는 성립하지 않으니까요.

플라톤 : 재판장님, 어느 한쪽의 편을 드는 발언을 삼가 주십시오.

아비투어 : 죄송합니다. 제가 좀 흥분했었나 봅니다. 데리다 변호사님, 변호를 계속 하십시오.

데리다 : 데콘 씨는 주변들로 하여금 중심에 대항하여 반란을 일으킬 것을 선동함으로써 중심을 공략했습니다.

플라톤 : 보십시오. 이제야 자백하지 않습니까? 데콘 씨가 주변의 테러리스트들을 선동해서 세계자유무역센터를 공략했다고.

데리다 : 성급하게 속단하지 마십시오. 그렇게 해서 무장해제 된 중심은 사실상 내용이 없는 빈자리였다는 사실이 드러났습니다. 실제로는 존재하지 않는 유령건물을 공략했던 것입니다. 데콘 씨는 확고한 중심을 바탕으로 구성된 듯이 보이는 체계의 중심이 사실상 존재하지 않는다는 사실을 폭로한 것일 뿐입니다. 죄가 있다면 존재하지 않는 중심이 마치 있는 듯이 허위 선전을 한 로고스 중심주의에 죄가 있습니다.

아비투어 : 그러니까 데콘 씨가 양파껍질을 벗기듯 세계무역센터의 거짓말을 벗겨냈다는 말씀이십니까?

데리다 : 그렇습니다. 데콘 씨는 양파껍질들과 같은 힘없는 나라들이 미국이라는 중심을 감싸고 있는 주변 국가들일 뿐이라는 선입견을 해체한 것입니다. 세계에 중심이란 없습니다. 주변 국가들이 모여 세계를 이루고 있는 것입니다. 주변 국가들이 세계의 주인입니다.

플라톤 : 아니, 세상에 미국이 없다니, 무슨 그런 황당한 소리를 하시는 겁

니까?

데리다 : 미국이 없다는 말을 한 적이 없습니다. 중심으로서의 미국이 없다는 말입니다. 미국도 세계를 이루고 있는 주변 국가일 뿐이라는 것이지요.

아비투어 : 진정하세요. 앞으로도 재판이 많이 남았습니다. 오늘은 이것으로 재판을 마치겠습니다.

세 번째 재판 — 카멜레온 파르마콘

아비투어 : 세 번째 재판을 시작하겠습니다. 이번에는 검사 측에서 파르마콘 씨를 증인으로 요청했습니다. 파르마콘 씨, 증인석으로 나오시기 바랍니다.

플라톤 : 이름이 뭡니까?

파르마콘 : 파르마콘(pharmakon)입니다. 당신이 붙여 준 이름 아닙니까?

플라톤 : 본명은 무엇입니까?

파르마콘 : '글' 이라고 합니다.

플라톤 : 제가 왜 당신에게 파르마콘이라 별명을 붙여 줬는지 아십니까?

파르마콘 : 알지요. 파르마콘이란 약이란 뜻과 병이란 뜻을 가지고 있습

니다.

아비투어 : 아니, 병 주고 약 준다는 속담도 있잖아요. 그 속담과도 관계가 있나요?

파르마콘 : 관계가 있지요. 플라톤 검사님은 글은 말하는 이의 생각이나 의도나 의미를 저장하여 시공간의 제약 없이 재현할 수 있다는 점에서 약이 되지만, 말하는 이의 생각이나 의도나 의미가 생생하게 살아있지 않아 그릇되게 해석될 수 있다는 점에서 병이 될 수도 있다고 보았습니다. 글이 병도 주고 약도 준다는 말이지요. 그래서 제 별명을 파르마콘이라고 붙였습니다.

데리다 : 문제는 그러한 별명에는 말이 글보다 우위에 있다고 믿는 로고스 중심주의가 숨어 있다는 점입니다. 플라톤 검사님은 말은 말하는 이의 생각이나 의도나 의미가 목소리 속에 생생하게 살아있지만, 글은 그 생각이나 의도나 의미의 생생함이 사라지고 그 흔적만 남아있다고 주장했습니다. 글과 달리 말은 말하는 이의 생각이나 의도나 의미가 직접 '지금 여기 살아있다' 는 것이지요. 하지만 단적인 반대증거가 있습니다.

플라톤 : 반대증거가 뭐요?

데리다 : 거짓말입니다. 거짓말은 말하는 이의 생각이나 의도나 의미가 숨겨져 있거나 그 반대로 드러납니다. 거짓말이야말로 듣는 이로 하여금 그릇된 해석을 불러일으키지요. 하지만 거짓말이 아니라도 말이 듣는 이

에게 오해되는 경우가 수없이 많습니다. 말이 진실을 담고 있으며, 진실을 그대로 전달하는 수단이라는 믿음은 사실을 외면한 환상일 뿐입니다.

플라톤 : 당신의 글이 얼마나 오해를 불러일으키는지 몰라서 그래요.

아비투어 : 진정하세요. 재판을 끝낼 시간이에요.

플라톤 : 아니, 왜 말을 끊는 거요? 당신도 글의 편을 드는 거요?

아비투어 : 당신이 그렇게 소중히 여기는 이성을 되찾으십시오. 자, 이것으로 세 번째 재판을 마칩니다.

네 번째 재판 — 샴쌍둥이 차이와 지연

아비투어 : 네 번째 재판을 시작하겠습니다. 변호사 측에서 소쉬르 씨를 증인으로 요청했습니다. 소쉬르 씨, 증인석으로 나오십시오.

데리다 : 데콘 씨는 중심의 자리에서 절대적 이성적 진리를 내쫓고 수많은 주변의 자리들이 서로 자리바꿈을 하는 자유로운 놀이공간을 만들어냈습니다. 소쉬르 씨, 당신이 그러한 자리바꿈을 언어의 특징이라고 했다는 것이 사실입니까?

소쉬르 : 사실입니다.

플라톤 : 당신이 그런 주장을 했다고요? 당신은 언어를 언어 체계(랑그)와

언어 행위(파롤)로 구분하지 않았나요?

소쉬르 : 그랬지요. 하지만 언어를 언어 표현(시니피앙)과 언어 내용(시니피에)으로 구분하기도 했습니다.

플라톤 : 그런 구분과 자리바꿈이 무슨 상관이 있습니까?

소쉬르 : '차이의 원칙' 때문입니다.

플라톤 : 차이의 원칙이 뭡니까?

소쉬르 : 언어 표현(시니피앙)의 의미는 그 언어 표현에 대응하는 대상이나 언어 내용(시니피에)에 의해 결정되지 않습니다. 언어 표현의 의미는 다른 언어 표현들과의 차이에 의해 결정됩니다. 이것을 '차이의 원칙' 이라고 하지요.

데리다 : 예를 들어 쉽게 설명해 주시죠.

소쉬르 : 예를 들어 '고양이' 라는 언어 표현의 의미는 그것이 가리키는 언어 내용 또는 대상(이런저런 성질들을 가진 존재)이 아니라, '개' 라는 언어 표현과 다르고, '쥐' 라는 언어 표현과 다르고, '호랑이' 라는 언어 표현과 다르고…… '살쾡이' 라는 언어 표현과 다른 것이라는 뜻이죠. 더 정확히 말하면 언어 표현은 아무런 의미를 가지고 있지 않으며, 다른 언어 표현들과의 차이에 의해 드러나는 빈자리만 드러낼 뿐입니다.

플라톤 : 도대체 무슨 뜻입니까?

소쉬르 : 블랙홀은 보이지 않는 빈공간이지만 주변의 보이는 물질들에 의

해 빈공간의 모양이 드러나는 것과 마찬가지입니다.

아비투어 : 아하, 이제 이해가 가네요.

데리다 : 그래서 제가 어떤 언어 표현도 다른 언어 표현이 없으면 아무런 역할을 할 수 없다고 하지 않았습니까? 다른 언어 표현이 아닌 것이 자신이기 때문이지요.

플라톤 : 그러니까 당신이 소쉬르 씨의 언어이론을 슬쩍했다는 말씀이십니까?

데리다 : 하지만 그대로는 아닙니다. 소쉬르 씨는 이렇게 하여 정해진 의미가 고정된다고 보았습니다만 저는 의미가 끊임없이 바뀐다고 주장하거든요.

플라톤 : 데콘 씨, 숨겨둔 여자친구가 있다고 하던데 사실입니까?

데리다 : 갑자기 여자친구 얘기는 왜 하는 겁니까? 재판과 관계없는 이야기는 삼가 주십시오.

플라톤 : 관계가 있습니다. 전지연인지, 차지연인지, 차태연인지 하는 이가 데콘 씨의 여자친구 아닙니까?

데리다 : 아, 난 또 무슨 말씀인가 했네요? 차지연이 아니고 차이 · 지연입니다.

플라톤 : 그게 그거 아닌가요?

데리다 : 아시려면 제대로 아셔야지. 전지연이 아니라 전지현이고, 차태

연이 아니라 차태현 아닌가요?

플라톤 : 누가 연예인 이름을 말한 줄 알아요? 내 원 참. 사람을 무시해도 분수가 있지.

데리다 : 차이 · 지연 씨의 본명은 디페랑스(Différance)입니다. 줄여서 차연이라고 부르지요.

플라톤 : 재판장님, 차연 씨를 증인으로 요청합니다.

아비투어 : 차연 씨, 증인석으로 나오십시오.

플라톤 : 데콘 씨가 차연 씨를 매우 사랑한다고 들었습니다. 당신은 어떤 일을 하십니까?

차연 : 언어 표현들로 하여금 서로 밀고 당기고 부딪히며 서로 구분하고 서로를 가리키며 끊임없이 의미가 변하게 하는 일을 합니다. 언어 표현들과 변화무쌍한 놀이를 하는 거죠.

플라톤 : 그 요상한 이름은 누가 지은 건가요?

차연 : 데리다 변호사님께서 프랑스어 '디페레' (différer)란 동사의 두 가지 뜻인 공간적인 차이(differ)와 시간적인 차이인 지연(defer)을 합쳐 명사로 만든 이름입니다.

플라톤 : 그러니까 당신은 '차이' 와 '지연' 이 한 데 붙어있는 샴쌍둥이군요. 그런데 무슨 뜻인가요?

차연 : 언어의 의미는 다른 언어들과의 공간적인 차이에 의해 정해지기도

하지만 다른 한편으로 시간적으로 앞선 언어들과 뒤이은 언어들과의 시간적인 차이에 의해 정해지기도 한다는 뜻입니다.

플라톤 : 공간적인 차이라고 하면 언어 표현들과의 차이를 말씀하시는 것입니까?

차연 : 그렇습니다. 시간적인 차이가 없이 동시에 발생하는 차이라서 공간적인 차이라고 합니다. '고양이'가 '개'와 다르고, '호랑이'와 다른 것이 동시에 일어난다는 뜻이죠.

플라톤 : 그럼 시간적인 차이라는 것은 뭡니까?

차연 : 언어의 의미는 과거의 언어들의 흔적인 기억과 미래의 언어들의 흔적인 예측과의 차이를 통해 늘 새롭게 드러나는 자리라는 뜻입니다. 과거와 미래와의 차이에 의해 현재의 의미가 정해진다는 뜻이죠.

아비투어 : 그것이 어떤 의미가 있습니까?

차연 : 언어의 원래적인 의미란 없다는 뜻이지요. 끊임없이 과거와 미래와의 차이에 의해 현재가 정해지므로 언어의 의미가 정확히 어디에서 왔는지 그 기원을 정할 수 없습니다. 차이 · 지연 속에서 기원은 사라지게 되지요.

아비투어 : "이 낱말의 진짜 의미는 이거야. 다른 의미는 모두 가짜야"라는 주장이 아무런 의미 없는 헛소리란 뜻이군요. 언어가 가지고 있는 의미의 오리지널(원본)이란 애당초 없다는 거잖아요?

차연 : 빙고, 바로 그거예요.

플라톤 : 재판장님, 뭘 하시는 겁니까? 공정한 재판을 하셔야 할 분이 증인과 맞장구를 치시다니.

아비투어 : 미안합니다. 증인이 하시는 말이 재미있어서.

플라톤 : 증인이 예뻐서가 아니고요?

아비투어 : 하하하. 그런가요. 이번 재판은 이것으로 마치겠습니다. 감사합니다. 다음 재판에서 뵙겠습니다.

다섯 번째 재판 — 변신의 귀재 반복

아비투어 : 다섯 번째 재판을 시작하도록 하겠습니다. 조명을 어둡게 해 주십시오.

플라톤 : 이 3차원 영상들은 뭡니까? 물고기들이 우리 주위를 헤엄쳐 다니네요. 우리가 흐르는 깊은 강물 속에 있는 겁니까? 재판정 속에 있는 겁니까?

데리다 : 제가 만든 동영상이 효과 만점이군요. 바로 그런 효과를 원했습니다.

플라톤 : 그런데 왜 변호는 안 하고 신성한 재판정을 가지고 어린애 같은

장난을 하다니?

데리다 : 기다려 보십시오. 이번 재판과 깊은 연관이 있습니다. 앞에서 언어 표현의 의미는 언어 표현의 차이 · 지연 때문에 결코 고정되지 않는다고 말씀드렸죠? 매번 언어로 표현하거나 표현된 것을 읽을 때마다 차이 · 지연이 일어나 새로이 표현하거나 읽을, 즉 해체할 새로운 출발점에 이르기 때문입니다.

플라톤 : 쉬운 말로 설명할 수 없습니까?

데리다 : 쉽게 말해서, 같은 텍스트가 읽을 때마다 새로운 의미로 읽힌다는 뜻입니다.

플라톤 : 처음부터 그렇게 말씀하시면 될 것을 왜 어렵게 말씀하시나요?

데리다 : 제가 그랬나요. 미안합니다. 같은 텍스트가 읽을 때마다 새로운 의미로 읽힌다는 것은 읽을 때마다 다른 텍스트로 바뀐다고도 말할 수 있습니다. 극단적인 경우에는 텍스트가 자신이 말한 것과 모순되거나 갈등 관계에 있는 텍스트로 바뀌게 되겠죠.

플라톤 : 이런 거랑 아까 그 강물이 무슨 관계가 있다는 겁니까?

데리다 : 기다려 보세요. 이러한 차이 · 지연을 가장 잘 보여주는 것이 인용입니다. 인용이란 어떤 언어 표현을 그것이 표현된 맥락으로부터 끄집어내어 다른 맥락 속에 집어넣는 행위입니다. 그러므로 인용은 본성상 차이 · 지연이 일어날 수밖에 없지요. 맥락이 바뀌면 의미도 바뀌게 되는

것은 당연한 일입니다.

아비투어 : 예를 들어 "경포 호수는 둘레가 십 리다" 에서의 호수와 "내 마음은 호수다" 에서 호수의 의미가 같을 리 없는 것과 마찬가지지요?

데리다 : 그렇습니다. 인용은 차이·지연이 일어나는 반복입니다. 헤라클레이토스가 말한 것처럼 흐르는 물에서는 같은 물에 발을 두 번 담글 수 없듯이 끊임없이 차이·지연이 일어나는 인용 또는 반복에서는 같은 의미를 두 번 뜻할 수 없습니다. 같은 의미와 같은 표현의 반복이라는 정확한 의미에서의 반복은 불가능하기 때문입니다.

아비투어 : 아, 드디어 강물이 나왔군요. 그러니까 반복은 비슷하지만 다른 새로운 변신이란 말씀이군요?

데리다 : 그렇다고 할 수 있지요. 이러한 인용이나 반복이 지니는 언어 내용의 차이성은 언어 표현의 동일성에 의존합니다. 언어 표현이 변하지 않기 때문에 언어 내용이 변할 수 있는 것이죠. 그러므로 언어 표현이 언어 내용보다 우위에 있습니다.

플라톤 : 그러니까 이 모든 쇼가 언어 내용이나 의미를 언어 표현보다 우위에 놓는 제 로고스 중심주의를 비판하려는 거였다는 말입니까?

데리다 : 그렇습니다.

아비투어 : 그러한 변신을 가능하게 하는 차이·지연이 자기 지시적이라는 소문이 있고, 차연 씨가 자연 미인이 아니라 e를 a로 바꾼 성형미인이

란 소문도 있던데, 해명해 주시죠.

데리다 : 자기 지시적이란 것은 자기가 자기를 가리킨다 또는 보여준다는 말입니다. '여기에 쓴 글자' 라는 것이 자기를 지시하는 대표적인 예지요. 차이 · 지연(différance)이라는 말 자체가 발음과 글자 사이의 차이로 자신의 의미를 스스로 보여주고 있습니다. 디페랑스(différance)는 차이를 뜻하는 디페랑스(difference)에서 e를 a로 바꿔 만든 말입니다. 디페랑스(différance)는 디페랑스(difference)와 발음이 같습니다. 하지만 뜻은 차이 · 지연됩니다. 즉 비슷하지만 다릅니다.

아비투어 : 아하, 그래서 차연 씨가 e를 a로 바꾼 성형미인이란 소문이 떠돌았군요. 그런데 무엇이 뜻을 차이 · 지연시켰나요?

데리다 : 바로 말 속에서는 찾을 수 없는, 글이나 언어 표현이 가지고 있는 고유한 성질들입니다. 이것은 글이 말이나 생각보다, 언어 표현이 언어 내용보다 우위에 있다는 것을 보여 줍니다. 하지만 언어 표현들 사이에는 어떠한 우열도, 중심과 주변의 구분도, 위와 아래의 구분도, 절대적인 위계질서도 없으며, 모든 것이 상대적일 뿐입니다.

플라톤 : 그런데 이게 세계무역센터 해체사건과 무슨 상관이 있습니까?

데리다 : 당신이 데콘 씨가 세계무역센터를 해체했다고 주장했잖습니까? 데콘 씨가 해체한 것은 세계무역센터가 아니라 그 센터가 상징하는 절대적인 위계질서라는 말입니다.

플라톤 : 아니, 그 위계질서를 왜 해체하느냐고요?

아비투어 : 재판을 마쳐야 할 시간입니다.

플라톤 : 아니, 이 양반은 내가 말 하려고만 하면 끝날 시간이라고 하네. 나 원 참.

아비투어 : 괜한 오해하시지 마십시오. 예정된 시간이 있지 않습니까? 다음 재판에서 뵙겠습니다.

여섯 번째 재판 — 이중 스파이, 흔적

아비투어 : 여섯 번째 재판을 시작하겠습니다. 데리다 변호사님께서 트레이스 씨를 증인으로 요청했습니다. 트레이스 씨, 증인석으로 나오십시오.

데리다 : 이름이 뭡니까?

트레이스 : 트레이스(trace, 흔적)라고 합니다.

데리다 : 데콘 씨가 테러리스트들을 부추겨 대립을 선동한 것이 아니라, 오히려 대립되는 것들을 해체하고자 했다는 것이 사실입니까?

트레이스 : 사실입니다. 데콘 씨는 언어 표현의 의미가 다른 언어 표현들과의 차이에 의해 정해지므로 모든 언어 표현은 다른 언어 표현의 흔적을 가지고 있다고 주장했습니다.

플라톤 : 어떤 흔적을 가지고 있다는 말씀입니까?

트레이스 : 바위 위에 공룡발자국이 남아있다고 합시다. 거기에 지금 공룡이 있습니까? 아니죠? 있었던 거죠. 흔적이란 과거에는 있었지만 지금은 없다는 것을 나타내는 표식이죠. 다른 언어 표현들과의 차이에 의해 의미가 결정되는 언어 표현에는 다른 언어 표현들이 직접 존재하지는 않습니다. 하지만 그 언어 표현은 다른 언어 표현들에 대한 실마리나 흔적을 가지고 있습니다.

아비투어 : 예를 들어 설명해 주시죠?

트레이스 : '고양이' 라는 언어 표현의 의미는 '개' 나 '호랑이' 와 같은 다른 언어 표현들과의 차이에 의해 드러납니다. '고양이' 는 '개' 나 '호랑이' 가 아닌 것이죠. 거꾸로 말하면 '고양이' 라는 언어 표현은 '개' 나 '호랑이' 라는 언어 표현의 의미를 찾을 수 있는 실마리나 흔적을 가지고 있다고 할 수 있습니다. '고양이' 는 '개' 나 '호랑이' 라는 언어 표현의 의미를 드러내는 역할을 하기 때문입니다. 거꾸로도 마찬가지입니다. '개' 나 '호랑이' 라는 언어 표현은 '고양이' 라는 언어 표현의 의미를 찾을 수 있는 실마리나 흔적을 가지고 있습니다. 그래서 저와 같은 흔적을 언어 표현들 사이의 이중 스파이라고 부르기도 합니다.

플라톤 : 그런 것들이 대립되는 것을 해체하는 것과 무슨 상관이 있다는 말입니까?

트레이스 : 대립되는 것은 자신 속에 대립되는 다른 것을 전혀 포함하고 있지 말아야 합니다. 그렇지 않으면 대립되는 것이 아니게 되니까요. 하지만 해체는 대립되는 것을 포함한 모든 것들 속에서 그것과 다른 것들의 흔적을 드러냅니다. 결국 해체는 대립되는 것이 사실상 대립되는 것이 아니라는 것을 드러냄으로써 대립되는 것을 해체한다고 할 수 있습니다.

플라톤 : 그렇다면 그렇게 해체되는 대립되는 것들이 어떤 것들이 있다는 말입니까? 예를 들어 봐요.

트레이스 : 예를 들면, 말하기와 글쓰기, 있음과 없음, 같음과 다름, 채워짐과 비워짐, 의미와 무의미, 지배와 복종, 삶과 죽음, 자본가와 노동자, 남성과 여성, 인간과 자연과 같은 모든 대립쌍들이 해체됩니다.

플라톤 : 대립되는 것들이 해체되면 어떤 유익한 점이 있습니까?

트레이스 : 각 쌍에서 앞의 것들이 원본이고, 진짜고, 더 나은 것이며, 뒤의 것들이 이차적인 것이고, 파생적인 것이고, 기생적인 것이고, 더 못한 것으로 간주됩니다. 해체는 이 '폭력적인 위계질서'를 해체하는 것이죠.

플라톤 : 폭력적인 위계질서라고요? 세계무역센터가 왜 쌍둥이빌딩이었는지 아십니까? 미국이나 주변국들이나 동등하다는 것을 상징하는 것이었습니다. 세계화나 자유무역이라는 것이 바로 동등한 입장에서 서로 교류하는 것 아닙니까?

데리다 : 내세우는 겉과 속이 다릅니다. 어른과 아이를 동등하게 대우한

다고 아이에게 아무런 안전장치도 못하게 하고 권투시합을 시키는 것이 동등하게 대하는 것입니까? 이것은 자신들이 중심에 선 위계질서를 그대로 관철하겠다는 폭력적인 행위입니다. 자신들이 진짜며, 우월하고 옳으니까 모두 자신들을 따라야 한다는 자기중심주의가 저지르는 폭력입니다.

플라톤 : 열등한 주변 국가들이 중심에 있는 선진 국가를 따라야 하는 건 당연한 일 아닙니까?

아비투어 : 이번 재판은 이것으로 마칩니다. 다음 재판에서 뵙겠습니다.

판결 — 닫힌 사회와 열린사회

아비투어 : 마지막 재판입니다. 먼저, 플라톤 검사님께서 하시고 싶은 말씀을 하시기 바랍니다.

플라톤 : 세계무역센터의 이론적 중심이 된 로고스 중심주의는 이상적인 세계건설을 위한 구체적인 계획을 내놓았습니다. 바로 세계화이며, 자유무역의 실현입니다. 하지만 데콘 씨나 데리다 씨는 해체만을 꿈꾸고 있습니다. 해체는 해체일 뿐이지 구성이 아닙니다. 모든 것을 다 해체해 버리면 이 세계는 어떻게 되겠습니까? 정말 대책 없는 무책임한 행동입

니다.

아비투어 : 이제 데리다 변호사님께서 말씀하시죠.

데리다 : 데콘 씨나 저의 해체주의는 열린 세상을 지향합니다. 모든 중심주의를 해체하여 끊임없이 다른 것들을 끌어들여 늘 새로워지는 창조적인 열린 세상을 지향합니다. 저희들은 이러한 열린 세상을 위해 완벽해 보이는 합리적 사회가 가지고 있는 다른 것의 흔적, 즉 숨겨진 폭력적 억압을 드러냄으로써 그 완벽성과 합리성의 환상을 해체하려고 합니다.

해체는 해체일 뿐 구성이 아니라는 말씀을 하시는 걸 보니 당신은 저희가 해체하고자 했던 중심주의에 여전히 사로잡혀 있는 것 같습니다. 구성은 구성이고, 해체는 해체라는 생각은 구성과 해체라는 대립쌍에 머물고 있는 것이죠. 하지만 구성은 해체의 흔적을, 해체는 구성의 흔적을 가지고 있습니다. 해체는 새로운 구성을 뜻합니다. 끊임없는 해체는 동시에 끊임없는 새로운 구성이나 창조를 뜻합니다. 중심주의를 해체하면 해체주의 또는 분해주의 또는 분산주의가 구성됩니다. 분산주의는 다양성이 존중되는 열린사회를 지향합니다.

아비투어 : 좋은 말씀 감사합니다. 이것으로 재판을 모두 마치겠습니다. 이제 아비투어 철학 법정 배심원 여러분의 판결만 남았습니다. 과연 데콘 씨가 세계무역센터 해체사건과 관련하여 죄가 있는지 판결을 내려 주십시오. 그 이유도 함께 써 주십시오.

배심원들 : (중얼중얼) 여기 저희들이 내린 판결입니다.

판 결 문

____

____

____

____

____

____

____

____

____

배심원 :

(서명)

실전 논술

논술 문제

case 1 다음 제시문을 읽고 답하시오.

가 "시니피앙은 기호 표현이고 시니피에는 기호 의미야. 시니피앙은 그림이나 글과 같은 것을 말하고, 시니피에는 그 그림이나 글이 갖고 있는 의미를 말하는 것이란다. '사과' 라는 글자, 혹은 사과의 그림이 시니피앙이고 시다, 달다, 동그랗다, 맛있다와 같이 사과에 대해 갖는 생각이 시니피에지. 그렇다면 시니피에는 어디에서 올까?"

아줌마의 말에 내가 대답했다.

"경험에서 오는 거겠죠."

"그래, 맞아. '사과' 에 대해 사람들은 각자의 경험에 따라 생각하기 마련이지. 사람들은 문장 속에 있는 글자를 보면서 자기가 경험한 것을 상상하게 되지. 그렇지만 꼭 그런 사과만 있는 것은 아니야. 데리다는 바로 그런 의미에서 고정된 시니피에를 해체해야 한다고 주장했어. 글자를 글자 그대로만 이해해야지 다른 것과 연관시켜 이해하지 말라고 말이야."

그때 리나가 기지개를 쭉 켜며 말했다.

"아직 멀었어요?"

"얘는, 암튼 머리 쓰는 거 너무 싫어해서 문제야. 너희는 '엄마' 라고 하면 뭐가 연상되니?"

"잔소리쟁이!"

리나가 냉큼 대답했다.

"네가 잔소리 들을 행동을 하니까 하지. 순미는?"

"저는 엄마에 대해 잘 몰라요. 아직 새엄마와 친해지지 못했거든요."

겨우 그 말을 하는데 왜 눈물이 나는지 모르겠다.

"혹시 너, 새엄마를 콩쥐 엄마 아니면 백설공주의 새엄마, 뭐 그런 걸로 연상하는 거 아니야?"

리나가 히쭉 웃는 얼굴을 하며 나에게 물었다.

"하긴, 동화에 등장하는 새엄마들이 다 못되게 그려지고 있지. 그것 때문에 사람들이 새엄마에 대한 편견을 가지고 있는지도 몰라. 새엄마라고 다 그런 건 아닌데 말이야."

아줌마가 자못 심각하게 고개를 끄덕였다.

"아, 알았다! 그래서 데리다가 해체하라고 그런 거구나! 아까 그랬잖아요. 글자를 글자 그대로만 봐야지 시니피에를 가지고 보지 말라고. 자기의 환상이나 상상력이 들어가는 걸 해체해야 한다고 그랬잖아요? 그러니까 순미가 가지고 있는 새엄마라는 글자의 편견을 버려야 진짜 새엄마가 보이는 거 아닐까요? 데리다가 그런 뜻으로 말한 것 같은데……. 순미 너도 새엄마에 대한 생각을 해체해 봐. 너는 백설공주가 아니잖아. 설마 너 예쁜 거 시샘해서 새엄마가 독 사과를 주기라도 하겠니? 혹시 나처럼 예쁘다면야 모를까."

자기가 말하고도 웃긴지 리나는 혼자 킬킬거렸다.

—《데리다가 들려주는 해체 이야기》 중에서

나 우리 지성을 집요하게 사로잡고 있는 우상과 그릇된 생각들은 우리 정신을 어지럽게 하고 진리 획득을 방해한다. 따라서 우리가 그러한 우상들로부터 벗어나지 못하는 한, 학문을 새롭게 하기 어려운 것이다.

우상에는 네 가지가 있다. 종족의 우상, 동굴의 우상, 시장의 우상, 극장의 우상이 바로 그것이다. 이 우상들로부터 벗어날 수 있는 유일한 방법은 귀납법을 통해 참된 개념과 생각을 찾아내는 것이다. 그러나 그 우상들을 찾아내는 것만도 매우 유익하다. 소피스트의 궤변을 알면 논리학에 도움이 되는 것처럼, 우상을 알면 자연을 해석하는 데 도움이 된다.

종족의 우상은 인간 종족의 특성인 인간성 자체로부터 나오는 것이다. "만물의 척도는 인간의 감각이다"는 주장이 바로 그러한 우상에 빠져 있다. 이 그릇된 주장은 인간은 우주가 아니라 인간 자신을 모든 것을 판단하는 기준으로 삼기 쉽다는 사실을 보여준다. 표면이 울퉁불퉁한 거울이 사물을 있는 그대로가 아니라 사물의 모습을 왜곡하고 굴절시키는 것과 마찬가지다.

동굴의 우상은 개인이 가지고 있는 특성으로부터 나오는 우상이다. 개인은 자연의 빛을 차단하거나 약화시키는 동굴 같은 것을 가지고 있다. 그것은 개인 고유의 특수한 본성에 의해 생긴 것일 수도 있고, 그가 받은 교육이나 다른 사람에게 들은 이야기에 의해 생긴 것일 수도 있고, 그가 읽은 책이나 존경하고 찬양하는 사람의 권위에 의해 생긴 것일 수도 있고, 첫인상에 의해 생긴 것일 수도 있다. 개인의 정신은 각자의 기질에 따라 변덕이 심하고 동요되고 우연에 좌우된다. 그래서 헤라클레이토스는 "인간은 넓은 세계에서가 아니라 상당히 좁은 세계에서 지식을 구하고 있다" 고 했다.

사람들의 사귐과 접촉으로부터 생기는 우상도 있다. 그것은 의사소통과 모임에서 생기는 것이므로 시장의 우상이라 부를 수 있다. 인간의 의사소통 도구인 언어가 잘못 만들어지면 인간 지성은 심한 혼란을 겪는다. 학자들이 그 혼란으로부터 벗어나고자 새로운 정의나 설명을 만들기도 하지만 상황은 그다지 개선되지 않는다. 언어는 여전히 지성을 옥죄이고 혼란 속으로 몰아넣어 공허한 논쟁을 하게 하거나 수많은 오류를 범하게 한다.

마지막으로 철학의 다양한 학설과 그릇된 증명 방법 때문에 생기게 된 우상이 있다. 이것은 극장의 우상이라 부를 수 있다. 철학 체계들은 무대에서 환상적인 세계를 만들어내는 각본과 같은 것이다. 고대의 철학 체계만 그런 것이 아니다. 그러한 각본은 지금도 수없이 만들어져 상연되고 있다. 오류의 종류는 전혀 다르지만 그 원인은 대체로 같다. 철학만 그런 것이 아니다. 관습과 경솔함과 태만이 만성화되어 있는 여러 분야의 이론 체계들도 마찬가지다.

— F. 베이컨, 《신기관》 중에서

다 1960년대 말과 1970년대 초에 독일에 파견되었던 광부와 간호사들은 작은 가방 하나를 들고 한국을 떠나갔다. 재독 동포 1세대인 김영희 씨는 독일로 간 간호사와 광부들이 모두 그러했듯이, 낮에는 간호사로 일하고 밤에는 독일에 대한 공부를 하며 젊은 날을 보냈다. (……) 김영희 씨는 한인 2세대들에게 풍물, 민요,

춤과 같은 한국 전통 문화를 가르치면서, 한국인 부모 밑에서 자랐지만 독일인으로 살아가고 있는 그들에게 한국인의 얼을 심어 주고 있다. (……)

알래스카의 주정부 소재지인 앵커리지에서 서북쪽으로 200km 떨어진 배텔에는 100여 명의 한국인이 살고 있다. 육로가 없어 비행기로만 왕래할 수 있는 오지, 인구의 80%가 에스키모인 곳, 한겨울에는 기온이 영하 40도까지 내려가는 혹한의 땅, 한국인들은 이곳에서 어떻게 생활하고 있을까?

택시 운전을 하는 정씨는 미국에서 하는 일마다 실패한 후, 그곳으로 갔다. 그는 밤낮없이 열심히 일해서 번 돈으로 미국에 살고 있는 가족의 생활비와 두 딸의 학비를 대고 있다. 문명 세계와 동떨어져 있고 모든 점이 불편한 오지에서 그를 견딜 수 있게 하는 것은 가족에 대한 사랑과 이곳에서마저 실패할 수 없다는 굳은 의지이다. 처음에 그는 에스키모의 문화를 낯설어했지만, 이제는 에스키모에게서 형제애를 느낄 만큼 친밀해졌다. 그들을 이해하고 그들에게 먼저 다가가려고 노력한 덕분이었다.

이들 한국인에게 힘이 되어 주는 이곳의 터줏대감 최준기 씨는 툰드라 모텔을 운영하고 있다. 1983년 이곳에 정착한 그 역시 처음에는 낯선 환경에 힘겨워했지만, 이제는 성공한 경영인으로 자리를 잡았다. 또 어려운 사정을 안고 이곳으로 오는 한국인들의 맏형 노릇도 하고 있다. 스스로 온갖 어려움을 이겨내며 오늘을 일구어 냈기에, 어려움 속에서도 뿌리를 내려가는 한국인들에 대해 각별한 애정을 가지고 있다. 혹독한 추위, 전혀 다른 문화와 환경 속에서도 꿋꿋이 뿌리를 내려가는 한국인들의 모습에서 우리 동포들의 꿋꿋한 삶을 찾아볼 수 있다.

— 〈함께 살아가는 세계〉, 《사회과 탐구 6-2》 중에서

라 먹구름 하얀 도화지위에 밑그림을 그린다. 선생님이 또박또박 눌러 쓴 '우리 가족' . 한결이 가슴에 빗방울 문신을 새긴다. 너의 엄마 아프리카 사람이잖아. 그런데 왜 넌 엄마 아빠 얼굴 똑같이 칠하니. 너 거짓말쟁이지. 가장 먼저 살색 크레파스를 골라 쥔 손가락이 갈지자로 휘청거린다.

친구들 크레파스가 가족 얼굴 다 칠해 짧아질 동안, 겨우 아빠 얼굴 칠한 한결이의 긴 크레파스. 밤낮 일해도 빚이 줄지 않는다는 술 취한 목소리가 크레파스 끝에서 뭉개진다. "너네 나라로 다시 돌아가" 전봇대에 매달린 플래카드처럼 부여잡을 가지 하나 없이 흔들리는 엄마 얼굴. 얼른 도화지 위에 옮겨 놓는다.

깨 가져오라는 할머니 말에 개를 가리키는 엄마. 으이구 속 터져 깨소금 말여, 이것아. 한결이는 금방이라도 소나기를 퍼 부을 것 같은 엄마 얼굴에 얼른 살색 크레파스를 덧칠한다. 그려도 그려도 미완성인 엄마의 두 눈 가득 빗소리가 차오른다. 고향에 한 번도 못 갔다는 엄마 눈빛이 "베트남 며느리 착해요 후불제 가능" 이란 플래카드에 걸려 출렁거린다.

— 조용숙, 〈코시안〉, 문학마당 2006 겨울호 중에서

1. 제시문 (나)를 요약하시오. (200자 내외)

2. 제시문 (가)는 제시문 (나)의 네 가지 우상들 중에서 어느 우상에 해당되는지와 그렇게 생각하는 이유를 말해 보시오. (200자 내외)

3. 코시안은 한국인과 아시아인 사이에서 난 2세를 가리키는 말입니다. 제시문들을 읽고 '코시안'에 대한 자신의 생각을 비판적으로 써 보시오. (600자 내외)

생각 쓰기

생각 쓰기

case 2 다음 제시문을 읽고 답하시오.

가 "엄마 또 시위 나가려고? 이번엔 또 뭔데?"

리나가 피켓들이 거실에 어질러져 있는 것을 보고 물었다.

"학교 급식 개선 요구야. 우리 농산물을 재료를 쓰고 식사의 질을 올려 달라, 그런 거지."

"그런데 아줌마는 왜 이런 걸 하게 된 거예요?"

"글쎄, 보다 나은 사회를 위한 노력이랄까. 그런데 이렇게 직접적인 행동을 하게 된 건 데리다 덕분에 시작되었다고 해도 틀린 말은 아니야. 데리다는 근대의 이성 중심주의가 여러 가지 억압을 낳았다는 주장을 했지. '이성중심주의' 라는 말이 조금 어렵지? 옛날 사람들은 종교 같은 외적인 힘에 많이 의지했었잖아. 그런데 그게 아니라 인간의 이성에 대한 믿음을 강조했던 것이 이성 중심주의야. 말하기가 글쓰기를 억압했고, 이성이 감성을, 백인이 흑인을, 남성이 여성을 억압해 왔다는 것을 잘 보렴. 모두 말하기와 쓰기, 이성과 감성, 백인과 흑인, 남성과 여성 같이 둘로 엄격히 나누는 이분법적이잖아. 이 이분법들이 다 나누기를 좋아하는 이성 중심주의에서 나온 거야. 데리다는 이 이분법들을 해체시켜야 사람들을 모든 억압으로부터 해방시킬 수 있다고 주장했어."

"그래서 엄마가 억압받는 사람들의 대변인이라도 되겠다는 거야?"

"이게 뭐 그렇게 거창한 일이니? 여성차별에 관심이 있을 때 데리다의 철학을 알게 되었어. 데리다의 이분법 해체가 여성학의 이론에 큰 밑받침이 되었거든. 둘로 나누어 어느 한 쪽을 떠받들면 다른 쪽이 고통을 받을 수도 있다는 생각이 들었던 거지."

아줌마가 진지하게 말했다. 내 눈에는 그런 아줌마의 모습이 멋지게 보였다.

—《데리다가 들려주는 해체 이야기》 중에서

나 "저희 학교가 이번에 태권도 시범학교로 지정되었어요. 그래서 방과 후에 장애가 있는 아이들을 제외한 모든 남자 아이들은 태권도를 1시간씩 배워야 합니다. 몸도 튼튼해지고 공짜로 태권도도 배울 수 있으니까 좋은 기회라고 생각해요. 열심히들 하세요."

교장 선생님의 말씀이 끝나자 아침 조회에 모인 남자 아이들에게서 불평이 쏟아졌다.

"저는 태권도 학원에서 매일 배운단 말이에요."

"저는 수학 학원에 가야 해요."

"저는 동생을 돌보아야 하는데……"

학생회장인 자모는 점심시간에 남자 아이들의 의견을 모아 태권도 강제수업에 반대한다는 내용의 건의서에 아이들의 서명을 받아서 수업이 끝난 후 교장 선생님을 찾아갔습니다.

"강제로 수업을 받게 하는 것은 옳지 못하다고 생각합니다."

"아시아 올림픽 개막식 때 우리 학교가 태권도 시범을 보여야 해요. 원하는 아이만 하면 인원을 채울 수가 없어요. 학교의 명예가 걸렸으니 힘들더라도 열심히 해 주세요."

"하지만 남자 아이들만 하는 것은 불공평해요."

"시범을 할 때 격파와 격투가 포함되어 있어서 여자 아이들이 함께 할 수가 없어요."

"그 시간에 여자 아이들은 공부를 해서 남자 아이들보다 좋은 성적을 거두잖아요. 이번 수학경시대회에서 좋은 성적을 받고 싶단 말이에요."

자모가 불만에 가득 찬 목소리로 말했습니다.

"그래? 듣고 보니 그렇군. 그럼, 수학경시대회에 참가하는 남자 아이들 중 태권도를 배우는 아이들은 2점씩 가산점을 주기로 하지."

교장 선생님의 약속을 전해 듣자 남자아이들은 환호성을 질렀습니다.

"하지만 난 수학경시대회에 참가하지 않는데……."

은석이가 말했습니다.

"불만이 있으면 수학경시대회에 참가하면 되잖아?"

"수학경시대회에 참가하기 싫은데 어떻게 가산점 때문에 참가하냐?"

"난 참가해도 여자라서 가산점을 못 받잖아. 이건 여성차별이라고."

유진이가 뾰로통한 표정을 지으며 말했습니다.

"난 남자라도 소아마비라서 가산점을 못 받아. 이건 여성 차별이 아니라 약자 차별이야."

기완이가 화가 나서 말했습니다.

환호성을 질렀던 남자 아이들도 은석이, 유진이, 기완의 말을 듣고는 좋아해야 할지 말아야 할지 몰라 고개를 갸우뚱했습니다. 아이들은 결국 이 문제를 가지고 학생회의를 열기로 했습니다.

다 평등권이란, 합리적인 이유 없이 불평등한 대우를 받지 않을 권리를 의미한다. 평등권은 그 자체가 개인의 독립된 기본권이기도 하지만, 다른 기본권의 보장과 실현에도 당연히 적용되는 기본권 중의 기본권이라 할 수 있다. 헌법에서는 "모든 국민은 법 앞에 평등하다. 누구든지 성별, 종교 또는 사회적 신분에 의하여 정치적, 경제적, 사회적, 문화적 생활 영역에 있어서 차별을 받지 아니한다."라고 규정함으로써 평등권 보장 대원칙을 선언하고 있다.

이처럼 우리 헌법은 모든 국민이 법 앞에 평등하므로 성별에 의한 차별 금지, 종교에 의한 차별 금지, 사회적 신분에 의한 차별 금지를 선언하고 있다. 이를 테면, 남녀 간에 임금 차별을 하거나 여성에게 혼인하면 퇴직해야 한다는 계약은 남녀 평등의 원칙에 벗어난다. 그렇지만 남녀 간의 사실상의 차이에 의한 차별이나 합리적 차별까지 금지되는 것은 아니다. 예컨대, 남자에게만 병역의무를 부과한다든지, 여성에게만 생리휴가를 주거나 특별한 근로 보호를 하는 것은 합리적인 것으로, 헌법상 허용된다.

— 고등학교, 《법과 사회》(교학사) 중에서

1. 제시문 (가)에서 리나 엄마가 말하고자 하는 것이 무엇인지 써 보시오. (200자 내외)

2. 제시문 (나)에서 여러분이 학생회의에 참가하여 발표를 한다면 어떤 주장을 할 것인지 써 보시오. (600자 내외)

3. 반지의 제왕 〈왕의 귀환〉은 잔인한 장면들 때문에 12세 이상만 관람이 가능합니다. 제시문들을 읽고 영화 감상에 나이를 제한하는 것이 평등권을 침해한 것인지 합리적인 차별인지에 대해 자신의 생각을 써 보시오. (600자 내외)

생각 쓰기

생각 쓰기

실전 논술

예시 답안

case 1

1. (나) 오류를 범하게 만드는 네 가지 우상이 있다. 종족의 우상, 동굴의 우상, 시장의 우상, 극장의 우상이다. 종족의 우상은 인간 종족의 특성에서 유래하는 우상이며, 동굴의 우상은 개인의 특성에서 유래하는 우상이다. 시장의 우상은 언어의 특성에서 유래하는 우상이며, 극장의 우상은 이론의 특성에서 유래하는 우상이다. 이 우상들에서 벗어날 때에만 진리를 발견할 수 있다.

2. (가)는 '새엄마' 라는 언어 표현에 고정된 '나쁜 엄마' 라는 의미를 해체하여 선입견 없이 '새엄마' 라는 언어 표현을 글자 그대로 받아들이라는 주장입니다. 언어 표현에 대한 고정된 언어 의미를 해체하라는 주장은 서로 사귀고 접촉하고 의사소통하면서 언어 표현에 특정한 언어 의미가 고정되는 경향이 있는 언어의 특성에서 유래하는 시장의 우상에서 벗어나라는 주장입니다.

3. '코시안' 은 한국인(Korean)과 아시아인(Asian)을 합쳐 만든 말입니다. 둘을 합쳐서 부르는 말은 절반만 한국인으로 인정한다는 의미가 숨어 있습니다. 또한 우리보다 잘 살거나 우리와 비슷하게 사는 일본인이나 대만인과 결혼한 한국인 2세는 코시안이라 부르지 않고, 우리보다 못 사는 동남아시아인과 결혼한 한국인 2세만 코시안이라 부르는 것으로 볼 때, 코시안은 그들을 무시하는 의미를 담고 있습니다.

코시안이라 부르는 아이들은 한국 국적을 가지고 있는 한국인입니다. 그들을 구분하거나 차별할 아무런 이유가 없습니다. 오히려 그들이 잘 적응할 수 있도록 도와주어야 합니다. 결혼하는 8쌍 중에 1쌍이 외국인과 결혼하며, 2020년에는 아이들 3명 중에 한 명이 외국인과 결혼한 가정에서 태어난다고 합니다. 재외동포들의 입장을 생각하더라도 그들을 동등한 구성원으로 받아들여야 합니다.
코시안이란 언어 표현에 고정된 차별하고 무시하는 의미를 해체하는 것은 의미 있는 일이지만 이미 고정된 의미를 해체한다는 것이 쉬운 일이 아닙니다. 그래서 온누리안이라고 부르자는 제안도 있습니다. 하지만 그들을 구분하여 부른다는 것 자체가 차별입니다. 여느 아이들처럼 이름을 부르는 것이 좋습니다.

case 2

1. 이성중심주의는 둘로 나누는 것을 좋아한다. 하지만 모든 억압은 둘로 나누는 것으로부터 나온다. 말하기와 글쓰기를 나누면 말하기가 글쓰기를 억압하고, 이성과 감성을 나누면 이성이 감성을 억압하고, 백인과 흑인을 나누면 백인이 흑인을 억압하고, 남성과 여성을 나누면, 남성이 여성을 억압하게 된다. 이분법을 해체해야 이성중심주의가 낳은 모든 억압을 없앨 수 있다.

2. 격파나 격투같이 강한 힘이 필요하거나 과격한 것은 여자 아이들이나 장애우들이 하기 어렵다. 따라서 태권도 수업을 장애가 없는 남자 아이들만 하는 것은 합리적인 차별이다. 하지만 차별이 아무리 합리적이라 할지라도 차별에는 보상

이 따라야 공평하다. 그렇다고 수학경시대회에 참가하면 가산점을 주는 것은 참가하지 않는 아이들에게는 아무런 보상이 되지 못하며, 여자 아이들과 장애우들에게는 또 다른 차별이 된다. 차별을 보상하려는 것이 또 다른 차별을 만들어서는 안 된다.

태권도 수업을 받는 아이들이 차별이라고 생각하는 것은 참가하지 않는 아이들이 그 시간에 자유롭게 자기가 하고 싶은 일을 할 수 있기 때문이다. 태권도 수업을 받지 않는 아이들이 그 시간동안 태권도 수업을 받는 아이들을 대신해서 청소를 하면 된다. 그러면 태권도 수업에 참가하는 아이들은 태권도 수업대신 청소를 하지 않으니까 태권도 수업으로 손해를 보지 않고, 태권도 수업에 참가하지 않는 아이들도 수학경시대회에서 손해를 보지 않는다.

3. 어떤 차별이 합리적인지 구분하는 기준은 차별을 하는 합리적인 이유나 근거가 있는가에 있다. 이유나 근거가 합리적이라는 것은 그것이 공동체가 추구하는 목적이나 이치에 합당하거나 맞는다는 것을 뜻한다.

영화 감상에 나이를 제한하는 목적은 무엇일까? 영화가 아이들에게 나쁜 영향을 미치지 않게 하려는 목적이다. 잔인한 장면은 아이들에게 나쁜 영향을 끼친다. 따라서 잔인한 장면이 나오는 영화를 감상하는 데 나이 제한을 두는 것은 아이들에게 나쁜 영향을 미치는 것을 막으려는 목적에 맞다. 그러므로 잔인한 장면이 나오는 영화 감상에 나이를 제한하는 것은 합리적인 차별이다.

하지만 스토리는 아무런 문제가 없고 몇몇 장면만 잔인하여 그 장면을 빼고 편집한 것까지 막는다면 그것은 평등권을 침해한 것이다. 더 나아가 아이들이 볼 수 있는 영화가 어른들만 볼 수 있는 영화에 비해 지나치게 적어 영화 감상에 제한을 하는 것도 문화적인 생활 영역에 있어서 나이 때문에 차별을 받지 않을 평등권을 침해하는 것이다.

Abitur

철학자가 들려주는 철학이야기 053

리쾨르가 들려주는 해석 이야기

저자_**김광식**

서울대학교 철학과에서 학사 · 석사과정을 마쳤다. 독일 베를린 자유대학교와 공과대학교에서 철학을 공부하고 공과대학교 과학 · 기술 · 철학과에서 철학박사학위를 받았다. 저서는《체화된 행위방식으로서의 행위지식》(Mensch & Buch),《사회철학대계4: 기술시대와 사회철학》(공저, 민음사),《철학대사전》(공저, 동녘)과 자음과모음에서 펴낸 아비투어 철학논술 시리즈 중《롤스》,《데리다》,《리쾨르》,《화이트헤드》,《한나 아렌트》,《흄》,《맹자》,《왕수인》,《복희씨》,《이이》,《최한기》 등이 있으며, 2007년 경향신문에 "하버마스 '의사소통행위론'", "존 롤스의 '정의론'", "아도르노 '계몽의 변증법'", "맹자의 '성선설'", "이이의 '이기론'"을 연재했다. 번역서는《흄-나는 존재하지 않는다》(스트래던, 편앤런) 등이 있으며, 논문은《본질과 현상의 범주를 통해서 본 인식들 사이의 모순의 문제》(서울대),《하버마스의 보편화용론에 대한 연구》(서울대) 등이 있다. 독일학술진흥협회의 연구프로젝트(준비중) "조종-조형-소통: 미디어비판적 행위이론에 초점을 맞춘 음악적 인간-기계-상호작용"의 공동연구자로 참여하고 있으며, 인지과학철학을 중심으로 인지과학(신경생물학, 사이버네틱스 등), 인식론, 행위론, 과학 · 기술철학, 언어 및 커뮤니케이션이론, 미디어이론, 문화이론, 윤리학, 동양철학에 걸친 광범위한 분야를 통합하는 연구를 하고 있다.

철학 법정

Paul Ricoeur

리쾨르와 '해석'

폴 리쾨르와 '해석'의 철학 법정

아비투어 철학 법정에 오신 것을 환영합니다. 철학 법정에서는 양치기 소년 사건을 다루겠습니다. 셰퍼드(Shepherd) 씨를 피의자로 기소한 검사는 리쾨르 씨며 셰퍼드 씨의 변호를 맡으신 분은 소쉬르 변호사입니다. 이번 재판을 맡으실 분은 아비투어 판사님이시며, 여러분을 배심원으로 모셨습니다. 재판의 진행을 잘 관찰하시고 어떤 분이 옳은지 심판해 주시기 바랍니다. 재판에 앞서 명검사이신 폴 리쾨르 씨를 모셨습니다. 신사 숙녀 여러분! 폴 리쾨르 씨를 소개합니다!

위대한 검사, 리쾨르

이름 : 폴 리쾨르(Paul Ricoeur, 1913년~2005년).

나이 : 92살.

성별 : 남자.

국적 : 프랑스.

직업 : 철학자.

업적 : 해석의 철학.

저서 : 《해석에 관하여》(1965), 《살아있는 메타포》(1975), 《시간과 이야기》(1983) 등이 있음.

자모 : 신사 숙녀 여러분, 위대한 검사 폴 리쾨르입니다.

리쾨르 : 아비투어 철학 법정 배심원 여러분 직접 만나 뵙게 되어 반갑습니다.

자모 : 바쁘신데도 이렇게 인터뷰에 응해 주셔서 감사합니다. 리쾨르 검사님, 이번 사건을 어떻게 맡게 되셨는지요?

리쾨르 : 저는 평생 동안 모든 형태의 전체주의를 비판했습니다. 전체의 이익을 위해서라면 거짓말도 용서가 된다는 전체주의적인 변명을 제일 싫어합니다. 이번 양치기 소년 사건이 바로 그런 전체주의적인 변명에 해당합니다. 그래서 이 사건을 자진해서 맡게 되었습니다.

자모 : 검사님은 독실한 기독교인이라고 들었습니다. 그러한 실천들과 무슨 연관이 있는지요?

리쾨르 : 저는 가난하고 힘없는 사람들의 편에 서서 그들을 돕는 것이 예수님의 말씀을 제대로 따르는 일이라고 믿습니다. 전체주의로부터 억압된 자들을 모든 억압과 거짓으로부터 해방시키는 일이 구원이라고 생각

합니다.

자모 : 문명 비판가로도 유명하시잖아요. 문명을 어떻게 비판하셨죠?

리쾨르 : 저는 저의 해석의 철학을 통해 인간의 상상력과 창조성을 강조함으로써 물질이란 우상을 숭배하는 거짓 문명이 정신문명을 짓누르는 현대 사회에서 신음하는 인간을 해방시키려 했습니다.

자모 : 검사님은 해석의 달인이라고 들었습니다. 어느 정도로 해석을 잘하기에 달인이란 존칭을 받았을까 궁금합니다.

리쾨르 : 그 궁금증은 이번 재판에서 시원하게 해결될 것입니다.

자모 : 인터뷰 감사합니다. 그럼 철학 법정에서 뵙겠습니다.

첫 번째 재판 — 양치기 소년

아비투어 : 지금부터 아비투어 철학 법정 첫 번째 재판을 시작하겠습니다. 검사님께서 먼저 사건의 개요를 말씀해 주십시오.

리쾨르 : 셰퍼(Schaefer)라는 양치기 소년이 그륀발트라는 마을의 양들을 맡아 기르고 있었습니다. 그는 높은 산 위에서 혼자 양들을 길렀습니다. 소년은 무척 외롭고 심심했습니다. 어느 날 소년은 마을을 향해 뿔 나팔을 불었습니다. 늑대가 나타나면 불기로 되어 있는 뿔 나팔 소리가 나자

마을 사람들은 곡괭이를 들고 서둘러 산 위로 올라왔습니다. 하지만 양들은 평화롭게 풀을 뜯고 있었습니다. 사람들이 화를 내자 그 소년은 진짜로 늑대가 왔었는데 자신이 쫓아냈다고 주장했습니다. 이런 일이 여러 번 있자 마을 사람들은 그 소년을 쫓아내려고 했습니다. 소년은 자신은 "심심해서 뿔 나팔을 분 적이 없는데, 마을 사람들이 아무런 잘못이 없는 나에게 없는 죄를 뒤집어 씌워서 쫓아내려 한다"고 마을 사람들을 법정에 고발했습니다. 셰퍼드(Shepherd)라는 양치기 소년이 증인으로 나와, 셰퍼 씨가 "심심해서 뿔 나팔을 불었다"고 자신에게 말했다고 증언했습니다. 셰퍼 씨는 셰퍼드 씨를 전혀 모르며, 그런 말을 한 적이 없다고 완강히 부인했습니다. 하지만 많은 사람들이 그들이 함께 있는 것을 본 적이 있다고 증언했습니다. 본 검사는 이러한 상황으로부터 볼 때 셰퍼 씨가 거짓말을 한다고 판단하여 그를 거짓말쟁이로 고발했습니다.

아비투어 : 잠시 쉬고 재판을 계속하겠습니다.

두 번째 재판 — 증인, 해석

아비투어 : 재판을 다시 시작하겠습니다. 검사 측에서 인터프리 씨를 증인으로 요청했습니다. 인터프리(Interpre) 씨는 증인석으로 나오시기 바

랍니다.

리쾨르 : 이름이 무엇입니까?

인터프리 : 본명은 인터프리테이션(Interpretation)입니다. '해석' 이라고도 하지만 애칭으로 '인터프리' 라고 부릅니다.

리쾨르 : '번역' 과 같은 뜻인가요?

인터프리 : '번역' 과 '해석' 을 혼동하는 경우가 많습니다. 외국어로 된 문장을 한국어로 옮기는 것을 '번역' 한다고도 하고 '해석' 한다고도 하기 때문이죠. 이 경우에는 번역과 해석을 같은 뜻으로 쓴 것입니다. 하지만 둘은 같은 것이 아닙니다. '내 마음은 호수다' 는 문장을 '해석' 하라고 하지, '번역' 하라고 하지는 않습니다. 번역은 하나의 언어를 다른 언어로 옮기는 것이지만, '해석' 은 문장의 의미를 '이해' 하는 것을 뜻합니다.

리쾨르 : 번역도 제대로 번역하자면 해석이 필요하지 않을까요?

인터프리 : 물론 번역도 해석을 필요로 합니다. 문장의 의미를 이해하지 못하면 그 문장을 다른 언어로 제대로 옮기기 어렵습니다. 컴퓨터 번역 프로그램이 종종 실수를 하는 이유입니다. '내 마음은 호수다' 를 'My mind is the number of houses(내 마음은 번지수다).' 로 옮기거나 'My mind is a good move in a korean chess(내 마음은 -장기를- 잘 둔수다).' 로 옮기는 웃지 못할 경우가 발생합니다.

리쾨르 : 해석은 번역이 아니라 이해라고 하셨는데, 그렇다면 무엇을 이해한다는 말입니까?

인터프리 : 언어죠.

소쉬르 : 지금 거짓말 재판을 하고 있는데 '해석' 이란 증인이 왜 필요한 것이죠?

리쾨르 : 어떤 말이 거짓말인지를 판단하려면 그 말의 의미를 제대로 해석해야 하기 때문입니다.

소쉬르 : 말의 의미야 간단하지 않습니까? 말이란 주로 문장으로 되어 있는데, 소리마디(음절)들이 모여 낱말이 되고 낱말들이 모여 문장이 됩니다. 그러므로 문장의 의미는 언어 표현들 사이의 관계와 문장요소들 사이의 관계에 의해 결정됩니다.

아비투어 : 예를 들어 쉽게 설명해 주시죠.

소쉬르 : 예를 들어 "딸기는 빨갛다"는 문장의 의미는 '앵두' 나 '자두' 와의 차이에 의해 드러나는 '딸기' 의 의미와 '노랗다' 나 '파랗다' 와의 차이에 의해 드러나는 '빨갛다' 의 의미와 '딸기' 라는 주어와 '빨갛다' 라는 술어의 결합으로부터 드러나는 의미에 의해 결정됩니다.

아비투어 : 그러니까 의미가 언어 표현들 사이의 관계에 의해 결정된다는 것은 '딸기' 의 의미가 '앵두' 나 '자두' 와의 차이에 의해 드러난다는 뜻이고, 의미가 문장요소들 사이의 관계에 의해 결정된다는 것은 "딸기는

빨갛다"의 의미가 '딸기'라는 주어와 '빨갛다'라는 술어의 결합으로부터 드러난다는 뜻이군요.

소쉬르 : 그렇습니다.

리쾨르 : 하지만 소리마디들을 합치면 낱말이 되고, 낱말들을 합치면 문장이 되는 것이 아닙니다. 그 바뀜은 연속적인 것이 아닙니다. 낱말은 소리마디들을 합쳐놓은 것 이상이며, 문장은 낱말들을 합쳐놓은 것 이상입니다. 소리마디들이 낱말이 될 때, 낱말들이 문장이 될 때 불연속적인 비약이 일어납니다.

아비투어 : 문장은 좀 더 크거나 복잡한 낱말이 아니며, 새로운 것이다. 다시 말해 문장은 낱말들로 분해될 수는 있지만 낱말들을 합쳐놓은 것 이상이란 말씀입니까?

리쾨르 : 그렇습니다. 문장을 낱말들로, 낱말을 소리마디들로 되돌리는 소쉬르 변호사의 의미론은 의미를 단지 기호들 사이의 관계로만 보는 기호학일 뿐이며, 진정한 의미를 탐구하는 의미론이 아닙니다. 진정한 의미론은 낱말들이나 소리마디들로 되돌릴 수 없는 새로운 지평인 문장의 의미를 이해하는 것입니다. 이런 점에서 제 언어학이 진정한 의미론이라 할 수 있습니다.

아비투어 : 이것으로 재판을 마치겠습니다. 다음 재판 때 뵙겠습니다.

세 번째 재판 — 의미와 사건 논쟁

아비투어 : 두 번째 재판을 시작하겠습니다. 변호사 측부터 말씀하시죠.

소쉬르 : 저는 이 재판을 왜 하는지 모르겠습니다. 셰퍼 씨는 "심심해서 뿔 나팔을 불었다"는 말을 한 적이 없다고 분명히 말했지 않습니까? 리쾨르 검사는 바보입니까? 초등학교만 제대로 나왔다면 이 말이 무슨 뜻인지 모를 리 없을 텐데 왜 트집을 잡는 겁니까?

리쾨르 : 말에는 의미라는 성질과 사건이라는 성질이 섞여 있습니다.

소쉬르 : 말에는 의미만 들어 있습니다. 말이 사건이라는 성질을 가지고 있다는 것은 처음 들어 보는 소리입니다.

리쾨르 : 말은 '말하기' 입니다. 의미를 가지고 있는 말을 하는 행위죠. 예를 들면, "지구는 둥글다"나, "내일 아침에"나, "수건"과 같은 말을 살펴봅시다. "지구는 둥글다"는 명제를 표현하는 행위며, "내일 아침에"는 약속을 수행하는 행위며, "수건"은 듣는 이가 수건을 주는 효과를 낳는 행위입니다.

소쉬르 : "내일 아침에"나 "수건"과 같은 말이 도대체 무슨 의미가 있다는 말입니까?

리쾨르 : 좋은 질문입니다. "지구는 둥글다"의 의미는 소쉬르 당신의 언어학에서도 언어 표현들 사이의 관계와 주어와 술어 사이의 관계에 의해

설명할 수 있지만, "내일 아침에"나 "수건"의 의미는 설명할 수 없습니다. 그것들의 의미는 말하는 구체적인 상황으로부터만 이해할 수 있기 때문입니다. 구체적인 말하는 상황은 한 번만 일어나는 일회적 사건입니다. 완전히 똑같은, 말하는 상황은 있을 수 없습니다. 말하는 이도 듣는 이도 처해 있는 상황도 시간에 따라 변하기 때문입니다. 말의 의미는 그 말하는 사건(행위)이 벌어지는 상황으로부터만 제대로 이해될 수 있습니다.

소쉬르 : 말도 안 됩니다. 상황을 모르고 말의 주어와 술어의 관계만 보아도 의미를 충분히 이해할 수 있습니다.

리쾨르 : 말은 그런 측면도 가지고 있습니다. 말은 주어나 술어가 때때로 생략될 수는 있지만, 주어와 술어로 이루어진 명제이기 때문입니다. 특히 술어는 보편적인 것이므로 상황을 몰라도 그 의미를 이해할 수 있습니다. 예를 들어 "지구는 둥글다", "공은 둥글다", "수박은 둥글다"라고 말할 때, "둥글다"라는 술어는 어떤 상황에서 어떤 주어와 결합하더라도 같은 의미를 가지고 있습니다. '둥글다'는 '모나다', '뾰족하다', '길쭉하다' 사이의 차이에서 그 의미가 드러나기 때문입니다. "수박은 둥글다"처럼 일반적인 내용을 전달하는 말은 주어인 '수박'도 '참외', '사과', '배' 사이의 차이에서 그 의미가 드러나기 때문에 상황을 몰라도 말의 의미를 이해할 수 있습니다.

소쉬르 : 그것 보십시오. 이제야 자신이 틀렸다고 실토하지 않습니까? 말의 의미가 말하는 사건(행위)이 일어나는 상황으로부터만 이해할 수 있다는 억지 주장을 한 이유가 뭡니까?

리쾨르 : 구체적인 내용을 전달하는 말 때문입니다. 그러한 말에서 주어는 구체적인 상황에서 말하는 이가 가리키는 현실적으로 존재하는 특정한 대상을 뜻합니다. "수건을 줘"라고 말할 때 '수건'은 비누, 샴푸, 수건 사이의 차이에서 의미를 얻는 보편적 일반개념으로서의 수건을 의미하는 것이 아니라, 말하는 이가 특정한 상황에서 가리키는, 현실적으로 존재하는 특정한 대상으로서의 수건을 의미합니다.

소쉬르 : 그렇다면 말에는 상황으로부터 이해되는 말과 상황을 몰라도 이해되는 말, 이렇게 두 가지 말이 있다는 건가요?

리쾨르 : 일반적인 내용을 담고 있는 말도 그 말을 하는 상황과 그 상황 속에서 말하는 이가 실현하고자 하는 의도를 알아야 그 말의 의미를 진정으로 알 수 있습니다. 독재정치 아래서 "아파트 값을 올리는 정권은 나쁘다"는 주장 때문에 잡혀가 고문을 당하여 자신의 주장을 철회한 사람이 감옥을 나오면서 "그래도 지구는 돈다"라고 말했다면, '지구는 돈다'는 글자 그대로의 의미(명제적 의미)가 아니라, "고문 때문에 아니라고 했지만, 아파트 값을 올리는 정권은 나쁘다"는 의미입니다.

아비투어 : 갈릴레이가 "지구는 둥글다"는 주장 때문에 종교재판을 받고

자신의 주장을 철회한 뒤 재판정을 나오면서 “그래도 지구는 돈다”라고 한 것을 응용한 말이군요.

리쾨르 : 똑같은 명제적 의미를 가지고 있는 말이라도 말하는 사건이 벌어지는 상황에 따라 그 의미가 무한히 달라질 수 있습니다.

소쉬르 : 그래서 셰퍼 씨의 말이 다른 뜻으로 해석될 수 있다는 말입니까?

리쾨르 : 그렇습니다. 그 이유는 앞으로 천천히 말씀드리겠습니다.

소쉬르 : 지금 말 못하는 이유가 뭡니까?

리쾨르 : 말의 의미에 대한 다른 설명들이 필요하기 때문입니다.

아비투어 : 오늘은 여기까지 합시다. 다음 재판에서 뵙겠습니다.

네 번째 재판 — 의미와 지시 논쟁

아비투어 : 재판을 시작하겠습니다. 검사 측에서 먼저 말씀해 주십시오.

리쾨르 : 말의 의미에는 의미와 지시가 섞여 있습니다. 의미(meaning)는 관계 의미(sense)와 지시 의미(reference)로 나눌 수 있습니다. 관계 의미는 주어와 술어 사이의 관계이며, 지시 의미는 말과 세계 사이의 관계입니다.

소쉬르 : 또 뭔 소리를 하는 거요?

리쾨르 : 예를 들어 "지구는 둥글다"라는 말에서 관계 의미는 '지구'와 '둥글다'의 관계를 뜻하며, 지시 의미는 '둥근 지구'가 지시하는 실제로 존재하는 물리적 대상입니다. 관계 의미는 주어와 술어를 관계 지어 명제를 만드는 명제 의미며, 지시 의미는 담화를 세계 속에서 실현하는 사건 의미입니다.

소쉬르 : 그 놈의 '사건'이란 말은 왜 또 끌어들이는 거요? 아니 관계 의미와 지시 의미 사이에 어떤 관계가 있다는 말이오?

리쾨르 : 명제 의미로서의 관계 의미는 사건 의미로서의 지시 의미를 통해 세계 속에 실현되며, 사건 의미로서의 지시 의미는 명제 의미로서의 관계 의미를 통해 스스로를 세계 속에 실현시킵니다.

아비투어 : 관계 의미는 지시 의미에 의존하며, 지시 의미는 관계 의미에 의존하는군요.

리쾨르 : 그렇지요. 지시 의미는 관계 의미를 세계 속에 실현시킬 뿐만 아니라, 동시에 관계 의미를 넘어서 새롭게 확장시킵니다. 거꾸로 말하면 관계 의미는 지시 의미를 통해 세계 속에 실현될 뿐만 아니라, 동시에 자신을 넘어서 새롭게 확장됩니다. 말은 이러한 관계 의미와 지시 의미의 상호 작용을 통해 무한히 의미를 창조합니다.

소쉬르 : 그렇다면 셰퍼 씨의 말이 어떤 지시 의미를 지녔다는 말이오?

리쾨르 : 나중에 말씀드리겠습니다.

소쉬르 : 왜 지금 말 못하는 거요?

리쾨르 : 더 설명할 것들이 있기 때문입니다.

아비투어 : 오늘 재판은 이것으로 마치겠습니다.

소쉬르 : 아니, 왜 말을 끊는 거요? 당신도 검사 편이오?

아비투어 : 내일도 재판이 있습니다. 진정하십시오. 내일 뵙겠습니다.

다섯 번째 재판 — 주체 논쟁

아비투어 : 재판을 시작하겠습니다. 변호사 측에서 시작해 주십시오.

소쉬르 : 검사 측에서 저의 살인을 주장했다는 황당한 소문을 들었습니다. 사실이라면 당신이야말로 거짓말 재판을 받아야 합니다.

리쾨르 : 죽였다는 말은 비유적인 표현입니다. 당신의 언어학이 주체를 죽였다는 뜻입니다.

소쉬르 : 비유고 뭐고 간에, 내가 언제 주체를 죽였다는 말이오?

리쾨르 : 당신이 말의 의미를 말하는 주체와 아무런 관계없이 언어 표현들 사이의 관계를 통해서만 설명하려고 하는 것을 비유한 말입니다.

소쉬르 : 그럼, 내가 말의 주체를 죽였다고 합시다. 그런데 당신은 그런 주체를 부활할 수 있다는 황당한 허풍을 떨고 다닌다고 들었소. 도대체 주

체가 어떻게 부활할 수 있다는 거요?

리쾨르 : 말은 사건과 의미의 비빔밥입니다. 두 가지가 섞여 있다는 말이지요. 말의 사건으로서의 성질로부터 말하는 주체가 되살아납니다.

소쉬르 : 무슨 뜻이오?

리쾨르 : 말이 무엇을 의미한다는 것은 한편으로는 명제가 무엇을 의미한다는 것을 뜻하지만, 다른 한편으로는 동시에 말하는 이가 무엇을 의미한다는 것을 뜻하기 때문입니다. 말은 명제의 의미와 말하는 이의 의미를 동시에 가지고 있습니다.

소쉬르 : 도대체 뭔 소리요?

리쾨르 : 예를 들어 "지구는 둥글다"는 말은 "지구는 둥글다"는 명제의 의미와 "나는 '지구는 둥글다' 고 말한다"는 말하는 이의 의미를 동시에 가지고 있습니다. 이때 '나' 는 보편적 술어인 '말하다' 의 개별적 주어로서의 '나' 를 뜻할 뿐만 아니라, '나' 가 지시하는, 그 말 행위 전체를 지휘하고 통제하고 행위하는, 그 말 밖에 있는 존재로서의 '나' 를 뜻하기도 합니다.

아비투어 : 그러니까 말하는 '내' 가 부활하는군요.

리쾨르 : 말 속의 '너' 도 부활합니다. "네가 아침에 온다고 말했잖아"라는 말에서 '너' 도 보편적 술어인 '말하다' 의 개별적 주어로서의 '너' 를 뜻할 뿐만 아니라, '너' 가 지시하는, '아침에 올게' 라는 말 행위 전체를 지

휘하고 통제하고 행위하는, 그 말 밖에 있는 존재로서의 '너'를 뜻하기도 합니다. '나'와 '너'는 명제의 주어일 뿐만 아니라 말의 의미론적 주체이기도 하지요.

소쉬르 : 어떻게 명제의 주어이면서 의미론적 주체가 될 수 있다는 말이오? 의미론적 주체라는 게 도대체 뭐요?

리쾨르 : 의미론적 주체란 말의 의미를 만들어 내는 주체이면서 동시에 말의 의미에 책임을 지는 주체라는 뜻입니다.

소쉬르 : 그건 또 뭔 소리요?

리쾨르 : 예를 들어 누가 "내일 아침에 올게"라는 말을 했다고 합시다. 그 말이 의미가 있으려면 내일 아침에 오는 주체가 필요합니다. 그 주체가 있어야 그 말이 의미가 있게 되는 것이지요. 그런 점에서 말의 의미를 만들어내는 주체라고 한 거죠. 한편 그 말은 약속 행위입니다. 그 말이 의미가 있으려면 그 말(약속)을 책임지는 주체가 필요합니다. 그런 주체가 있어야 그 말이 진정으로 의미가 있게 되는 것이지요. 그런 점에서 말의 의미에 책임을 지는 주체라고 한 것입니다. 이 두 가지 의미에서 의미론적 주체라고 한 것이죠.

소쉬르 : 그러니까 셰퍼 씨가 했던 말의 의미론적 주체는 셰퍼 씨니까 그가 자신의 말에 책임을 져야한다는 말이오?

리쾨르 : 그렇습니다.

소쉬르 : 아니, 셰퍼 씨가 자신의 말로, 심심해서 뺄 나팔을 분 적이 없다는데 무슨 책임을 지라는 거요?

리쾨르 : 셰퍼드 씨에게 그렇게 말했잖습니까?

소쉬르 : 그건 셰퍼드 씨를 즐겁게 해 주려고 한 말일 뿐이라고 했소.

리쾨르 : 그렇다면 거짓말을 했다는 것을 고백한 셈이군요?

소쉬르 : 아니, 그게 왜 거짓말이오? 남을 즐겁게 해 주려고 한 선의의 거짓말은 거짓말이 될 수 없소.

리쾨르 : 선의의 거짓말도 거짓말입니다.

소쉬르 : 아니 농담으로 한 말 한마디 가지고 뭘 그렇게 난리를 치시오.

리쾨르 : 그것은 말의 의미를 모르고 하시는 말씀이십니다.

소쉬르 : 도대체 당신이 말하는 말의 의미란 게 뭐요?

아비투어 : 재판을 끝낼 시간입니다.

소쉬르 : 아니, 이 양반은 중요한 말을 할 만하면 재판을 끝낸다고 나서니, 나 원 참.

아비투어 : 신성한 법정에서 말을 삼가 주십시오. 다음 재판에서 뵙겠습니다.

여섯 번째 재판 — 세계 논쟁

아비투어 : 재판을 시작하겠습니다. 검사 측에서 시작해 주십시오.

소쉬르 : 제가 먼저 할 말이 있습니다. 검사 측에서 세계가 부활한다는 황당한 소문을 퍼뜨리고 다닌다는데 사실이오? 혹시 그 황당한 소문도 이번 사건과 관련이 있소?

리쾨르 : 소문을 들으셨군요? 세계가 부활한다는 말은 그 역할이 되살아난다는 뜻입니다.

소쉬르 : 세계의 역할이 도대체 언제 죽은 적이 있소?

리쾨르 : 당신의 언어학은 말의 의미를 말의 구조로만 설명함으로써 말에서 세계가 하는 역할을 무시했습니다.

소쉬르 : 말은 그냥 말이지, 무슨 세계가 관련이 있다는 말이오?

리쾨르 : 말은 의미와 지시의 짬뽕입니다. 둘이 상호 작용을 한다는 말이지요. 말의 지시로서의 성질로부터 세계가 되살아납니다. 앞에서 말했듯이 말에서는 주어가 지시하는 것이 무엇인지를 확인하는 기능과 술어의 보편적인 의미가 상호 작용을 합니다. 무엇인가를 확인할 수 있으려면 그것이 존재해야 합니다. 그것이 바로 세계입니다. 세계의 존재는 말이 성립하기 위한 필요조건입니다.

소쉬르 : "지구는 둥글다"와 같은 말은 그 말이 가리키는 세계가 있다고

양보할 수 있지만, "내 마음은 호수다"와 같은 말은 가리키는 세계가 없지 않소?

리쾨르 : "지구는 둥글다"와 같은 말은 참과 거짓을 분명하게 판단할 수 있는 명제이지만, "내 마음은 호수다"와 같은 말은 은유입니다. 은유는 단순히 한 낱말(마음)을 다른 낱말(호수)로 대체하는 것이 아니라 두 낱말들 사이의 긴장이 새로운 의미를 낳는 새로운 종합입니다.

소쉬르 : 그 새로운 의미가 "내 마음은 고요하다"란 뜻이오? 그렇다면 "내 마음은 호수다"는 은유는 "내 마음은 고요하다"라는 명제로 번역할 수 있지 않겠소?

리쾨르 : 은유는 명제로 번역할 수 없는 새로운 의미를 창조하기 때문에 완전한 번역이 불가능합니다. "내 마음은 호수다"라는 은유는 "내 마음은 고요하다"는 명제가 의미하는 것 이상을 뜻합니다. 은유는 말을 멋있게 보이려고 꾸미는 장식물이 아니라 명제로 파악할 수 없는 세계에 관한 새로운 정보를 줍니다. 오히려 명제도 은유에 포함되며, 은유 중에서 세계에 관한, 참 거짓을 판별할 수 있는 명확한 정보를 주는 것이 명제인 셈이죠.

소쉬르 : 은유에서도 세계가 역할을 한다는 말씀이오?

리쾨르 : 그렇습니다. 은유는 명제와 상징의 중간에서 둘을 연결하는 역할을 합니다. 은유가 번역될 수 있는 것은 명제적 성질을 가지고 있기 때

문이며, 은유가 완전히 번역될 수 없는 것은 상징적인 성질을 가지고 있기 때문입니다.

소쉬르 : 그럼 상징에서도 세계가 역할을 한단 말이오?

리쾨르 : 그럼요. 상징은 의미론적 차원과 비의미론적 차원으로 이루어져 있습니다. 돼지꿈이 횡재를 상징하고, 비둘기가 평화를 상징한다고 할 때의 상징은 은유로 번역된 의미론적 차원의 상징입니다. 하지만 은유로 번역될 수 없는 비의미론적 차원의 상징도 있습니다. 어떤 꿈이 어떤 말로 표현할 수 없는 심층적인 심리적 갈등을 상징한다고 할 때나, 어떤 것이 어떤 말로 표현할 수 없는 성스러움을 상징한다고 할 때의 상징은 은유로 번역될 수 없는, 즉 언어로 표현될 수 없는 비의미론적 차원의 상징입니다.

소쉬르 : 상징에서 세계가 도대체 어떤 역할을 하느냐고 묻지 않았소?

리쾨르 : 은유는 이성의 세계 속에 있지만, 상징은 이성의 세계와 삶의 세계 사이의 경계선에 있습니다. 상징은 말로 표현할 수 없는 힘을 가지고 있습니다. 상징은 환상을 일으키는 힘이나 시적 감흥을 일으키는 힘을 가지고 있습니다. 그 힘은 세계 속의 삶으로부터 옵니다. 상징 속에서 세계 속의 삶의 힘과 언어 표현 사이에 상호 작용이 일어납니다.

아비투어 : 세계 속의 삶의 힘이 상징에서 중요한 역할을 한다는 말씀이군요.

소쉬르 : 도대체 이 모든 것이 이번 사건이랑 무슨 관계가 있단 말이오?

리쾨르 : 세계 또는 삶은 상징이든 은유든 명제든 말에서 중요한 역할을 합니다. 그러므로 말의 의미를 해석하기 위해서는 그 말을 한 이의 그 당시의 삶(세계)을 살펴봐야 합니다. 셰퍼 씨는 두 가지 서로 모순되는 말을 했습니다. "심심해서 뿔 나팔을 불었다"는 말과 "심심해서 뿔 나팔을 분 것이 아니다"는 말을 했습니다. 셰퍼드 씨가 재미로 장난삼아 그 모순된 말을 했다고는 생각하지 않습니다. 그 말을 했을 때의 그의 삶을 살펴보면 모순이 풀립니다.

소쉬르 : 그의 말이 그의 삶과 대체 무슨 상관이 있단 말이오. 나 원 참.

리쾨르 : 그 두 말을 했을 때의 삶의 상황이 서로 다릅니다. "심심해서 뿔 나팔을 불었다"는 말을 할 때의 삶의 상황은 사람들이 화만 냈지, 그것 때문에 그를 쫓아내려고 하지 않을 때입니다. 상대적으로 자유로운 상황에서 친구에게 한 말입니다. 더구나 자신이 심심해서 뿔 나팔을 분 것이 아닌데, 사람들이 자신에게 화를 냈다면 억울해서라도 친구에게 심심해서 뿔 나팔을 분 것이 아니라고 자신의 결백을 말해 동조나 위안을 얻으려고 했을 것입니다. 그런데 그는 그 상황에서 오히려 "심심해서 뿔 나팔을 불었다"는 고백을 했습니다. 그러므로 "심심해서 뿔 나팔을 분 것이 아니다"는 말은 거짓말입니다.

소쉬르 : "심심해서 뿔 나팔을 불었다"는 말뿐만 아니라, "심심해서 뿔 나

팔을 분 것이 아니다"는 말도 했는데 하나는 참말이고 다른 말은 거짓말이라니 말이 되는 소리요?

리쾨르 : "심심해서 뿔 나팔을 분 것이 아니다"는 말을 할 때의 삶의 상황은 사람들이 화가 나서 그를 쫓아내려고 하는 상황입니다. "심심해서 뿔 나팔을 불었다"고 말할 수 없는 상황입니다. 어쩔 수 없는 상황에서 한 말은 믿을 수가 없습니다.

소쉬르 : 오히려 아무런 손해를 보지 않는 상황이니까 거짓말을 쉽게 할 수 있고, 잘못 말하면 손해를 보게 되는 상황이니까 참말을 할 수도 있잖소?

리쾨르 : 그럴 수도 있지요. 하지만 그 반대가 더 설득력이 있지 않나요? 그 같은 상황이면 대부분의 사람들이 어떻게 행동할까요? 아무런 손해를 보지 않는 자유로운 상황에서 참말을 쉽게 할 수 있고, 잘못 말하면 손해를 보게 되는 어쩔 수 없는 상황에서 거짓말을 하게 되지 않을까요? 더구나 누명을 써서 억울한 상황에서, 거짓말을 해서까지 자신의 죄를 고백하는 어리석은 사람도 있을까요? 거짓말은 보통 자신에게 유리할 때 하는 게 아닌가요?

아비투어 : 이것으로 재판이 막바지에 이르렀습니다. 이제 아비투어 철학 법정 배심원 여러분의 판결만 남았습니다. 세퍼 씨가 했던 말 가운데 어떤 말이 거짓말인지 판결을 내려 주십시오. 그 이유도 함께 써 주십시오.

배심원들 : (중얼중얼) 여기 저희들이 내린 판결입니다.

판 결 문

배심원 :

(서명)

실전 논술

논술 문제

case 1 다음 제시문을 읽고 답하시오.

가 "한 공주가 첨탑에 갇혀 있었어. 공주는 높은 첨탑에서 저 아래 마을을 바라보고 있었지. 우유를 싣고 언덕을 올라가는 수레를 밀어주는 사람들, 사탕 봉지가 터져 울상인 아이의 사탕을 주워 주는 사람들, 노인들의 초상화를 그려 주는 사람, 야외 카페에 앉아서 차를 마시며 이야기를 나누는 사람들, 잊고 그냥 간 거스름돈을 주려고 달려가는 야채 파는 사람……. 그들은 가난하지만 서로 도우며 살아가는 정직한 사람들로 보였어. 공주는 첨탑 아래 펼쳐지는 사람 풍경들을 보며 과거를 회상하지.

공주는 어느 날 성 밖으로 산책을 나왔다가 길에서 빵을 주워 먹으며 그림을 그리는 애꾸눈 아저씨를 만나게 돼. 그 아저씨의 그림은 너무나 진짜 같아서 깜빡 속을 뻔했지. 하지만 화가 아저씨는 자신은 본 것 외에는 아무 것도 그릴 수가 없다고 하시는 거야. 그래도 초상화를 너무나 잘 그리니까 사람들에게 인기가 많았지.

그러나 어느 날 부잣집에 초상화를 그려 주러 들어갔다가 반신불수가 될 정도로 맞고 쫓겨나게 돼. 모든 것을 사진이라고 믿을 만큼 아주 똑같이 그렸는데 초상화의 입 부분에 도마뱀 혀를 그려 넣은 거야. 왜 그렇게 그렸냐고 묻자 화가가 말했어. "보이는 대로 그렸을 뿐입니다." ①

그에게 초상화를 맡기면, 그림은 너무나 잘 그리는 데 가끔 난데없는 그림이 나오는 거야. 당나귀 귀를 가진 사람, 두더지 코를 가진 사람, 돈을 주렁주렁 매단 가습, 뾸이 자라는 엉덩이, 부자가 점잖게 앉아 있는데 손은 가난한 사람의 물건을 훔치고 있는 모습……. 사람들이 항의했어. "당신은 보이는 대로 그린다고 하지 않았소?" 화가가 대답했지. "눈으로만 보는 것이 아닙니다."② 그 때문에 초상화를 그려 달라는 사람들이 줄어들었어. 아무도 그에게 그림을 맡기지 않으니 그 화가는 굶을 수밖에. 남이 버린 빵이나 주워 먹으며 그림을 그리는 거야.

공주는 그 화가가 그린 멋진 그림들에 흠뻑 취해 화가를 사모하게 돼. 그런데 어느 날 화가가 그리는 그림을 보게 된 공주는 깜짝 놀라게 돼. 왕관을 쓴 한 여자가 시녀가 주는 독약을 먹고 피를 흘리며 쓰러지는 장면인데, 왕관을 쓴 여자가 자신의 어머니이고, 그 옆에는 자신의 아버지가 어머니의 왕관을 뺏으려 하는 거야. 그 그림을 본 공주는 화가에게 물었어. "그렇게 인자해 보이는 아버지가 어떻게 이렇게 잔인할 수 있나요? 믿을 수 없어요." 그랬더니 화가가 말했어. "눈에 보이는 것이 다가 아닙니다."③ 공주는 마을에 있는 다른 사람들에게 그것이 사실인지 물어보았어. 사람들은 말했지. "과거는 과거일 뿐입니다."④

어느 날 사람들이 그 시녀를 잡아 법정으로 끌고 왔어. 그 시녀는 사람들에게 큰 돈을 벌게 해 주겠다며 돈을 받아 도망을 쳤다는 거야. 사람들은 화가 나서 이 시녀가 여왕을 독살했다는 사실도 말했어. 그 시녀는 지금의 왕이 시켜서 한 짓이라고 대답했어. 그 당시 지금의 왕이 그 자리에 있었고 여왕으로부터 왕관을 손수 빼앗았다고 주장했지. 그 당시 성 안에는 왕의 비서들이나 다른 시녀들도 있었기 때문에 그들에게 물어보면 자신의 주장이 사실임을 알 수 있을 것이라고도 했지. 하지만 그들은 모두 증언하기를 두려워하여 외국으로 도망을 갔어. 할 수 없이 재판관은 마을 사람들에게 그것이 사실인지를 물었지. 마을 사람들은 대답했어. "진실이 밥 먹여줍니까?" ⑤

공주는 사람들에게 진실을 말하라고 설득했어. 결국 아무도 진실을 말하려 하지 않자 공주는 자신이 직접 말하겠다고 했어. 사람들은 공주가 미쳤다며 잡아서 왕에게 끌고 갔어. 왕은 공주를 첨탑에 가두었지. 화가는 공주에게 보여 준 그림을 사람들에게 보여 주며 설득했지. "팥으로 메주를 만들 수는 없습니다." ⑥ 사람들이 대꾸했어. "흉년 때문에 살기가 힘들어요. 왕이 풍년이 들게 해 주겠다고 약속했단 말입니다. 팥으로 메주를 만들 수는 없지만 살 수는 있습니다." ⑦

화가는 사람들 앞에서 자신의 나머지 눈을 찌르며 말했어. "못 볼 것을 보았군요. 그래도 볼 만한 것이 아직 있겠지 싶어 나머지 눈은 남겨 두었는데 이제 볼 것이 더 이상 없으니 눈을 달고 다닐 필요가 없군요." ⑧

화가는 마을을 떠나며 언덕 위에서 공주가 갇혀 있는 첨탑을 바라보며 혼잣말을 하지. "사랑하는 내 딸아, 지켜주지 못해 미안하구나." ⑨

공주는 첨탑 위에서 거리에서 그림을 그리는 화가 아저씨를 내려다보며 위안을 삼았는데 아저씨가 갑자기 떠나버리자 아저씨를 그리워하며 날마다 울며 지내. 어느 날 공주는 첨탑 꼭대기에서 서로 도우며 살아가는 정직해 보이는 마을 사람들을 내려다보며 고개를 흔들었어. "정말 믿기지 않아. 저렇게 정직해 보이는 사람들이 왜 진실을 두려워할까?" 골똘히 생각에 잠겨 있던 공주에게 갑자기 화가의 말이 떠올랐어. "눈에 보이는 것이 다가 아닙니다."⑩

—《리쾨르가 들려주는 해석 이야기》 각색

나 아비투어 : 재판을 시작하겠습니다. 검사 측에서 시작해 주십시오.

소쉬르 : 제가 먼저 할 말이 있습니다. 검사 측에서 세계가 부활한다는 황당한 소문을 퍼뜨리고 다닌다는데 사실이오? 혹시 그 황당한 소문도 이번 사건과 관련이 있소?

리쾨르 : 소문을 들으셨군요? 세계가 부활한다는 말은 그 역할이 되살아난다는 뜻입니다.

소쉬르 : 세계의 역할이 도대체 언제 죽은 적이 있소?

리쾨르 : 당신의 언어학은 말의 의미를 말의 구조로만 설명함으로써 말에서 세계가 하는 역할을 무시했습니다.

소쉬르 : 말은 그냥 말이지, 무슨 세계가 관련이 있다는 말이오?

리쾨르 : 말은 의미와 지시의 짬뽕입니다. 둘이 상호 작용을 한다는 말이지요. 말의 지시로서의 성질로부터 세계가 되살아납니다. 앞에서 말했듯이 말에서는 주어가 지시하는 것이 무엇인지를 확인하는 기능과 술어의 보편적인 의미가 상호 작용을 합니다. 무엇인가를 확인할 수 있으려면 그것이 존재해야 합니다. 그것이 바로 세계입니다. 세계의 존재는 말이 성립하기 위한 필요조건입니다.

소쉬르 : "지구는 둥글다"와 같은 말은 그 말이 가리키는 세계가 있다고 양보할

수 있지만, “내 마음은 호수다”와 같은 말은 가리키는 세계가 없지 않소?

리쾨르 : “지구는 둥글다”와 같은 말은 참과 거짓을 분명하게 판단할 수 있는 명제이지만, “내 마음은 호수다”와 같은 말은 은유입니다. 은유는 단순히 한 낱말(마음)을 다른 낱말(호수)로 대체하는 것이 아니라 두 낱말들 사이의 긴장이 새로운 의미를 낳는 새로운 종합입니다.

소쉬르 : 그 새로운 의미가 “내 마음은 고요하다”란 뜻이오? 그렇다면 “내 마음은 호수다”는 은유는 “내 마음은 고요하다”라는 명제로 번역할 수 있지 않겠소?

리쾨르 : 은유는 명제로 번역할 수 없는 새로운 의미를 창조하기 때문에 완전한 번역이 불가능합니다. “내 마음은 호수다”라는 은유는 “내 마음은 고요하다”는 명제가 의미하는 것 이상을 뜻합니다. 은유는 말을 멋있게 보이려고 꾸미는 장식물이 아니라 명제로 파악할 수 없는 세계에 관한 새로운 정보를 줍니다. 오히려 명제도 은유에 포함되며, 은유 중에서 세계에 관한, 참 거짓을 판별할 수 있는 명확한 정보를 주는 것이 명제인 셈이죠.

소쉬르 : 은유에서도 세계가 역할을 한다는 말씀이오?

리쾨르 : 그렇습니다. 은유는 명제와 상징의 중간에서 둘을 연결하는 역할을 합니다. 은유가 번역될 수 있는 것은 명제적 성질을 가지고 있기 때문이며, 은유가 완전히 번역될 수 없는 것은 상징적인 성질을 가지고 있기 때문입니다.

소쉬르 : 그럼 상징에서도 세계가 역할을 한단 말이오?

리쾨르 : 그럼요. 상징은 의미론적 차원과 비의미론적 차원으로 이루어져 있습니

다. 돼지꿈이 횡재를 상징하고, 비둘기가 평화를 상징한다고 할 때의 상징은 은유로 번역된 의미론적 차원의 상징입니다. 하지만 은유로 번역될 수 없는 비의미론적 차원의 상징도 있습니다. 어떤 꿈이 어떤 말로 표현할 수 없는 심층적인 심리적 갈등을 상징한다고 할 때나, 어떤 것이 어떤 말로 표현할 수 없는 성스러움을 상징한다고 할 때의 상징은 은유로 번역될 수 없는, 즉 언어로 표현될 수 없는 비의미론적 차원의 상징입니다.

소쉬르 : 상징에서 세계가 도대체 어떤 역할을 하느냐고 묻지 않았소?

리쾨르 : 은유는 이성의 세계 속에 있지만, 상징은 이성의 세계와 삶의 세계 사이의 경계선에 있습니다. 상징은 말로 표현할 수 없는 힘을 가지고 있습니다. 상징은 환상을 일으키는 힘이나 시적 감흥을 일으키는 힘을 가지고 있습니다. 그 힘은 세계 속의 삶으로부터 옵니다. 상징 속에서 세계 속의 삶의 힘과 언어 표현 사이에 상호 작용이 일어납니다.

아비투어 : 세계 속의 삶의 힘이 상징에서 중요한 역할을 한다는 말씀이군요.

소쉬르 : 도대체 이 모든 것이 이번 사건이랑 무슨 관계가 있단 말이오?

리쾨르 : 세계 또는 삶은 상징이든 은유든 명제든 말에서 중요한 역할을 합니다. 그러므로 말의 의미를 해석하기 위해서는 그 말을 한 이의 그 당시의 삶(세계)을 살펴봐야 합니다. 셰퍼 씨는 두 가지 서로 모순되는 말을 했습니다. "심심해서 뿔 나팔을 불었다"는 말과 "심심해서 뿔 나팔을 분 것이 아니다"는 말을 했습니다. 셰퍼드 씨가 재미로 장난삼아 그 모순된 말을 했다고는 생각하지 않습니다.

그 말을 했을 때의 그의 삶을 살펴보면 모순이 풀립니다.

소쉬르 : 그의 말이 그의 삶과 대체 무슨 상관이 있단 말이오. 나 원 참.

리쾨르 : 그 두 말을 했을 때의 삶의 상황이 서로 다릅니다. "심심해서 뿔 나팔을 불었다"는 말을 할 때 삶의 상황은 사람들이 화만 냈지 그것 때문에 그를 쫓아내려고 하지 않을 때입니다. 상대적으로 자유로운 상황에서 친구에게 한 말입니다. 더구나 자신이 심심해서 뿔 나팔을 분 것이 아닌데 사람들이 자신에게 화를 냈다면 억울해서라도, 친구에게 심심해서 뿔 나팔을 분 것이 아니라고 자신의 결백을 말해 동조나 위안을 얻으려고 했을 것입니다. 그런데 그는 그 상황에서 오히려 "심심해서 뿔 나팔을 불었다"는 고백을 했습니다. 그러므로 "심심해서 뿔 나팔을 분 것이 아니다"는 말은 거짓말입니다.

소쉬르 : "심심해서 뿔 나팔을 불었다"는 말뿐만 아니라, "심심해서 뿔 나팔을 분 것이 아니다"는 말도 했는데 하나는 참말이고 다른 말은 거짓말이라니 말이 되는 소리요?

리쾨르 : "심심해서 뿔 나팔을 분 것이 아니다"는 말을 할 때의 삶의 상황은 사람들이 화가 나서 그를 쫓아내려고 하는 상황입니다. "심심해서 뿔 나팔을 불었다"고 말할 수 없는 상황입니다. 그러한 어쩔 수 없는 상황에서 한 말은 믿을 수가 없습니다.

소쉬르 : 오히려 아무런 손해를 보지 않는 상황이니까 거짓말을 쉽게 할 수 있고, 잘못 말하면 손해를 보게 되는 상황이니까 참말을 할 수도 있잖소?

리쾨르 : 그럴 수도 있지요. 하지만 그 반대가 더 설득력이 있지 않나요? 그 같은

상황이면 대부분의 사람들이 어떻게 행동할까요? 아무런 손해를 보지 않는 자유로운 상황에서 참말을 쉽게 할 수 있고, 잘못 말하면 손해를 보게 되는 어쩔 수 없는 상황에서 거짓말을 하게 되지 않을까요? 더구나 누명을 써서 억울한 상황에서, 거짓말을 해서까지 자신의 죄를 고백하는 어리석은 사람도 있을까요? 거짓말은 보통 자신에게 유리할 때 하는 게 아닌가요?

— F. 베이컨, 《신기관》 중에서

다 1960년대 말과 1970년대 초에 독일에 파견되었던 광부와 간호사들은 작은 가방 하나를 들고 한국을 떠나갔다. 재독 동포 1세대인 김영희 씨는 독일로 간 간호사와 광부들이 모두 그러했듯이, 낮에는 간호사로 일하고 밤에는 독일에 대한 공부를 하며 젊은 날을 보냈다. (……) 김영희 씨는 한인 2세대들에게 풍물, 민요, 춤과 같은 한국 전통 문화를 가르치면서, 한국인 부모 밑에서 자랐지만 독일인으로 살아가고 있는 그들에게 한국인의 얼을 심어 주고 있다. (……)

알래스카의 주정부 소재지인 앵커리지에서 서북쪽으로 200km 떨어진 배텔에는 100여 명의 한국인이 살고 있다. 육로가 없어 비행기로만 왕래할 수 있는 오지, 인구의 80%가 에스키모인 곳, 한겨울에는 기온이 영하 40도까지 내려가는 혹한의 땅, 한국인들은 이곳에서 어떻게 생활하고 있을까?

택시 운전을 하는 정씨는 미국에서 하는 일마다 실패한 후, 그곳으로 갔다. 그는 밤낮 없이 일해서 번 돈으로 미국에 살고 있는 가족의 생활비와 두 딸의 학비를 대고 있다. 문명 세계와 동떨어져 있고 모든 점이 불편한 오지에서 그를 견딜 수 있게 하는 것은 가족에 대한 사랑과 이곳에서마저 실패할 수 없다는 굳은 의지이다. 처음에 그는 에스키모의 문화를 낯설어했지만, 이제는 에스키모에게서 형제애를 느끼고 있다. 그들을 이해하고 그들에게 먼저 다가가려고 노력한 덕분이었다.

이들 한국인에게 힘이 되어 주는 이곳의 터줏대감 최준기 씨는 툰드라 모텔을 운영하고 있다. 1983년 이곳에 정착한 그 역시 처음에는 낯선 환경에 힘겨워했지만, 이제는 성공한 경영인으로 정착하였다. 또 어려운 사정을 안고 이곳으로 오는 한국인들의 맏형 노릇도 하고 있다. 스스로 온갖 어려움을 이겨내며 오늘을 일구어 냈기에, 어려움 속에서도 뿌리를 내려가는 한국인들에 대해 각별한 애정을 가지고 있다. 혹독한 추위, 전혀 다른 문화와 환경 속에서도 꿋꿋이 뿌리를 내려가는 한국인들의 모습에서 우리 동포들의 꿋꿋한 삶을 찾아볼 수 있다.

— 아비투어철학논술, 〈리쾨르와 '해석' (초급)〉 중에서

1. (나)의 핵심을 요약하시오. (200자 내외)

2. (나)를 바탕으로 ①과 ②의 뜻을 해석하시오. (200자 내외)

3. (나)를 바탕으로 ④와 ⑤의 뜻을 해석하시오. (200자 내외)

4. (나)를 바탕으로 ⑥과 ⑦의 뜻을 해석하시오. (200자 내외)

5. (나)를 바탕으로 ⑧의 "못 볼 것을 보았군요. 이제 볼 것이 더 이상 없으니 눈을 달고 다닐 필요가 없군요"라는 말 뜻을 해석하시오. (200자 내외)

6. (나)를 바탕으로 ⑧에서 "그래도 볼 만한 것이 아직 있겠지 싶어 나머지 눈은 남겨 두었는데 이제 볼 것이 더 이상 없으니"라는 말과, ⑨의 뜻을 해석하시오. (200자 내외)

7. (나)를 바탕으로 ③과 ⑩에서 "눈에 보이는 것이 다가 아닙니다"라는 말의 뜻을 해석하시오. (200자 내외)

8. 여러분이 (가)의 재판관이라면 어떤 판결을 내릴지 판결문을 써 보시오. (800자 내외)

생각 쓰기

생각 쓰기

case 2 다음 제시문을 읽고 답하시오.

가 옛날 하느님(환인)의 아들 환웅이 세상에 내려가 인간세상을 널리 이롭게 하고자 하므로 아버지가 환웅의 뜻을 헤아려 세상에 내려가 사람을 다스리게 하였다. 환웅은 무리 삼천 명을 거느리고 태백산 꼭대기의 신단수 밑에 내려와 그곳을 '신의 도시' (신시)라 하였다. 그는 바람과 비와 구름을 거느리고 인간의 일들을 맡아서 세상을 다스렸다. 곰과 호랑이가 환웅에게 사람이 되게 해 달라고 빌었다. 환웅은 이들에게 신령스러운 쑥 한 줌과 마늘 스무 쪽을 주면서 이것을 먹고 100일 동안 햇빛을 보지 않으면 사람이 된다고 말했다. 호랑이는 참지 못하고 동굴을 빠져나와 사람이 못 되었지만, 곰은 견뎌 내어 여자의 몸이 되었다. 곰여인(웅녀)은 신단수 아래에서 혼인하여 아이를 가지게 해 달라고 빌었다. 환웅이 잠시 남자로 변해 혼인하여 아이를 낳으니 그가 단군 왕검이다. 왕검이 평양성에 도읍을 정하고 조선이라 불렀다. 그 뒤 도읍을 백악산의 아사달로 옮기고 모두 1500년 동안 나라를 다스렸다. 그 뒤 기자를 조선의 임금으로 봉하고, 1904살 때 산신이 되었다.

— 일연, 《삼국유사》 중에서

나 부여의 금와왕은 유화부인을 방 속에 가두었다. 그랬더니 햇빛이 방 속으로 비쳐왔다. 그녀가 몸을 피하자 햇빛은 다시 쫓아와 비추었다. 이로 인해 태기가 있어 알 하나를 낳으니, 크기가 다섯 되들이만 했다. 왕은 알을 가축들에게 던져 주었는데 개도 돼지도 먹지 않았다. 길거리에 내다 버리니 소와 말이 피해 갔다. 들에 내다 버리니 새와 짐승들이 알을 덮어 주었다.

왕이 쪼개보려 했으나 갈라지지 않아 그 어미에게 돌려 주었다. 유화부인은 알을 싸서 따뜻한 곳에 놓아두었더니 한 아이가 껍질을 깨고 나왔는데, 골격과 외모가 영특하고 기이했다. 나이 겨우 일곱 살에 기골이 뛰어나서 보통 아이들과 달랐다. 스스로 활과 화살을 만들어 쏘는데 백발백중이었다. 나라 풍속에 활 잘 쏘는 사람을 '주몽' 이라 하여 그 아이를 주몽이라고 이름 붙였다.

— 일연, 《삼국유사》 중에서

다 우리 지성을 집요하게 사로잡고 있는 우상과 그릇된 생각들은 우리 정신을 어지럽게 하고 진리 획득을 방해한다. (……) 우상에는 네 가지가 있다. 종족의 우상, 동굴의 우상, 시장의 우상, 극장의 우상이 그것이다. (……)

종족의 우상은 인간 종족의 특성인 인간성 자체로부터 나오는 것이다. "만물의 척도는 인간의 감각이다"는 주장이 바로 그러한 우상에 빠져 있다. 이 그릇된 주장은 인간은 우주가 아니라 인간 자신을 모든 것을 판단하는 기준으로 삼기 쉽다는 것을 보여 준다. 표면이 울퉁불퉁한 거울이 사물을 있는 그대로가 아니라 사물의 모습을 왜곡하고 굴절시키는 것과 마찬가지다.

동굴의 우상은 개인이 가지고 있는 특성으로부터 나오는 우상이다. 개인은 자연의 빛을 차단하거나 약화시키는 동굴 같은 것을 가지고 있다. 그것은 개인 고유의 특수한 본성에 의해 생긴 것일 수도 있고 그가 받은 교육이나 다른 사람에게 들은 이야기에 의해 생긴 것일 수도 있고 그가 읽은 책이나 존경하고 찬양하는 사람의 권위에 의해 생긴 것일 수도 있고 첫인상에 의해 생긴 것일 수도 있다. 개인의 정신은 각자의 기질에 따라 변덕이 심하고 동요되고 우연에 좌우된다. 그래서 헤라클레이토스는 "인간은 넓은 세계에서가 아니라 상당히 좁은 세계에서 지식을 구하고 있다"고 했다.

사람들의 사귐과 접촉으로부터 생기는 우상도 있다. 그것은 의사소통과 모임에서 생기는 것이므로 시장의 우상이라 부를 수 있다. 인간의 의사소통 도구인 언어가 잘못 만들어지면 인간 지성은 심한 혼란을 겪는다. 학자들이 그 혼란으로부터 벗어나고자 새로운 정의나 설명을 만들기도 하지만 상황은 그다지 개선되지 않는다. 언어는 여전히 지성을 옥죄이고 혼란 속으로 몰아넣어 공허한 논쟁을 하게 하거나 수많은 오류를 범하게 한다.

마지막으로 철학의 다양한 학설과 그릇된 증명 방법 때문에 생기게 된 우상이 있다. 이것은 극장의 우상이라 부를 수 있다. 철학 체계들은 무대에서 환상적인 세계를 만들어 내는 각본과 같은 것이다. 고대의 철학 체계만 그런 것이 아니다. 그러한 각본은 지금도 수없이 만들어져 상연되고 있다. 오류의 종류는 전혀 다르지만 그 원인은 대체로 같다. 철학만 그런 것이 아니다. 관습과 경솔함과 태만이 만성화되어 있는 여러 분야의 이론 체계들도 마찬가지다.

— F. 베이컨, 《신기관》 중에서

1. (가)는 이야기가 시작되고(시작), 펼쳐지고(펼침), 바뀌고(바뀜), 마무리 지어지는(맺음) 구조로 되어 있습니다. 이 구조에 따라 네 문단으로 나눈 후 각 문단의 첫 구절을 쓰고, 그 이유를 밝히시오. (200자 내외)

2. (가)에서 곰이 호랑이를 이긴 사건을 과학적으로 해석해 보시오. (200자 내외)

3. (가)에서 남성을 여성보다 중요하게 여기는 남성중심주의의 예를 찾아 보시오. (200자 내외)

4. (가)는 환인, 환웅, 웅녀, 왕검이 등장합니다. 왜 왕검을 우리 조상의 시조로 삼았을지 그 이유를 미루어 짐작해 보시오. (200자 내외)

5. 학교 운동장에 세운 단군 동상을 기독교인들이 우상이라며 부수는 일이 가끔 벌어집니다. 단군동상은 우상인지, 우상이라면 부수는 것이 정당한지에 대해 자신의 생각을 (다)를 참고하여 쓰시오. (800자 내외)

6. 《삼국유사》에서 박혁거세도 알에서 나옵니다. 하지만 일연은 스스로 알을 깨고 나온 주몽과 달리 박혁거세의 경우에는 "부족장들이 알을 쪼개

어 어린 사내를 얻었다"고 했습니다. 박혁거세는 부족장들이 추대하여 신라의 첫 왕이 되었고, 주몽은 아버지 금와왕의 나라인 부여를 빠져 나와 고구려를 세웠습니다. 왜 두 경우를 다르게 묘사했을지 그 이유를 미루어 짐작해 보고, 여러분이 직접 두 왕의 탄생신화를 새롭게 창작해 보시오. (800자 내외)

생각 쓰기

생각 쓰기

실전 논술

예시 답안

case 1

1. 말의 의미는 겉으로 드러난 명제적 의미를 넘어선다. 세계 또는 삶은 상징이든 은유든 명제든 말에서 중요한 역할을 한다.
그러므로 말의 의미를 제대로 해석하기 위해서는 그 말을 한 이가 살고 있거나 있었던 세계나 삶을 살펴보아야 하며, 그가 처해 있거나 있었던 사회적 상황 속에서 그가 그 말로써 실현하고자 하거나 했던 의도를 살펴보아야 한다.

2. 도마뱀 혀나 당나귀 귀나 두더지 코를 달고 있는 사람은 없다. 따라서 그 혀나 귀나 코를 겉눈으로 볼 수는 없다. 속마음으로 헤아려 보는 것이다.
그러므로 ①과 ②의 말도 겉으로 드러난 뜻이 아니라 속뜻을 헤아려 봐야 한다. 눈으로만 보는 것이 아니라는 말은 속마음으로 헤아려 본다는 뜻이며, 보이는 대로 그렸다는 말은 속마음으로 헤아려 보았을 때 보이는 대로 그렸다는 뜻이다.

3. 과거는 과거일 뿐이라는 대답은 과거를 들추어내서 잘잘못을 따지지 말고 잊자는 뜻이다. 왜 과거를 잊자는 것일까? 그 이유는 뒤 문단에 나와 있다.
진실이 밥 먹여 주느냐는 질문은 답을 알기 위해 묻는 것이 아니라, 이미 답을 가지고 그 주장을 하는 것이다. 진실을 말한다고 물질적인 혜택이 돌아오는 것은 아니라는 주장을 하는 것이다.

4. 콩으로 메주를 만들 수 있지, 팥으로 메주를 만들 수는 없다. 팥으로 메주를 만

들 수 없다는 말은 거짓을 진실이라고 우긴다고 거짓을 진실로 만들 수 없다는 뜻이다.

팥으로 메주를 만들 수는 없지만 살 수 있다는 말은 거짓을 진실로 만들 수는 없지만, 사람들을 돈으로 매수하여 거짓을 진실이라고 거짓으로 말하게 만들 수 있다는 뜻이다.

5. 못 볼 것을 보았다는 말은 사람들이 물질에 눈이 멀어 거짓을 진실이라고 말하는 역겨운 세상을 보았다는 뜻이다. 이제 볼 것이 더 이상 없다는 말은 진실한 세상에 대한 희망을 더 이상 찾아볼 수 없다는 뜻이다. 눈을 달고 다닐 필요가 없다는 말은 진실하고 깨끗한 사람들을 찾아볼 수 없고 탐욕과 거짓에 물들어 더러운 사람들만 보이는 세상을 더 이상 보고 싶지 않다는 뜻이다.

6. 볼 만한 것이 있겠지 싶어 나머지 눈은 남겨 두었다는 말은 그 전에도 못 볼 것을 보아 눈을 찔러 애꾸눈이 되었다는 뜻이다. 어떤 못 볼 것을 보았을까? 화가가 사랑했던 여왕을 지금의 왕이 시녀를 시켜 독살하게 한 것을 본 것이다. 사랑하는 딸을 지켜주지 못해 미안하다는 말은 어머니의 억울함을 풀려다 첨탑에 갇힌 딸을 돕지 못해서 아버지로서 미안하다는 뜻이다.

7. ③에서 화가가 한 말은 공주의 아버지가 겉으로는 인자해 보이지만 속마음은

잔인하다는 뜻이다. 사람은 겉으로 보이는 것만이 아니라 그 속마음을 헤아려 볼 줄 알아야 한다는 말이다.

⑩에서 공주가 떠올린 화가의 말은 공주가 스스로 깨달은 생각이며, 사람들이 겉으로는 마냥 정직해 보여도 속으로는 물질에 눈이 멀어 진실을 팔아먹는 더러운 마음을 가지고 있을 수 있다는 뜻이다.

8. 시녀는 지금의 왕이 자신으로 하여금 여왕을 독살하게 했다고 주장합니다. 그 당시 지금의 왕이 그 자리에 있었고 여왕으로부터 왕관을 손수 빼앗았다고 주장합니다—그 당시 성 안에는 있어서 사실을 알고 있다는 왕의 비서들이나 다른 시녀들은 모두 증언하기를 두려워하여 외국으로 도망을 갔습니다—. 유일한 증인들은 그들로부터 사실을 전해 들은 마을 사람들인데 그들은 "진실이 밥 먹여 줍니까?" 라고 말합니다.

왕의 비서들이나 시녀들이 증언하는 것을 왜 두려워합니까? 시녀의 주장이 거짓이라고 증언하면 왕이 좋아할 텐데 말입니다. 시녀의 주장이 사실이라는 것을 말이 아니라 행동을 통해 증언해 주는 것입니다.

진실이 밥 먹여 주느냐는 질문은 답을 바라고 한 진짜 질문이 아닙니다. 그들은 이미 답을 알고 있습니다. 진실은 밥을 먹여 주지 않는다는 것입니다. 그래서 진실을 말하지 않겠다는 뜻입니다. 그들이 말하고 싶어 하지 않는 진실이 무엇일까요? 아니, 그 이전에 그들이 말하는 밥이 무엇일까요? 그들은 팥으로 메주를 만들 수는 없다는 비판에 왕이 풍년이 들게 해 주겠다고 약속했으며, 팥으로 메주를 만들 수는 없지만 살 수는 있다고 대답했습니다. 그들이 말하는 밥은 바로 왕이 약속했다는 풍년입니다. 왕이 약속한 풍년 때문에 진실을 말하지 않겠다고 한다면, 그 진실이란 왕에게 유리한 증언일 리가 없습니다. 왕에게 불리한 증언이라면 시녀의 주장이 사실이라는 증언일 수밖에 없습니다.

그러므로 왕의 비서들이나 다른 시녀들이 증언을 거부하는 행동과, 그들로부터 사실을 전해 들었다는 마을 사람들이 증언을 거부하는 말로부터 시녀의 주장이 사실이라는 결론을 내리는 바입니다.

case 2

1. 시작 : 옛날 하느님이……, 펼침 : 환웅은 무리 삼천 명을……, 바뀜 : 왕검이 평양성에……, 맺음 : 그 뒤 기자를…….

이야기는 환인, 환웅, 왕검이라는 세 인물을 중심으로 펼쳐진다. 환인이 환웅에게 허락함으로써 시작되어, 환웅이 인간들을 다스리고 왕검을 낳는 것으로 펼쳐지고, 왕검이 조선을 세워 다스리는 것으로 바뀌어서, 조선을 기자에게 넘기고 산신이 되는 것으로 맺어진다.

2. 환웅이 내건 조건들 때문에 곰이 호랑이를 이길 수밖에 없는 내기다. 첫째, 호랑이는 육식동물이고, 곰은 잡식동물인데, 쑥과 마늘만 주었다. 사냥하러 밖으로

나갈 수도 없다. 당연히 곰이 유리하다. 둘째, 호랑이와 달리 곰은 겨울잠을 잔다. 쑥과 마늘을 안 먹어도 세 달 정도 자면서 버티는 것은 식은 죽 먹기다. 환웅이 곰을 미리 선택했다고 볼 수 있다.

3. 우선 하느님이 남자다. 인간 세상을 다스리려고 내려온 환웅도 남자다. 조선을 세운 왕검도 남자다. 유일하게 등장하는 여자는 웅녀다. 웅녀는 환웅이 왕검을 낳는 도우미 역할만 한다. 조상의 시조를 왕검 위로 거슬러 올라가도 남자들뿐이다. 그러나 여자가 가족의 중심이 되어 대를 잇는 모계 사회였다면 우리 조상의 시조는 당연히 웅녀가 되었을 것이다.

4. 남성 중심 사회였기 때문에 웅녀는 처음부터 관심 밖이었을 것이다. 문제는 나머지 남자 셋. 신을 시조로 삼으면 더할 나위 없이 좋겠지만 신은 어쨌든 인간이 아니다. 그래서 반은 신이고 반은 인간인 왕검을 선택했을 것이다.
신화가 꾸며진 이야기라면 왕검이란 진짜 시조를 신비화하기 위해 가짜 신들을 들러리로 끌어들였을 수도 있다. 허수아비를 시조로 삼을 수는 없는 일이다.

5. 우상이란 인간이 숭배하는 대상이다. 단군 동상이 우상이려면 단군 동상이 숭배의 대상이어야 한다. 사람의 동상이 숭배되는 것은 그 사람 때문이다. 따라서 단군 동상이 숭배의 대상인지를 판단하려면 단군이 숭배의 대상인지 살펴보면 된

다. 단군은 우리 조상의 시조로 모시는 사람이다. 유교적 전통에 따르면 조상은 섬김의 대상이므로 조상의 시조가 섬김의 대상이 되는 것은 당연하다. 숭배는 우러러 섬기며 공경하는 것을 뜻한다. 단군은 섬김의 대상이요, 숭배의 대상이므로 우상이 맞다. 그 동상도 당연히 우상이다.

기독교인들이 단군 동상을 부수는 것은 단순히 그것이 우상이기 때문에 부수는 것이라기보다는 자신들의 우상이 아니기 때문에 부수는 것이다. 성경에 나와 있는, 다른 신을 섬기려고 우상을 만들지 말라는 말씀을 실천하려는 것이다. 하지만 다른 신의 우상을 만들지 말라고 했지, 남이 만든 우상을 부수라고는 하지 않았다. 자신들이 하나님을 우러러 섬길 권리가 있듯이 다른 사람들도 다른 대상을 우러러 섬길 동등한 권리가 있다.

자신의 생각에 집착하여 남의 생각을 무시하는 것이야말로 '동굴의 우상'을 숭배하는 것이며, '우상을 만들지 말라'는 말에 집착하여 남이 만드는 것까지 못 만들게 하는 것은 '시장의 우상'을 숭배하는 것이다. 자신들이 믿는 종교의 교리 체계에 집착하여 다른 사람들의 종교를 무시하는 것은 '극장의 우상'을 숭배하는 것이다.

진정한 기독교인이라면 성경 말씀대로 모든 어리석은 '우상'들을 숭배하기를 그만두고, 모든 우상으로부터 벗어나 이웃을 사랑하라는, 원수까지도 사랑하라는 말씀을 숭배하고 실천해야 할 것이다.

6. 신화를 만든 사람들은 수동성과 능동성, 타율성과 자율성, 보수성과 진보성을 대조시키려고 했을 것이다. 혁거세는 남들이 추대하여 왕이 되었고, 주몽은 스스로 왕이 되었다. 그 결과 혁거세는 남들의 의견에 따라, 주몽은 자신의 의견대로 다스렸을 것이다. 혁거세는 이미 있던 테두리 안에 머물렀고, 주몽은 박차고 나갔다. 거꾸로 생각해 보자. 스스로 왕이 되어 자신의 의견대로 다스리는 것은 독재나 전제 정치며, 남들이 추대하여 왕이 되어 남들의 의견대로 다스리는 것은 민주 정치다. 물론 남이 일반 국민들이 아니라 부족장들이었다는 점에서 현대의 민주 정치와는 차이가 있다. 그래도 혼자 보다는 여럿의 의견대로 다스리는 것이 민주 정치의 정신과 가깝다. 이미 있던 테두리가 문제가 있는 것이라면 깨뜨려야 한다. 하지만 그것도 독단적인 결단보다는 민주적인 합의를 통해 해야 된다. 알을 스스로 깨고 나오는 것이 진취적이어서 영웅의 탄생 설화에 걸맞아 보이기는 하다. 하지만 영웅은 독재로 흐르기 쉽다.

탄생 설화 : 거대한 알에서 괴물이 나올지 천사가 나올지 아무도 몰랐다. 그래서 국민들은 토론과 투표로, 알을 깨되 주위에는 병사들을 배치해 만반의 준비를 하기로 결정했다. 다행히 민주 정치를 수호할 천사가 나왔다. 혁거세였다.

거대한 알에서 괴물이 나올지 천사가 나올지 아무도 몰랐다. 금와왕은 알을 없애려고 했지만 소용이 없었다. 알은 이글거리는 불꽃으로 감싸여 있어 아무도 가까이 갈 수 없었다. 모두들 알을 어쩌지 못하고 두려워했다. 결국 아이가 스스로 나올 때를 결정하고 스스로 알을 깨고 나왔다. 주몽이었다.

Abitur

철학자가 들려주는 철학이야기 054

흄이 들려주는 원인과 결과 이야기

저자_**김광식**
서울대학교 철학과에서 학사 · 석사과정을 마쳤다. 독일 베를린 자유대학교와 공과대학교에서 철학을 공부하고 공과대학교 과학 · 기술 · 철학과에서 철학박사학위를 받았다. 저서는《체화된 행위방식으로서의 행위지식》(Mensch & Buch),《사회철학대계4: 기술시대와 사회철학》(공저, 민음사),《철학대사전》(공저, 동녘)과 자음과모음에서 펴낸 아비투어 철학논술 시리즈 중《롤스》,《데리다》,《리쾨르》,《화이트헤드》,《한나 아렌트》,《흄》,《맹자》,《왕수인》,《복희씨》,《이이》,《최한기》 등이 있으며, 2007년 경향신문에 "하버마스 '의사소통 행위론'", "존 롤스의 '정의론'", "아도르노 '계몽의 변증법'", "맹자의 '성선설'", "이이의 '이기론'"을 연재했다. 번역서는《흄-나는 존재하지 않는다》(스트래던, 편앤런) 등이 있으며, 논문은《본질과 현상의 범주를 통해서 본 인식들 사이의 모순의 문제》(서울대),《하버마스의 보편화용론에 대한 연구》(서울대) 등이 있다. 독일학술진흥협회의 연구프로젝트(준비중) "조종-조형-소통: 미디어비판적 행위이론에 초점을 맞춘 음악적 인간-기계-상호작용"의 공동연구자로 참여하고 있으며, 인지과학철학을 중심으로 인지과학(신경생물학, 사이버네틱스 등), 인식론, 행위론, 과학 · 기술철학, 언어 및 커뮤니케이션이론, 미디어이론, 문화이론, 윤리학, 동양철학에 걸친 광범위한 분야를 통합하는 연구를 하고 있다.

배경 지식 넓히기

David Hume

흄의 '원인과 결과'

데이비드 흄 주요 개념

1. 외부 세계

우리의 인식 밖에 있는 세계를 뜻합니다. 우리가 보고 있는 나무는 두 가지가 겹쳐져 있습니다. 우리가 눈을 감고 있어도 존재하는 나무와 우리의 눈을 통해 머릿속에 들어와 박힌 나무의 모습이 겹쳐 있습니다. 사진기로 보면 사진기 밖에 있는 나무와 사진기 속으로 들어와 필름에 맺힌 나무의 모습이 겹쳐 있는 셈이죠. 나무가 있는 우리 밖의 세계를 외부 세계라고 하고, 나무의 모습이 있는 우리 안의 세계를 내부 세계라고 합니다. 하지만 우리 밖에 있다거나 우리 안에 있다는 표현은 정확한 표현이 아닙니다. 우리의 눈동자는 우리 눈 안에 있고, 우리의 뇌는 우리 머릿속에 있지만 눈동자와 뇌는 외부 세계에 속합니다. 우리가 인식하고 있지 않아도 존재하고 있기 때문이죠. 그러므로 외부 세계와 내부 세계를 나누는 기준은 우리의 몸 안에 있는지 밖에 있는지가 아니라, 우리의 인식 안에 있는지 밖에 있는지 입니다. 다시 말해 나무처럼 우리가 인식하고 있지 않아도 존재하면 외부 세계에 있는 것이고, 나무의 모습처럼 인식할 때만 존재하면 내부 세계에 있는 것입니다.

2. 자아

생각하고 느끼고 감각하고 행위하는 주체를 뜻합니다. '나' 또는 '자기' 나 '자신' 이라고 부르기도 합니다. 자아는 기억하고 평가하고 판단하고 계획하며, 기대하고 상상하고 통제하며 행위의 일관성을 유지합니다. 자아가 강한 사람은 충동을 잘 통제하며 장기적으로 내다보고 계획적으로 행동하며 생각이 깊고 과감하게 결단을 내리며 어떠한 장애가 있어도 용감하게 극복하려고 합니다. 자아가 약한 사람은 충동적이며 경솔하고 남의 시선을 지나치게 의식하며 작은 장애가 있어도 극복하려고 하지 않고 피하려고 합니다. 한편 '자아실현' 이라고 할 때의 '자아' 는 개인의 소질이나 능력 또는 이루고 싶은 소망이나 목표를 뜻하기도 합니다.

3. 파블로프(I. P. Pavlov, 1849~1936)

러시아의 생리학자입니다. 소화와 신경 지배에 관한 연구로 1904년 노벨

의학상을 수상했습니다. 소화샘을 연구하다가 침은 음식이 입에 들어왔을 때만 나오는 것이 아니라 먹이를 주는 사람의 발자국 소리만 들어도 나온다는 것을 발견했습니다. 그는 그것을 실험으로 연구했습니다. 예를 들어 개에게 먹이를 줄 때 종소리를 같이 들려주면 먹이를 주지 않고 종소리만 들려줘도 침이 나온다는 것을 밝혀냈습니다. 그는 먹이가 입속에 들어왔을 때 무조건 침이 나오는 것을 무조건반사라고 하고 먹이와 직접적인 관련은 없지만 먹이와 항상 같이 등장하는 조건이 있을 때, 예를 들어 종소리가 들릴 때 침이 나오는 것을 조건반사라고 했습니다.

4. 무지의 베일

계약 당사자가 자유롭고 합리적인 상태에서 정의 원칙에 따라 만장일치로 합의하기 위한 도덕적 관점인 원초적 입장이 성립하기 위한 인지적 조건을 만족시키는 가상의 도구입니다. 무지의 베일은 합리적인 판단에 필요한 모든 지식은 가지고 있지만 자신의 이해관계에 영향을 끼치는 능력이나, 재산 또는 사회적 지위 등에 대한 지식은 모르게 만듭니다.

5. 원초적 입장

정의의 원칙을 실제로 나타나게 하는 전제들을 '원초적 입장'이라고 합니다. 다시 말하면 계약 당사자가 자유롭고 합리적인 상태에서 정의 원칙에 따라 만장일치로 합의하기 위한 도덕적 관점을 말합니다. 원초적 입장은 전통적인 사회계약론의 자연 상태에 해당됩니다. 이 입장은 역사에 실제로 있었던 상태도, 문화적 원시 상태도 아닙니다. 그것은 정의론을 설명하기 위해 만든 순수한 가상적 상황입니다. 원초적 입장이 성립하기 위해서는 두 가지 가상의 조건들이 필요합니다.

먼저 인지적 조건이 필요합니다. 인간 사회의 일반적 도리는 알지만 자신의 재능, 지위 등 이해관계에 영향을 미치는 개인적 자료에 대한 지식을 몰라야 합니다. 마치 베일로 씌워 그러한 지식들을 못 보게 한다고 하여 무지의 베일을 씌운다고도 합니다.

동기적 조건도 필요합니다. 자신의 이익은 극대화하지만 타인에 대해서는 원한도 없고 동정도 없어야 합니다. 최소의 이해 관심만 가진 가장 보편적 인간의 상태를 가정함으로써 만장일치의 합의를 이끌어 낼 수 있는 것입니다.

6. 기적

상식적인 경험과 반대되는 현상을 뜻합니다. 강한 의미로는 자연법칙에 어긋나는 현상을 말합니다. 물 위를 걷거나 죽은 사람을 살려 내는 현상이 여기에 해당합니다.

약한 의미로는 상식적으로 예상했던 상황이 갑자기 뒤집히거나 바뀌어 예상과 다른 결과가 되는 현상을 뜻하기도 합니다. 외딴 절벽에서 떨어져 다리가 부러져 움직일 수도 도움을 받을 수도 없는 어쩔 수 없는 상황에서 마침 외딴 곳에 사는 식물을 연구하러 온 탐사대를 만나 기적적으로 살아나는 경우나 높은 상공에서 비행기가 추락했는데 기적적으로 살아나는 경우가 여기에 해당합니다.

강한 의미의 기적은 주로 선지자나 독실한 신자에게 종교적인 현상으로 나타납니다. 보이지 않는 존재인 신이 신자들에게 자신의 존재와 힘을 드러내 보여 의심을 없애고 믿음을 강화하는 역할을 합니다. 하지만 합리적인 사고방식에 익숙한 현대인들을 설득하기 힘들어 종교를 현대화하는 데 걸림돌이 되기도 합니다.

철학 법정

데이비드 흄과 '원인과 결과'의 철학 법정

아비투어 철학 법정에 오신 것을 환영합니다. 철학 법정에서는 숭례문 방화 사건과 어린이 유괴 사건을 다루겠습니다. 파이어(Fire) 씨와 리즌(Reason) 씨를 피의자로 기소한 검사는 커먼센스(Commonsense) 씨며 파이어 씨와 리즌 씨의 변호를 맡으신 분은 흄(Hume) 변호사입니다. 이번 재판을 맡으실 분은 아비투어 판사님이시며, 여러분을 배심원으로 모셨습니다. 재판의 진행을 잘 관찰하시고 어떤 분이 옳은지 심판해 주시기 바랍니다. 재판에 앞서 명변호사이신 데이비드 흄(David Hume) 씨를 모셨습니다. 신사 숙녀 여러분! 위대한 변호사 데이비드 흄을 소개합니다!

위대한 변호사, 흄

이름 : 데이비드 흄(David Hume, 1711년~1776년).

나이 : 65살.

성별 : 남자.

국적 : 영국.

직업 : 철학자.

업적 : 새로운 인식론과 윤리론을 내놓음.

저서 : 《인성론》(1739), 《인간오성론》(1748), 《도덕원리론》(1751) 등이 있음.

신사 숙녀 여러분, 위대한 변호사 데이비드 흄입니다.

흄 : 아비투어 철학 법정 배심원 여러분, 만나 뵙게 되어 반갑습니다.

자모 : 바쁘신데도 이렇게 〈아비투어 철학 법정〉 인터뷰에 응해 주셔서 감사합니다. 이번 사건들을 어떻게 맡게 되셨는지 궁금합니다.

흄 : 에, 파이어 씨와 리즌 씨는 제가 오랫동안 모시던 고객들입니다. 번번이 연기를 일으켰다든가 못된 짓을 했다는 억울한 누명을 쓰고 잡혀 오셔서 제가 여러 번 변호를 맡은 적이 있습니다.

자모 : 그럼, 이번 숭례문 방화 사건과 어린이 유괴 사건도 파이어 씨와 리즌 씨가 억울한 누명을 쓰고 잡혀 왔다는 말씀이십니까?

흄 : 당연하지요. 불이 나고 건물이 탔다고만 하면 다짜고짜 파이어 씨를 용의자로 지목하고 잡아 가고, 범죄사건만 났다고 하면 리즌 씨를 용의자로 잡아갔으니까요.

자모 : 그런데 억울한 이유는?

흄 : 이번 재판에서 그 이유를 시원하게 밝혀 드리겠습니다.

자모 : 인터뷰 감사합니다. 그럼 훌륭한 변호 기대합니다. 배심원 여러분, 이제 아비투어 철학 법정으로 가 봅시다.

첫 번째 재판 — 숭례문 방화사건

아비투어 : 지금부터 숭례문 방화 사건 재판을 시작하겠습니다. 재판을 맡은 판사 아비투어입니다. 먼저 검사 커먼센스(Commonsense, 상식) 씨(이하 Common)께서 파이어 씨를 방화 사건의 용의자로 기소하신 이유를 밝혀 주십시오.

커먼 : 이유야 분명합니다. 불이 먼저 나고 곧 이어서 숭례문이 탔기 때문입니다.

아비투어 : 증인이 있습니까?

커먼 : 물론 있습니다. 두 눈으로 직접 보고 경험한 수많은 증인들이 있습니다.

흄 : 검사는 눈으로 본 경험을 증거로 제시했습니다. 따라서 증인 '경험' 씨를 심문할 것을 요청합니다.

아비투어 : 증인 '경험' 씨, 앞으로 출두하십시오. 심문을 시작하십시오.

흄 : 이름이 뭔가요?

경험 : 감각 경험이라고 합니다. 보통은 줄여서 경험이라고 부릅니다.

흄 : 혹시 좌우명이 있으신지요?

경험 : 물론 있죠. "모든 참된 인식은 경험으로부터 나온다"는 것입니다.

흄 : 자기소개를 해 주시죠.

경험 : 감각기관을 통해 감각하는 일을 합니다.

커먼 : 그것만이 아닌 것으로 알고 있습니다. 과거에 경험한 것을 기억해내서 다시 경험할 수도 있고 상상해낸 것을 경험할 수도 있지 않습니까? 증인은 거짓말을 하고 있습니다.

경험 : 전 거짓말을 하지 않았습니다. 아직 다 말하지 않았을 뿐입니다. 제게는 두 아들이 있는데 첫째는 인상(impressions)이고 둘째는 관념(ideas)입니다.

커먼 : 도대체 그들이 누굽니까?

경험 : 인상은 뜨거움이나 빨강과 같이 감각기관을 통해 직접 지각한 경험, 관념은 과거에 지각한 것을 기억해낸 경험이나 상상해낸 경험입니다.

커먼 : 인상과 관념은 어떤 관계가 있나요?

경험 : 모든 관념은 인상으로부터 나옵니다.

커먼 : 상상은 인상으로부터 나오지 않잖아요?

경험 : 상상의 동물인 용을 상상해 보세요. 우리가 상상하는 용은 우리가

이미 경험한 뿔이나 발톱, 비늘, 긴 몸, 불 따위로 이루어져 있지 않습니까? 이미 경험한 것들을 바꾸거나 결합하여 만든 것에 지나지 않습니다. 우리의 정신 속에 나타나는 관념 가운데 감각기관을 통해 직접 경험하지 않은 관념은 아무 것도 없습니다.

흄 : 그러니까 감각 경험으로부터 나오지 않은 모든 믿음들은 의심해야 한다는 말씀이시죠? 외부 세계가 존재한다는 믿음은 감각 경험에서 나온 것입니까?

경험 : 아닙니다.

커먼 : 판사님, 흄 변호사는 재판과 관계없는 질문을 하고 있습니다.

흄 : 아닙니다. 관계있습니다. 검사께서는 수많은 사람들이 숭례문이 불에 타는 것을 눈으로 직접 경험했다고 했습니다. 그런데 숭례문이 존재한다는 것은 단지 믿음일 뿐이고 눈으로 경험할 수 없다면, 검사께서는 존재하지도 않는 것이 불에 탔다고 억지 주장을 하고 있는 것입니다.

커먼 : 말도 안 됩니다. 제가 억지 주장을 하다니요. 사람들이 눈으로 경험한 숭례문은 진짜 존재합니다.

흄 : 우리가 지금은 숭례문을 보고 있지 않는데 지금에도 숭례문이 존재할까요?

커먼 : 당연히 존재하지요. 우리가 잠깐 나무를 보고 있지 않다고 그 사이에 나무가 존재하지 않는다고 믿는 바보가 세상에 어디 있습니까? 우리

경험 밖에 있는 외부 세계가 우리의 감각 경험과 관계없이 존재한다는 것은 삼척동자도 다 아는 사실입니다. 백번 양보해서 숭례문이 존재한다는 것을 경험으로 알 수 없다고 칩시다. 그렇다면 도대체 감각 경험으로부터 생겨나지 않은 그 같은 믿음이 어떻게 생겨날 수 있었단 말입니까?

흄 : 습관에서 왔습니다.

커먼 : 네? 습관에서 왔다니요?

흄 : 감각 경험이야말로 우리가 외부 세계에 대해 알 수 있는 유일한 원천인데, 감각 경험은 우리에게 감각 경험 자신만을 전달할 뿐이지 그 감각 경험이 그 감각 경험 밖에 있는 어떤 것 예를 들면 외부 세계에 의해 생겨났다는 정보까지는 전달하지 않습니다.

커먼 : 그렇다면 왜 사람들이 외부 세계가 존재한다고 믿으며, 우리의 감각 경험들이 그 외부 세계로부터 왔다고 믿느냐고 묻고 있지 않습니까?

흄 : 우리가 감각하는 경험들은 기억이나 상상과 같은 경험들과 달리 항상성과 정합성을 가지고 있기 때문이죠.

커먼 : 도대체 항상성은 뭐고, 정합성은 뭡니까?

흄 : 항상성이란 변하지 않고 늘(항恒) 그대로 있는(상常) 성질이며, 정합성이란 서로 어김없이 제대로 바르게(정整) 들어맞아 합치되는(합合) 성질입니다. 우리는 우리가 오늘 이 자리에서 보는 나무와 어제 이 자리에서 본 나무가 매우 비슷하게 보이면 그동안 계속 보고 있지 않았다고 하

더라도 같은 나무라고 믿습니다. 변하지 않고 그대로 있는 것처럼 보이기 때문입니다.

커먼 : 그렇다면 정합성은요?

흄 : 또한 우리는 우리가 오늘 이 자리에서 보는 나무가 쓰러져 있어도 어제 이 자리에서 본 나무와 매우 비슷하게 보이면 그동안 계속 보고 있지 않았는데도 같은 나무라고 믿습니다. 서 있던 것이 쓰러지면 이 모습이 된다는 경험에 비추어 보면 서 있는 나무와 쓰러진 나무의 모습은 서로 어김없이 제대로 바르게 들어맞아 합치되기 때문이죠.

커먼 : 단지 그런 성질이 있다고 그냥 감각 경험이 외부 세계에서 왔다고 믿는다고요? 나 원 참.

흄 : 사람들의 정신은 감각 경험이 중단되었다가 나중에 거의 비슷한 또는 약간 바뀐 감각 경험을 하게 되면 전적으로 새로운 감각 경험이라고 생각하지 않고 감각 경험과 관계없이 독립하여 존재하는 외부 세계, 예를 들어 숭례문을 일부러라도 허구로 만들어 내서 그 모순을 해결하려고 하는 습관을 가지고 있습니다. 이러한 심리적인 경향 때문에 외부 세계가 존재한다는, 감각 경험으로부터 나오지 않는 믿음이 생기는 것입니다.

커먼 : 그건 그렇다고 칩시다. 숭례문을 본 눈을 못 믿는다면 또 다른 증인이 있습니다. 바로 숭례문을 눈을 통해 직접 경험한 '자아' 입니다. 목격자들 속에 있는 자아는 CCTV처럼 경험한 것을 모두 생생하게 기억하고

있습니다. '자아'를 증인으로 요청합니다.

아비투어 : '자아'는 증인석으로 나오시기 바랍니다. 증인 심문을 시작하십시오.

커먼 : 이름이 무엇입니까?

자아 : 자아라고 합니다. 사람들이 '나'라고도 부릅니다.

커먼 : 무슨 일을 하십니까?

자아 : 몸과 마음을 통제하는 일을 합니다.

커먼 : 경험도 통제합니까?

자아 : 물론입니다.

흄 : 사람들이 당신을 눈으로 볼 수 있습니까?

자아 : 눈으로 볼 수 없습니다.

흄 : 그러니까 사람들이 당신을 경험할 수 없다는 말씀이죠?

자아 : 그렇습니다. 사람들의 정신 속에는 끊임없이 변하는 감각 인상들과 관념들만 가질 수 있을 뿐이지 그 모든 것들을 통제하는 저에 대한 감각 인상을 가질 수는 없습니다. 저는 감각할 수 없으니까요.

아비투어 : 말씀 감사합니다. 더 이상의 질문이 없으면 제자리로 돌아가셔도 됩니다.

커먼 : 자아를 눈으로 볼 수 없다니, 방금 증인으로 나왔던 '자아'는 유령입니까?

아비투어 : 검사님, 미안합니다만, 방금 나왔던 '자아'는 가상공간에서 잠시 필요해서 만들어 낸 가상 인물입니다.

커먼 : 가상 인물의 증언을 어떻게 믿습니까?

아비투어 : 가상 인물일 뿐이지 모든 것은 똑같습니다. 객관적인 정보에 따라 진실하게 대답하도록 프로그래밍 되어 있습니다.

커먼 : '자아'를 볼 수 없다면 감각 경험으로부터 나오지 않는, 자아가 있다는 믿음은 도대체 어디서 왔다는 말입니까?

흄 : 감각 인상들은 서로 비슷한 것들끼리 연합하는 경향이 있습니다. 이것을 연상(association)이라고 하지요. "원숭이 엉덩이는 빨갛다. 빨간 것은 사과. 사과는 맛있다. 맛있는 것은 바나나. 바나나는 길다. 긴 것은 기차……" 연상을 잘 보여주는 예입니다.

커먼 : 아니, 아이들이 부르는 그 유치한 노래를 증거로 제시하다니. 그 예가 뭘 보여준다는 말입니까?

흄 : 감각 경험들이 기억을 통해 시간적으로 이어지면서 연합하면 마치 이 감각 경험들을 하나로 묶어주거나 이어 주는 특별한 존재가 있다고 착각하는 심리적인 경향이 생깁니다. 이러한 습관이 그 존재를 '나' 또는 '자아'라고 믿게 만듭니다. 그러므로 존재하지도 않는 자아를 증인으로 내세워 파이어 씨가 숭례문을 태웠다고 주장하는 것은 억지입니다.

커먼 : 나 원 참. 분명한 사실을 이상한 논리로 아니라고 우기는 당신의 주

장이 억지지요. 하지만 순순히 물러설 제가 아닙니다. '경험' 이나 '자아' 를 증인으로 내세우지 않더라도 파이어 씨가 숭례문을 태워서 무너뜨린 것은 명백한 사실 아닙니까?

흄 : 불과 숭례문이 무너진 것 사이에 필연적인 인과관계가 있다고 믿으시는군요.

커먼 : 그럼 믿지요. 두 눈으로 똑똑히 경험했는데 안 믿을 리가 있나요? 심지어 자신이 직접 경험하지 않았어도 인과관계만 계속 이어진다면 충분히 믿을 수 있잖아요.

흄 : 예를 들면?

커먼 : 예를 들어 우리는 소크라테스가 독배를 마시고 죽었다는 것을 직접 감각으로 경험하지는 않았지만 믿습니다. 직접 감각으로 경험한 사람들이 기록으로 남기고 그 기록을 근거로 또 기록하고 …… 이러한 과정이 계속 이어져 결국 그중 어떤 기록을 근거로 또 기록한 것을 우리가 읽었기 때문이죠. 다시 말해, 최초의 감각 경험이 원인이 되어 최초의 기록을 결과하고, 그 기록이 원인이 되어 그 다음 기록을 결과하고 …… 이러한 원인과 결과의 관계가 계속 이어져 지금 우리가 읽은 기록을 결과했기 때문입니다.

흄 : 하지만 소크라테스가 죽는 것을 본 감각 경험이 원인이 되어 최초로 기록하는 행위를 결과했다는 것을 어떻게 알 수 있을까요?

커먼 : 증인이 있잖아요?

흄 : 하지만 그 증인에게는 소크라테스가 죽는 것을 본 감각 경험과 최초로 기록하는 행위를 본 감각 경험만 있지 둘 사이의 관계가 원인과 결과의 관계라는 것은 감각적으로 경험할 수 없습니다.

커먼 : 하지만 불이 숭례문을 태워 무너뜨린 것은 수많은 사람들이 직접 경험했습니다.

흄 : 사람들이 경험한 것은 불이 타는 것과 숭례문이 무너지는 것이었지, 둘 사이의 관계가 원인과 결과의 관계라는 것을 경험한 것은 아니었습니다. 그러한 것은 절대로 감각적으로 경험할 수 없습니다.

커먼 : 나 원 참. 미치고 팔짝 뛸 노릇이군요. 그렇다면 감각 경험에서 나오지 않은 그러한 인과관계에 대한 믿음은 도대체 어디서 생겨났다는 말입니까?

흄 : 두 감각 경험은 시간적으로나 공간적으로 가까이 있습니다. 멀리 있더라도 그 사이를 이어주는 감각 경험들이 있습니다. 또한 원인으로 여겨지는 감각 경험이 결과로 여겨지는 감각 경험보다 시간적으로 앞섭니다.

커먼 : 하지만 앞의 것이 뒤의 것을 결과하는 필연적인 인과관계는 감각으로 경험할 수도 없고, 앞의 두 감각 경험들로부터 그러한 필연적인 인과관계를 추론할 수도 없잖아요.

흄 : 그렇지요. 예를 들어 불이 나고 나서 연기가 났다고 합시다.

커먼 : 아니, 연기가 난 정도가 아니라 무너졌다니까요.

흄 : 네. 알고 있습니다. 제가 항상 드는 쉬운 예를 들었을 뿐입니다. 어쨌든 불에 대한 감각 경험과 연기에 대한 감각 경험은 공간적으로 가까이 있습니다. 또한 불에 대한 감각 경험이 연기에 대한 감각 경험보다 시간적으로 앞섭니다. 그렇다고 불이 연기를 결과하는 필연적인 인과관계는 감각으로 경험할 수 없으며, 두 감각 경험들로 추론해낼 수 없지요.

커먼 : 그런데 어떻게 그런 믿음이 생겼느냐고 물었지 않습니까?

흄 : 그것과 비슷한 감각 경험들을 여러번 관찰(감각 경험)하면, 앞의 감각 경험을 하면 뒤의 감각 경험을 하게 될 것이라는 기대를 하게 되는 습관이 생깁니다. 이러한 심리적인 경향이 두 감각 경험들 사이에 필연적인 인과관계가 있다는 믿음을 낳는 것입니다.

커먼 : 그럼, 필연적인 인과관계라고 주장하는 자연법칙도 마찬가지로 그런 습관에서 생긴 믿음이라는 말인가요?

흄 : 그렇습니다. 자연법칙도 관찰된 두 감각 경험들 사이의 그럴듯한(개연적인) 규칙성에 대한 믿음에 지나지 않습니다. 앞의 감각 경험에 이어 다른 감각 경험을 하게 될 수도 있으며, 그렇게 되더라도 그것은 놀랄 정도로 새로운 경험일 뿐이지 결코 논리적으로 모순된 경험이 아닙니다. 결국 필연적인 인과관계는 우리 정신이 습관에 의해 만들어 낸 것일 뿐

입니다.

커먼 : 아니, 지금까지 불이 나면 항상 뒤이어서 연기가 났다면 앞으로도 불이 나면 연기가 날 것은 당연한 일 아닙니까?

아비투어 : 커먼센스 씨는 자연과학의 대표적인 탐구 방법인 귀납의 방법을 말씀하시는 것 같은데 흄 씨는 귀납의 방법에 대한 믿음도 의심을 하시는 것입니까?

흄 : 당연히 의심합니다. 귀납(induction)의 방법이란 수많은 비슷한 감각 경험들로부터 모든 감각 경험들이 그렇다는 결론을 추론해내는 방법입니다.

커먼 : 잘난 척하지 마십시오. 그것도 모르는 사람이 있습니까? 다른 말로 하면, 과거의 수많은 비슷한 감각 경험들로부터 미래의 감각 경험들도 그렇다는 결론을 추론해내는 방법 아닙니까?

흄 : 잘난 척하는 것으로 보였다면 미안합니다. 제가 말씀드리려고 했던 것은 이러한 과거의 감각 경험들과 미래의 감각 경험들 사이의 귀납적 관계 또한 감각으로 경험할 수 없다는 것입니다. 더욱이 과거에 그랬으니 미래에도 그럴 것이라는 것은 그럴듯할(개연적일) 뿐이지 필연적이지는 않습니다. 미래에 다른 감각 경험을 할 수도 있으며, 그럴 경우 그것은 놀랄 만큼 새로운 경험일 뿐이지 논리적으로 모순된 경험이 아닙니다. 그러한 귀납적 관계는 믿음일 뿐이지 직접 관찰되거나 논리적으로

추론된 사실이 아닙니다.

커먼 : 그렇다면 그러한 믿음은 어디서 생겨났다는 말입니까?

흄 : 비슷한 감각 경험들을 반복하다 보면 미래의 감각 경험도 그럴 것이라고 기대를 하게 되는 습관이 생깁니다. 이러한 심리적인 경향이 단순한 기대에 그치지 않고 미래의 감각 경험들도 그렇다는 믿음을 낳은 것입니다.

아비투어 : 그렇다면 귀납관계는 인과관계와 어떤 관계가 있습니까? 인과관계에 대한 의심이 귀납관계에 대한 의심을 불러일으켰다고 들었습니다. 무슨 뜻입니까?

흄 : '불이 나면 반드시 연기가 난다' 는 불과 연기 사이의 필연적인 인과관계에 대해 의심을 한다면, '불이 나면 연기가 났다' 는 과거의 감각 경험들로부터 '불이 나면 반드시 연기가 날 것이다' 는 미래의 감각 경험들을 귀납해낼 수 없다는 뜻입니다.

아비투어 : 그렇다면 인과관계와 귀납관계는 같은 것인가요?

흄 : 귀납관계는 인과관계와 밀접한 관계를 맺고 있지만 인과관계와 분명히 다른 것입니다. 백조의 예를 보면 분명해집니다. '백조는 희었다' 는 과거의 감각 경험들로부터 '백조는 흴 것이다' 는 미래의 감각 경험들을 귀납해내는 경우, '백조는 희다' 와 같은 감각 경험은 백조와 백조의 성질의 관계에 대한 감각 경험이므로, 불과 연기의 인과관계에 대한 감각

경험의 경우와 달리 인과관계에 대한 의심이 귀납관계에 대한 의심에 영향을 미칠 수 없습니다.

커먼 : 그러니까 그런 경우에는 인과관계에 대한 의심이 귀납관계에 대한 의심에 아무런 영향을 미치지 못한다는 말씀 아닙니까?

흄 : 아무런 영향을 미치지 못한다는 말은 과장된 것 같습니다. 그런 경우에도 필연성에 대한 믿음은 같습니다. 불과 연기의 경우 그 둘 사이의 인과관계가 필연적이라고 믿는다면, 백조와 흰 성질의 경우 그 둘 사이의 성질관계가 필연적이라고 믿는 것이죠. 그러므로 인과관계의 '필연적인 관계' 에 대한 의심이 귀납관계의 '필연적인 관계' 에 대한 의심에 영향을 끼칠 수가 있습니다.

커먼 : 결국 불과 숭례문이 무너진 것 사이에 필연적인 관계가 있다고 믿은 우리가 잘못이라는 말입니까?

흄 : 그렇습니다. 따라서 파이어 씨는 아무런 잘못이 없습니다.

아비투어 : 아비투어 철학 법정 배심원 여러분, 재판을 잘 지켜보셨지요? 과연 파이어 씨가 유죄인지 무죄인지 판결을 내려주시기 바랍니다. 이유도 함께 써 주십시오.

배심원들 : (중얼중얼) 여기 저희들이 내린 판결입니다.

판 결 문

배심원 :

(서명)

3. 두 번째 재판 — 어린이 유괴 사건

아비투어 : 지금부터 어린이 유괴 사건에 대한 재판을 시작하겠습니다. 먼저 커먼센스 씨께서 어린이 유괴 사건의 범인으로 리즌 씨를 지목한 이유부터 말씀해 주시죠.

커먼 : 참과 거짓을 판단하는 능력은 오로지 이성만이 가지고 있습니다. 옳고 그름을 판단하는 능력도 오로지 이성만이 가지고 있다고 믿지 않을 이유가 없습니다. 이성을 가진 사람이 어떻게 어린이를 유괴하겠습니까? 이성이 그 사람 머리에서 잠시 나와 자리를 비웠던 것이 분명합니다. 리즌 씨를 직무유기죄(맡은 바를 하지 않은 죄)로 기소합니다.

흄 : 리즌 씨는 잘못이 없습니다.

커먼 : 도대체 무슨 말도 안 되는 말씀을 하십니까? 그런 주장을 하는 근거가 있습니까?

흄 : 당연히 있지요. 옳고 그름을 판단하는 능력을 이성만이 가지고 있는지 살펴보려면, 우리가 어떤 행위를 옳은 행위 또는 그른 행위로 받아들이는지 우리의 경험을 먼저 분석해 보아야 합니다.

커먼 : 당연히 이성으로 판단하여 옳은 행위는 옳은 행위로, 그른 행위는 그른 행위로 받아들이지요.

흄 : 과연 그럴까요? 우리는 쾌감을 느끼는 행위를 옳은 행위, 불쾌감을 느

끼는 행위는 그른 행위로 받아들입니다.

커먼 : 도대체 어떤 행위에 대해 쾌감 또는 불쾌감을 느낀다는 말입니까?

흄 : 우리는 우리에게 유리한 행위에 대해서는 쾌감을 느끼고, 불리한 행위에 대해서는 불쾌감을 느낍니다.

커먼 : 그러니까 옳고 그름을 판단하는 능력은 이성이 아니라 쾌감이나 불쾌감과 같은 감정이란 말입니까?

흄 : 그렇습니다. 바로 그러한 감정을 도덕 감정(moral sentiment)이라고 합니다.

커먼 : 옳고 그름을 판단하는 데 이성은 아무런 역할을 못한다는 말입니까?

흄 : 보조하는 역할을 할 수 있습니다. 어떤 행위나 목적의 옳고 그름을 판단하는(느끼는) 것은 도덕 감정이며, 도덕 감정이 판단한(느낀) 행위나 목적을 이루는 데 필요한 수단이나 방법을 생각해낼 때 이성이 도움을 줄 수 있습니다.

아비투어 : 예를 들어 쉽게 설명해 주시죠.

흄 : 예를 들어 어떤 것에 대해 불안을 느끼면 감정은 불안을 피하거나 줄이려고 하며 이성은 그 불안을 피하거나 줄일 수 있는 수단이나 방법을 생각해낼 수 있습니다. 이처럼 이성은 감정이 정한 목적에 맞는 수단들을 생각해낼 수 있을 뿐이지 스스로 본래의 목적들을 정할 수는 없습니

다. "이성은 감정의 노예" 일 뿐이지요.

커먼 : 아니, 이성이 감정의 노예라고요? 어떻게 그런 말도 안 되는 말을 하시는 겁니까? 직접 유용하지 않는 행위에 대해서도 도덕적으로 쾌감을 느끼지 않습니까? 그 이유는 어떻게 설명할 수 있습니까?

흄 : 인상은 감각 인상과 반사 인상으로 나눌 수 있습니다. 직접적으로 감각 경험을 통해 생기는 인상을 감각 인상이라고 합니다. 그 감각 인상은 자신을 닮은 인상을 남기는데, 그 인상이 관념이며, 그 관념이 마음에 부딪힐 때 생기는 새로운 인상을 반사 인상이라고 합니다.

아비투어 : 예를 들어 쉽게 설명해 주실 수 없습니까?

흄 : 예를 들어 호랑이를 직접 만났을 때 느낀 무서움이 감각 인상이라면 그 경험을 머릿속에 떠올리거나 호랑이 그림을 보기만 해도 느끼는 무서움이 반사 인상입니다. 맛있는 음식을 직접 먹을 때 느끼는 쾌감이 감각 인상이라면, 맛있는 음식을 얻거나 보았을 때 느끼는 쾌감은 반사 인상입니다. 맛있는 음식을 얻을 수 있도록 도와주거나 얻을 수 있다는 것을 암시하는 경향이 있는 것이나 행위를 보았을 때 느끼는 쾌감도 반사 인상입니다.

커먼 : 감각 인상과 반사 인상이 도대체 제 질문과 어떤 관계가 있습니까?

흄 : 성질이 급하시군요. 잠깐만 기다려 보십시오. 감각 인상이 첫 번째 반사 인상으로 반사되고 그 반사 인상이 두 번째 반사 인상으로 반사되고

이러한 반사 과정이 여러번 거듭되다 보면 원래의 감각 인상과 전혀 관계가 없는 듯이 보이는 반사 인상이 생길 수 있습니다. 결국 직접 유용하지 않은 행위에 대해서도 도덕적으로 쾌감을 느끼는 이유는 직접적인 원초적 쾌감(감각 인상)에서 파생되어 여러 번 반사되어 생긴 간접적인 쾌감(반사 인상) 때문이라는 것입니다.

커먼 : 그건 당신의 주장일 뿐입니다.

흄 : 파블로프 박사를 증인으로 신청합니다.

아비투어 : 증인 신청을 받아들입니다. 파블로프(Pavlov) 박사님, 증인석으로 나와 주십시오.

흄 : 정확한 이름은 무엇이고 무슨 일을 하십니까?

파블로프 : 이반 페트로비치 파블로프(Ivan Petrovich Pavlov)이고 러시아의 생리학자입니다.

흄 : 개를 가지고 실험을 하셨다고요? 어떤 실험을 하셨는지 말씀해 주시지요.

파블로프 : 개에게 먹이를 주면서 종소리를 들려줬어요. 그러다가 어느 날은 먹이가 없이 종소리만 들려줬죠. 재미있게도 먹이가 없이 종소리만 들려줬는데도 개가 군침을 흘리는 거예요.

흄 : 개에게 종소리는 전혀(적어도 직접적으로는) 유용하지 않은데도 쾌감을 느끼는 것은 제 용어로 말하면 반사 인상 또는 반사 쾌감 때문이라

고 할 수 있지 않을까요?

파블로프 : 듣고 보니 그렇게 말할 수도 있을 것 같군요.

커먼 : 그런데 자신에게가 아니라 다른 사람에게나 사회 전체에 이익이 되는 행위에 대해서도 도덕적인 쾌감을 느끼잖습니까. 그 이유는 어떻게 설명할 수 있습니까?

흄 : 동정 또는 공감(sympathy) 때문입니다.

커먼 : 그게 무슨 말씀이십니까?

흄 : 우리는 다른 사람이 쾌감이나 불쾌감 때문에 짓는 표정이나 몸짓을 보면 그 표정이나 몸짓으로부터 그 원인인 쾌감이나 불쾌감을 떠올리고 그것에 대한 생생한 인상을 얻게 되며, 그 인상이 우리 마음에 부딪히면 그 쾌감이나 불쾌감과 같은 종류의 감정을 경험하게 됩니다. 그 감정이 바로 동정 또는 공감입니다. 이 또한 반사 인상 또는 반사 쾌감입니다.

파블로프 : 아하, 그것도 제 조건 반사 실험으로 설명할 수 있을 것 같습니다.

커먼 : 어떻게요?

파블로프 : 개에게 먹이를 주면서 〈가〉라는 종소리를 들려주면 먹이가 없이 〈가〉라는 종소리만 들려줘도 군침을 흘리듯이, 〈가〉와 비슷한 〈나〉라는 종소리를 들려줘도 군침을 흘립니다. 개에게 〈나〉라는 종소리는 자신이 직접 들었던 〈가〉라는 종소리와 다른 종소리인데도 비슷하다는 이유

만으로 〈가〉라는 종소리를 들을 때와 마찬가지로 먹이를 떠올리고 군침을 흘리는 것이죠.

흄 : 아하, 그러니까 남의 상처가 내 상처는 아니지만 내가 입었던 상처와 비슷하기 때문에 내가 상처를 입었을 때 느꼈던 불쾌감과 비슷한 불쾌감(동정 또는 공감)을 느끼는 것이라는 말씀이시죠?

파블로프 : 네. 바로 그거예요.

아비투어 : 더 이상 하실 말씀이 없으시면 이것으로 재판을 마치겠습니다. 이제 아비투어 철학법정 배심원 여러분의 판결만 남았습니다. 과연 리즌 씨가 어린이 유괴 사건에 죄가 있는지 판결을 내려 주십시오. 그 이유도 함께 써 주십시오.

배심원들 : (중얼 중얼) 여기 저희들이 내린 판결입니다.

판 결 문

배심원 :

(서명)

인터뷰

자모 : 〈아비투어 철학 법정〉 배심원 여러분, 판결을 이미 내리셨죠? 판결에 참여하셨던 배심원 한 분을 모시고 데이비드 흄 박사님의 인식론과 윤리론에 대한 평가를 들어보기로 하겠습니다. 이름이 무엇입니까?

배심 : 배심(Baesim)입니다.

자모 : 이름이 배심이어서 배심원이 되셨군요. 하하하. 농담입니다. 어떻게 판결하셨습니까?

배심 : 판결 내용은 비밀이므로 공개할 수 없습니다.

자모 : 아, 그렇군요. 그럼 데이비드 흄의 인식론과 윤리론에 대해 일반적으로 평가해 주시죠.

배심 : 흄의 인식론과 윤리론의 가장 큰 공적은 우리가 당연한 것으로 여기는 믿음들이 확실한 참된 믿음이 아니라 습관에 의해 생긴 불확실한 믿음일 수 있다고 의심한 데 있습니다.

자모 : 단점은 없나요?

배심 : 물론 있지요. 앞에서 말한 공적은 다른 한편으로 단점이 될 수 있어요. 흄은 보편적인 진리라고 믿던 모든 것들을 의심하여 뒤흔들어 놓았어요. 흄은 인과관계와 귀납 방법의 확실성까지 의심함으로써 보편적인 진리라고 믿던 자연과학의 토대까지 무너뜨렸어요.

자모 : 자연과학이 자만에 빠지지 않고 신중하게 연구할 수 있도록 만들었다는 긍정적인 측면도 있으니까 꼭 단점이라고 할 수는 없지 않겠습니까?

배심 : 옳은 말씀이십니다.

자모 : 다른 장점은 없을까요?

배심 : 있지요. 흄이 신의 지배에 억눌렸던 인간의 주체성을 되찾아 인간 이외의 모든 권위를 부정하고 인간에게 강요된 모든 당위(마땅히 해야 할 행위)를 의심하고 부정한 일은 높이 살 일이지요.

자모 : 장점이 단점이 될 수도 있다고 하셨잖아요. 이번에도 장점이 단점이 될 수 있을까요?

배심 : 그렇습니다. 흄은 '마땅히 해야 할' 모든 것을 의심했지요. 흄은 '나에게 유익한 것' 또는 '내 마음에 드는 것', 더 정확히 말하면 '나에게 유익하여 쾌락을 불러일으키는 것' 만이 옳은 것이라고 주장했지요. 물론 동정이나 공감을 끌어들여 다른 사람이나 사회 전체에 유익한 것도 나에게 쾌락을 불러일으킬 수 있으므로 옳은 것이라고 주장했지만, 옳고 그름을 판단하는 기준을 '마땅히 해야 할 것' 이 아니라 '감정' 에 두었다는 점에서는 근본적인 차이가 없어요.

자모 : 그것이 어째서 단점인가요?

배심 : 감정은 이기적으로 되기 쉽지요. 모든 권위로부터 벗어나고자 한

흄의 인간 독립 선언은 인간의 욕구를 찬양하여 인간을 세계의 지배자로 선언하고 개인이나 집단에 이익이 되는 것이 옳은 것이라며 인간 이기주의를 부추기는 결과를 낳았습니다. 그 결과는 인간이 다른 인간이나 자연을 억누르는 인간 독재로 나타났지요. 히틀러의 유대인 탄압과 환경오염은 인간의 오만이 스스로 빚은 비극이었던 셈입니다.

자모 : 인터뷰 감사합니다. 흄을 이해하는 데 큰 도움이 될 것 같군요. 이것으로 인터뷰를 마치겠습니다.

실전 논술

논술 문제

case 1 다음 제시문을 읽고 답하시오.

가 학기 초 학급회의에서 급식 도우미를 번호 순서대로 3명씩 일주일 동안 맡아서 하기로 합의했습니다. 그런데 학급회의가 있은 지 1주일 뒤 조회 시간에 선생님께서 3월 말에 환경 미화 심사가 있다고 말씀하셨습니다.

"우리학교에서는 1등 한 반에는 푸짐한 상품을 주니까 반장을 중심으로 열심히 준비해서 좋은 결과가 있기를 바랍니다."

선생님이 나가신 뒤 반장이 임원들을 불러놓고 말했습니다.

"우리들은 급식 도우미을 하지 않기로 하는 게 좋겠어. 3월 말에 환경 미화 심사가 있다고 하잖아. 아무래도 임원들이 할 일이 많지 않겠니? 아이들에게 밥을 다 나누어주고 언제 우리들의 일을 하겠어. 그치?"

공리는 부반장인 나와 부장들의 반응을 천천히 살피면서 조곤조곤 말했습니다. 다른 부장들은 모두 공리의 말에 찬성하였습니다.

사실 급식 도우미가 제일로 하기 싫은 일 중의 하나이기는 합니다. 왜냐하면 급식차가 오면 밥을 아이들에게 다 나누어주고, 마지막에 남은 음식을 급식 도우미들이 나누어 먹습니다. 그러면 맛있는 것도 거의 못 먹게 될 때가 많고, 늦게 식사하기 때문에 점심시간에는 아무 것도 할 수가 없습니다.

게다가 음식물 쓰레기를 모아서 급식차를 식당 앞까지 갖다 놓아야 하기 때문에 그 일이 즐겁지는 않습니다. 하지만 저는 왠지 찜찜했습니다. 반장의 말이 다 틀린 것은 아니지만 왠지 다른 아이들은 싫어할 것 같았습니다.

드디어 반장이 아이들 앞에서 급식 도우미 이야기를 하였습니다. 아이들 중에 몇 명은 강력하게 반대하였습니다.

"반장. 그런 게 어디 있어? 임원이면 다야? 다 같이 합의한 걸 너희들 마음대로 바꾸다니."

"야, 그건 특권의식 아니냐? 지금이 무슨 옛날도 아니고. 임원이면 임원이지 귀족이나 대통령은 아니잖아."

"그럼 투표를 해서 다시 정하면 되잖아."

"우리 반은 임원이 절반이 넘잖아. 투표를 해봤자 결과는 뻔한데 누구 좋으라고 투표를 하냐?"

저는 싸움이 날까봐 걱정이 되었습니다. 저도 누군가의 편이 되어 다른 입장의 사람들을 설득해야 했습니다.

"급식 도우미는 해야 된다고 생각해."

저는 반대하는 아이들의 편을 들어주었습니다. 물론 제가 가만히 있으면 공리의 뜻대로 귀찮은 급식 도우미를 안 할 수도 있겠지요. 그렇지만 그것은 공평하지가 않은 것 같았습니다.

—《존 롤스가 들려주는 정의 이야기》 각색

나 저희 반에는 급식 도우미에 대해 따로 정해놓은 규정이 없습니다. 하고 싶은 사람이 스스로 합니다. 선생님께서 저희들이 서로 믿고 도우며 살아가는 법을 배우라고 그렇게 정했습니다.

점심시간이 되면 아이들은 부리나케 급식실로 달려가 급식차를 끌고 옵니다. 급식차를 끌고 오는 일은 가만히 앉아서 급식차가 오기만을 기다리는 것보다 훨씬 즐거운 일입니다. 그래서 누구든 자청해서 달려갑니다.

하지만 밥과 반찬을 나누어주는 일이나 뒤처리를 하는 일은 모두들 꺼려합니다. 왜냐하면 급식차가 오면 밥을 아이들에게 다 나누어주고, 마지막에 남은 음식을 당번들이 나누어 먹기 때문입니다. 그러면 맛있는 것도 거의 못 먹게 될 때가 많고, 늦게 시작하기 때문에 점심시간에는 아무 것도 할 수가 없습니다. 게다가 음식물 쓰레기를 모아서 급식차를 식당 앞까지 갖다 놓아야 하기 때문에 그 일이 즐겁지 않습니다.

하지만 누군가가 해야 식사를 할 수 있으니까 서로 눈치를 보다 마음이 약한 몇몇 아이들이 마지못해 일을 맡았습니다. 그런데 어느 날부터인지 모르지만 급식 도우미를 서로 하겠다고 다툼이 벌어졌습니다. 아이들이 밥주걱이 권력이라는 것을 깨달았기 때문입니다. 대체로 아이들은 밥을 많이 먹는 것을 싫어합니다. 하지만 밥이나 반찬을 남기는 반은 '식사 잘하기 대회' 에서 불리하기 때문에 밥을 어쩔 수 없이 많이 줄 수밖에 없습니다. 밥과 반찬을 얼마큼 주느냐는 밥주걱을 잡은 아이들 마음대로입니다. 자기 마음에 드는 아이면 밥과 맛없는 반찬을 적게 주고 마음에 들지 않는 아이면 왕창 줍니다. 물론 맛있는 반찬은 그 반대로 줍니다. 오늘도 서로 밥주걱을 잡겠다고 치열한 다툼이 벌어졌습니다. 물론 힘 있는 아이들이 힘없는 아이들을 밀치고 밥주걱을 잡았습니다. 그 와중에 한 아이가 넘어져 다치는 사고가 일어났습니다. 그래서 몇몇 아이들이 선생님께 급식 도우미를 정해서 하자고 말씀을 드렸습니다.

"신뢰도 좋지만 아이들 사이에 편을 가르게 하고 다툼에다 사고까지 나게 했잖아요. 제발 당번을 정해서 하게 해 주세요."

"소중한 것을 배우기 위해 치르는 진통이에요. 참고 슬기롭게 해결해 보세요."

선생님께서 아이들 어깨를 도닥거리며 말씀하셨습니다.

다 당신보다

더 힘든 남을 걱정하고

당신보다

더 어려운 사람을 도와 주고

당신보다

더 슬픈 사람을 위로하고

당신보다

더 약한 사람을 안아주는

언제나

더 남을 사랑하는 당신은

아름다운 사람

— 초등학교, 《도덕 6》 중에서

라 양기치 소년이 양들이 풀을 뜯어 먹는 모습을 지켜보고 있었습니다. 그런데 힘세고 튼튼한 양들이 약하고 어린 양들을 밀쳐내고 자신들만 연하고 맛있는 풀들을 독차지하는 것을 발견했습니다.

'어린 양들도 연하고 맛있는 풀을 먹을 방법이 없을까?'

양치기 소년은 양들을 새끼 양, 늙은 양, 젊은 양으로 나누어서 우리에 가두었습니다. 다음날 아침, 소년은 새끼 양들이 있는 우리를 열어 주었습니다. 새끼 양들은 마음껏 연하고 맛있는 풀들을 뜯어먹을 수 있었습니다. 한참 지난 뒤에 늙은 양들의 우리를 열어 주었습니다. 늙은 양들도 마음껏 연하고 맛있는 풀들을 먹었습니다. 마지막으로 젊은 양들을 풀어 주었습니다. 연하고 맛있는 풀들은 거의 사라지고 거칠고 억센 풀들만 남아 있었습니다.

사람들은 아무런 제한이 없는 자연 상태에 있게 되면 이기적이거나 조건이 있는 관용만을 가지고 있다. 사람들은 서로 이익이 된다는 조건이 없다면 다른 사람들의 이익을 위해 행동을 하려고 하지 않을 것이다. 서로 이익이 되는 행동이라도 그 이익이 동시에 발생하지 않는 경우 내가 베푼 친절에 대한 보상을 받으려면 상대의 관용에 의존할 수밖에 없다. (……)

다른 사람의 옥수수는 오늘 익고 내 것은 내일 익는 경우, 오늘 내가 다른 사람이 추수하는 것을 돕고 내일 그 사람이 나를 돕는다면, 둘 모두에게 이익이 될 것이다. 하지만 나는 그 사람에게 전혀 호의를 갖고 있지 않으며, 그 사람도 나에게 전혀 호의가 없다는 사실을 알고 있으므로 나는 그 사람을 돕지 않을 것이다. 나는 오직 나 자신만을 위해서 일해야 한다. 보상에 대한 기대는 나를 실망시킬 것이며, 나로 하여금 쓸데없이 다른 사람의 호의에 매달리게 할 것이다. 그러므로 나는 그 사람이 혼자 일하도록 내버려둘 것이며, 그 사람도 내가 혼자 일하도록 내버려 둘 것이다.

— 데이비드 흄, 《인성론》 중에서

마 케이크가 하나 있다. 세 사람이 나누어 먹으려고 한다. 모든 사람이 가지고 싶은 만큼 가지고, 먹고 싶을 만큼 먹을 평등한 자유를 가지고 있다. 하지만 모든 사람들이 다른 사람보다 더 많이 먹기를 원한다면 결국 싸움이 일어날 것이며 힘이 가장 센 자가 혼자서 다 차지할 것이다. '최대 다수의 최대 행복' 도 이루어질 수 없으며, 다른 사람의 입장에서 판단하는 '역지사지의 의무' 도 지켜질 수 없다. 다수의 먹을 자유도 충족될 수 없으며, 똑같이 나누어 먹는 평등도 이루어질 수 없다.

하지만 '무지의 베일' 을 씌우면 자신이 어떤 처지에 있는지를 전혀 알 수 없는 '원초적 입장' 에 서게 된다. 자신이 어떤 처지에 있는지 알 수 없다면 어떤 처지에 있더라도 손해를 보지 않을 결정을 내릴 것이다. 하지만 이런 신기한 도깨비 베일이 세상에 존재할 리가 없다. 그러나 그런 베일을 만들 수는 있다. 케이크의 경우 케이크를 세 덩이로 자르고 나서 사다리타기와 같은 우연한 방법에 의해 가지고 갈 순서를 정하면 된다. 그러면 케이크를 자르는 사람은 자신이 제일 먼저 가져가게 될지, 제일 나중에 가져가게 될지 전혀 모르게 될 것이다. 케이크를 자르는 사람은 자신이 어떤 처지에 놓일지 전혀 알 수 없기 때문에 어떤 처지에 놓이더라도 손해를 보지 않도록 똑같이 세 덩이로 자를 것이다.

그렇게 하면 케이크를 똑같이 자를 의무도 없었고, 최대 다수의 최대 행복을 목적으로 하지도 않았으며, 케이크를 평등하게 자를 것을 강요하지도 않았고 케이크를 불평등하게 자를 자유를 빼앗지도 않았는데도, 완전한 자유 속에서 내린 결정이 마치 똑같이 자를 의무를 따른 것처럼, 최대 다수의 최대 행복을 목적으로 한 것처럼, 케이크를 평등하게 자를 것을 강요한 것처럼 공정한 합의를 할 수 있다.

1. 제시문 (마)와 (바)를 각각 요약하세요. (각 200자 내외)

2. 제시문들은 인간관계를 맺는 방식을 보여주는 글들입니다. 각 제시문이 보여주는 방식을 쓰세요. (200자 내외)

3. 제시문들을 읽고 급식 도우미 문제를 어떻게 해결하는 것이 합리적인지 에 대한 자신의 생각을 제시문 (바)의 관점에서 써 보세요. (600자 내외)

생각 쓰기

생각 쓰기

생각 쓰기

case 2 다음 제시문을 읽고 답하시오.

가 저녁때가 되자 제자들이 예수께 와서 "여기는 외딴 곳이고 시간도 이미 늦었습니다. 그러니 군중들을 헤쳐 제각기 음식을 사 먹도록 마을로 보내시는 것이 좋겠습니다" 하고 말하였다.

그러나 예수께서는 "그들을 보낼 것 없이 너희가 먹을 것을 주어라" 하고 이르셨다. 제자들이 "우리에게 지금 있는 것이라고는 빵 다섯 개와 물고기 두 마리뿐입니다" 하고 말하자 예수께서는 "그것을 이리 가져오너라" 하시고는 군중을 풀 위에 앉게 하셨다. 그리고 빵 다섯 개와 물고기 두 마리를 손에 들고 하늘을 우러러 감사의 기도를 드리신 다음, 빵을 떼어 제자들에게 주셨다. 제자들은 그것을 사람들에게 나누어주었다. 사람들은 모두 배불리 먹었다. 그리고 남은 조각을 주워 모으니 열두 광주리에 가득 찼다. 먹은 사람은 여자와 어린이들 외에 남자만도 오천 명 가량 되었다.

예수께서 곧 제자들을 재촉하여 배를 태워 건너편으로 먼저 가게 하시고 그 동안에 군중을 돌려보내셨다. 군중을 보내신 뒤에 조용히 기도하시려고 산으로 올라가셔서 날이 이미 저물었는데도 거기에 혼자 계셨다. 그 동안에 배는 육지에서 멀리 떨어져 있었는데 역풍을 만나 풍랑에 시달리고 있었다. 새벽 네 시쯤 되어 예수께서 물 위를 걸어서 제자들에게 오셨다. 예수께서 물 위를 걸어오시는 것을 본 제자들은 겁에 질려 엉겁결에 "유령이다!" 하며 소리를 질렀다. 예수께서 제자들을 향하여 "나다, 안심하여라. 겁낼 것 없다" 하고 말씀하셨다. 베드로가 예수께

"주님이십니까? 그러시다면 저더러 물 위로 걸어오라고 하십시오" 하고 소리쳤다. 예수께서 "오너라" 하시자 베드로는 배에서 내려 물 위를 밟고 그에게로 걸어갔다. 그러다가 거센 바람을 보자 그만 무서운 생각이 들어 물에 빠져들게 되었다. 그는 "주님, 살려주십시오!" 하고 비명을 질렀다. 예수께서 곧 손을 내밀어 그를 붙잡으시며 "왜 의심을 품었느냐? 그렇게도 믿음이 약하냐?" 하고 말씀하셨다. 그리고 함께 배에 오르시자 바람이 그쳤다. 배 안에 있던 사람들이 그 앞에 엎드려 절하며 "주님은 참으로 하느님의 아들이십니다" 하고 말하였다.

그들이 바다를 건너 겐네사렛 땅에 이르렀을 때에 그 곳 사람들이 예수를 알아보고 그 부근 지방에 두루 사람을 보내어 온갖 병자들을 다 데려왔다. 그리고 그들은 병자들이 예수의 옷자락만이라도 만지게 해 달라고 청하였다. 만진 사람은 모두 깨끗이 나았다.

— 〈마태오의 복음서〉, 《신약성서》 중에서

나 우리가 아는 것은 오직 경험을 통해서입니다. 감각 경험은 우리가 무언가를 아는 데 가장 기본이 되는 거지요. 우리가 경험하기 위해서는 감각에 들어오는, 경험에 필요한 직접적인 자료들이 있어야 하지요. 그 경험을 위한 직접적인 자료를 인상이라 하고, 인상을 마음속에 떠오르는 상으로 만든 것을 관념이라 하지요.

원인과 결과의 관념은 감각 인상에서 생긴 것이 아니라 마음의 습관에 불과해요. 당구하는 사람이 당구대를 이용해서 하나의 공을 때리면, 이 공은 다시 다른 공을 때리게 되고, 그 다른 공은 또 다른 공을 때리게 되지요. 당구대와 첫 번째 공이 접촉하는 순간이 있고, 다음에는 두 번째 공으로 움직이는 공간이 있으며, 다음에 그 공이 두 번째 공과 접촉하는 순간이 있고, 그리고 두 개의 공이 모두 움직이는 순간이 있고, 두 번째 공이 세 번째 공을 접촉하는 순간이 있지요.

우리가 이러한 순간으로부터 생기는 모든 인상을 받아들인다 해도 경기자가 첫 번째 공을 때린 것이 원인이 되어 첫 번째 공이 두 번째 공을 때린 결과를 낳았으며, 그것이 다시 원인이 되어 두 번째 공이 세 번째 공을 때린 결과를 낳았다는 원인과 결과의 관념이 나올 수 있는 인상을 받지는 못해요. 단지 그 각각의 인상들이 공간적으로 근접하여 일어났으며, 시간적으로 연이어서 일어났다는 인상을 갖게 될 뿐이지요. 이러한 인상이 자주 반복되면 기억으로 남게 되고 그 기억은 하나의 습관이 되어 원인과 결과의 관념이 생기게 됩니다. 그러므로 원인과 결과의 관념은 다만 정신에 나타난 마음의 습관일 뿐이지요.

—《흄이 들려주는 원인과 결과 이야기》 중에서

다 성경은 예수의 제자들이 보고 들은 이야기를 전하는 전승의 형식을 띠기 때문에 그 내용의 진실성을 의심할 만하다. 그러나 그것보다 기적은 경험에 의해 확인된 자연법칙을 어기는 것이므로 기적적인 사건은 원칙적으로 경험을 통해 증명할 수 없다. 경험을 통해 증명할 수 있는 것이면 기적이라고 부르지 않을 것이다.

"모든 기적적인 사건에는 그것과 반대되는 경험이 있을 수밖에 없다. 그렇지 않으면 그 사건은 기적이라 부를 수 없을 것이다. 그 경험이 바로 기적이 없다는 것을 보여주는 믿을 만한 직접적인 증거다. 기적은 그것과 반대되는 경험을 통해서만 부정될 수 있다. 그렇지 않은 기적은 믿을만한 것이 못 되는 엉터리다."

"종교가 경이로움에 집착하면 상식을 벗어나게 된다. 이러한 상황에서는 인간이 경험을 통해 얻은 명백한 증거나 증언도 더 이상 통하지 않는다. 성직자는 광신주의자가 되어 실재하지 않는 것을 본다고 상상할 수 있다."

— 데이비드 흄, 《기억에 대하여》 중에서

라 성경에 나오는 예수의 기적은 현대 과학으로 설명하기 힘들다. 하지만 지금도 지금의 과학으로 설명하기 힘든 자연 현상들이 있다. 그렇다면 지금 과학의 수준에서 예수의 기적에 대한 성경의 내용을 어떻게 설명할 수 있을까?

먼저, 지금도 과학으로 설명하기 힘든 자연 현상이 예수 당시에도 있었다고 생각할 수 있다. 다만 그러한 자연 현상을 예수가 일으켰다고 보는 것보다 성경을 쓴 사람들의 상상이나 은유에 의해 예수가 한 일로 윤색되었다고 보는 것이 합리적이다.

한편 예수에 대한 강한 믿음 때문에 사람들의 마음속에 기적 같은 육체적인 변화가 생겼을 수도 있다. 예수의 손길이 닿자 절름발이가 일어서고 모든 병이 깨끗이 나은 것이 바로 이 때문일 수 있다. 지금의 과학도 사람의 믿음이나 정신 상태가 육체적인 변화에 많은 작용을 한다고 말한다.

1. 제시문 (나)와 (다)를 요약하시오. (각 100자 내외)

2. 흄은 제시문 (나)에서 자연법칙의 토대인 인과관계를 의심합니다. 하지만 그는 제시문 (다)에서 자연법칙을 토대로 기적을 의심합니다. 이 모순된 듯이 보이는 내용이 모순이 아니라는 것을 설명해 보시오. (200자 내외)

3. 예수가 빵 다섯 개와 물고기 두 마리로 수많은 사람들을 배불리 먹인 사건을 제시문 (라)를 참고하여 기적이 아니라 실제로 있었던 사건으로 상상력을 발휘하여 설명해 보시오. (600자 내외)

생각 쓰기

생각 쓰기

생각 쓰기

실전 논술

예시 답안

case 1

1. (마) 사람들의 본성은 이기적이다. 자신에게 이익이 돌아온다는 조건이 있어야 남을 도와준다. 다시 말해 내가 남을 도와주면 그 사람도 나를 도와준다는 보장이 있을 경우에만 남을 도와준다. 그런데 나는 내가 먼저 남에게 이익을 받았을 경우에는 은혜를 되갚지 않을 것이다. 남도 나처럼 이기적이므로 내가 베푼 은혜를 되갚지 않을 것이다. 그러므로 남을 도와줄 필요가 없다.

(바) 사람들에게 무지의 베일을 씌워 자신의 처지를 알 수 없는 원초적 입장에 서게 만들면 어느 편도 들지 않는 공정한 입장이 되어 자신이 어떤 처지에 있더라도 손해를 보지 않을 공정한 결정으로 합의할 것이다. 다시 말해 가장 불리한 처지에 있는 사람의 처지에서 가장 유리한 결정으로 합의할 것이다. 자신이 가장 불리한 처지가 될 수 있는 경우를 고려하기 때문이다.

2. 제시문 (가)와 (바)는 합의를 통해 인간관계를 맺는 방식을 보여준다. (가)는 자신의 처지를 아는 상태에서 합의를 통해, (바)는 자신의 처지를 모르는 상태에서 합의를 통해 인간관계를 맺는 방식을 보여준다. 제시문 (나)와 (다)는 신뢰를 통해, 제시문 (라)는 강제적인 법이나 제도를 통해, 제시문 (마)는 이기적인 이해관계를 통해 인간관계를 맺는 방식을 보여준다.

3. 급식 도우미 문제를 해결하는 가장 바람직한 방식은 (나)처럼 원하는 사람이 스스로 하는 방식이다. 하지만 이 방식은 서로 믿고 도우려 한다는 상호 신뢰가

전제될 때만 잘 이루어질 수 있다. 상호 신뢰가 없을 경우 아무도 하지 않거나 마음이 착한 아이들만 하게 되거나 그 역할이 이익이 되는 경우 힘이 센 아이들만 하게 될 것이다. 그렇게 되면 (마)처럼 아무런 제약이 없는 자유로운 상태에서 이기적인 이해관계를 따져 그 역할을 맡을 것인지를 결정하는 방식과 같은 결과를 낳는다. 그렇다고 (라)처럼 강제로 선생님께서 규정을 정해 주는 것은 민주적이지 않으므로 좋지 않다.

(가)와 (바)처럼 민주적인 합의를 통해 규정을 정하여 해결하는 방식이 가장 합리적이다. 하지만 (가)처럼 유리한 처지에 있는 아이들이 다수일 경우 그들에게 유리한 방식으로 규정을 정할 수도 있다. 예를 들어 임원은 빼고 나머지 아이들이 돌아가며 하는 방식으로 합의할 것이다. 그러면 (바)처럼 규정을 먼저 합의해서 정하고 임원을 뽑으면 된다. 그러면 자신들이 임원이 되지 않을 경우도 고려하여 모두가 동등하게 돌아가며 하는 방식으로 합의할 것이다. 이러한 방식이야말로 민주적이고 공정하므로 가장 합리적이다.

case 2

1. (나) 참된 지식은 경험을 통해서만 얻을 수 있다. 인과관계는 습관에 의해 생긴 믿음일 뿐이다. 시공간적으로 가까이서 일어나는 경험들을 반복하면 그들 사이에 필연적 관계가 있다고 믿게 된다.

(다) 기적은 경험으로 증명된 자연법칙을 어기는 것이므로 경험을 통해 증명될

수 없다. 기적은 그와 상반되는 경험이 있을 때만 기적이 되는데 그 경험 자체가 기적을 부정하는 증거가 된다.

2. 흄이 (나)에서 의심하는 것은 인과관계 자체가 아니라 인과관계의 필연성에 대한 믿음입니다. 인과관계는 필연적이지는 않지만 경험과 모순되지는 않습니다. 인과관계는 경험을 통해 높은 개연성을 가지고 믿을 수 있습니다. 하지만 그러한 자연법칙을 어긴 기적은 경험을 통해 믿을 수 있는 개연성이 전혀 없습니다. 오히려 경험을 통해 믿을 수 없는 개연성이 높습니다.

3. 먼저 개수가 아니라 크기에 주목해 보자. 빵이 바위만 하고 물고기가 고래만 하다면 오천 명이 배불리 먹고도 남을 것이다. 하지만 예수가 그것들을 손에 들고 기도를 드렸다고 했다. 그것들이 손에 들 정도의 크기밖에 안 된다는 말이므로 물리적인 크기로 설명하는 것은 불가능하다.

다른 설명을 찾아보자. 그곳에 모인 사람들은 예수의 말과 행동을 본받고자 모인 사람들이다. 예수가 자신이 먹을 것을 자신은 먹지 않고 다른 사람들에게 나누어 주는 것을 보고 감동한 사람들이 그의 행동을 본받아 예수에게 받은 빵을 자신은 먹지 않고 다른 사람에게 나누어 주었을 수 있다. 물질적인 양식이 아니라 정신적인 양식을 먹고 배가 부른 것이다. 하지만 남은 조각이 열두 광주리에 가득 찼다고 했다. 빵 두 개의 조각으로 열두 광주리를 채울 수는 없다.

다른 가능성은 없을까? 예수를 본받으려는 사람들이 예수의 행동을 본받아 자신들이 가지고 온 것들을 다른 사람들에게 나누어 주었을 수 있다. 모임이 늦을 수도 있기 때문에 먹을 것을 준비해 온 사람들이 많았을 것이다. 그렇게 되면 오천 명이 배불리 먹었다는 것과 남은 조각이 열두 광주리를 가득 채웠다는 것을 모두 설명할 수 있다.

Abitur

철학자가 들려주는 철학이야기 055

맥루한이 들려주는 미디어 이야기

저자_**박기호**
고려대에서 교육학 석사를 받았다. 윤리학과 철학에 많은 고민을 하면서 살아오다가 대입 논술을 10년 지도하게 되었다. 그 결과 부엉이 눈으로 논제분석하기, 매트릭스법으로 제시문 읽기, 마인드맵으로 개요짜기, 토피카로 차별화하기 등의 독특한 논술 방법론으로 로스쿨 강의 진입 2달 만에 합격의 법학원에서 LEET 논술 마감강사가 되었다. 경향신문 대입논술 출제집필진으로 활동한 바 있으며, 대입 논술의 명강사로 활약하고 있다.
저서로는 《맥루한의 미디어기(초급)》, 《듀이의 실용주의(초급)》, 《대학별논술 예상문제집》, 《4개년간 논술기출문제해설》, 《논술자세잡기》가 있다.

배경 지식 넓히기

Marshall McLuhan

마샬 맥루한과 '미디어'

맥루한 주요 개념

1. 맥루한을 만나다

1) 맥루한의 생애

마샬 맥루한(Herbert Marshall McLuhan, 1911~1980)은 1911년 7월 21일 캐나다 서부의 앨버타 주에 위치한 에드먼턴이라는 도시에서 태어났습니다. 그는 캐나다 마니토바 대학과 영국 케임브리지 대학에서 영문학을 공부하여, 이후 캐나다 토론토 대학에서 영문학과 교수로 재직하였습니다.

맥루한이 영문학을 공부하게 된 데에는 부모님의 영향이 컸습니다. 어머니는 교회나 학교에서 동화 구연과 시 낭송 등을 가르쳤는데, 이러한 어머니의 영향으로 어렸을 때부터 많은 시를 외울 수 있었습니다. 또한 그는 아버지와 함께 사전에 나와 있는 이상한 단어 찾기와 같은 놀이를 자주 했다고 합니다. 이를 보면 어렸을 때의 환경과 습관이 얼마나 중요한지 알 수 있습니다.

맥루한은 "내가 가는 곳에는 언제나 토론 모임이 있다" 고 말할 정도로 평소 다른 사람들과 토론하기를 즐겼습니다. 어렸을 때는 가족들과 토론을 자주 벌여 부모님을 설득하여 조언해 줄 정도였고, 대학 시절에는 혼자서 대여섯 명을 상대로 토론을 해도 여유 있을 만큼 어떤 주제에 대해서든, 어떤 입장에 있어서든 자신의 주장을 능수능란하게 펼칠 수 있었다고 합니다.

이후 대학에서 조교와 교수 일을 하면서도 항상 주변의 학생이나 학자들과 토론 모임을 만들어 토론을 즐겼습니다. 이런 활발한 토론 습관이 그를 세계적인 학자로 만든 것인지도 모릅니다.

맥루한은 다른 학자들과는 달리 매우 독특한 기인(奇人)의 모습을 보이기도 했습니다. 1964년 출간된《미디어의 이해》로 유명해지자 여러 매체에서 인터뷰와 기고 및 강연 등을 요청받았는데, 학술지뿐만 아니라 패션잡지 같은 대중매체나 기업인들을 대상으로 한 강연회 등에 즐겨 참여하기도 하였습니다.

영화배우와 결혼하기도 한 그는 우디 앨런 감독의 《애니 홀》에 단역배우로 출연하기도 합니다. 또한 1971년에는 조카와 함께 속옷에서 소변 냄새를 제거하는 물질을 발명하여 사람들을 어리둥절하게 만들기도 하였습니다.

이처럼 다양한 삶을 살았던 그는 1980년 12월 31일 지병이던 뇌졸중으로 사망하게 됩니다. 그는 생전에 많은 책을 썼는데, 중요 저서로는 《기계 신부》(1957), 《구텐베르크 은하계》(1962), 《미디어의 이해》(1964), 《미디어는 메시지다》(1967) 등이 있습니다.

2. 맥루한의 사상

1) 미디어

미디어(media)는 라틴어에서 온 영어 단어인 미디움(medium)의 복수형입니다. medium은 일상생활에서도 자주 사용되는 단어입니다. 예를 들어 옷을 고를 때나 피자, 커피 등을 살 때 유심히 살펴본 적이 있다면 S, M, L과 같은 단어를 자주 볼 수 있었을 것입니다. 이 때 S, M, L은 Small, Medium, Large라는 영어의 약자로 각각 '작은 것', '중간 것', '큰 것'을 의미합니다. 즉, medium은 '중간', '사이' 등을 의미하는 단어입니다.

그런데 '중간' 혹은 '사이'는 항상 '무엇'과 '다른 무엇'의 중간 혹은 사이일 수밖에 없습니다. 서로 다른 두 항목이 없다면 중간이나 사이라는 말을 쓸 수조차 없기 때문입니다. 예를 들어 '중간'이나 '사이'라는 단어를 쓸 때 '너와 나 사이에 그럴 수 있어?', '지금 학교와 집의 중간쯤에 있어요'와 같은 방식으로 쓰지, 그냥 '사이'라거나 '중간'이라고는 쓰지 않습니다. 그러므로 중간은 '너'와 '나' 혹은 '학교'와 '집'처럼 서로 다른 두 항목을 이어주는 역할을 하기도 합니다. 이를 한자어로 매개(媒介)라고 하고, 이러한 역할을 하는 물건 등을 매개체(媒介體) 혹은 줄여서 매체(媒體)라고 부릅니다. 즉, medium은 매개, 매체를 의미하기도 합니다.

매체라는 단어가 일상적으로 가장 많이 쓰이는 경우는 '대중매체'라는 용어를 통해서 입니다. 대중매체란 보통 신문, 영화, 텔레비전, 라디오 등을 부를 때 사용됩니다. 자, 이제 여러분은 왜 신문, 텔레비전 등이 대중매체인지 이해할 수 있겠지요? 신문이나 텔레비전 등은 여러 가지 정보나 사상을 많은 사람들(대중)에게 전달하는 역할을 합니다. 즉, 여러 정보와 사람들을 이어주는 역할을 하는 것이지요. 그래서 우리가 신문, 텔레비전, 라디오 등을 대중매체라고 부르는 것입니다.

결국 미디어란 이 모든 매체들을 총칭하는 말인 것입니다.

2) 미디어는 인간 몸의 확장이다

맥루한의 가장 유명한 저서인 《미디어의 이해》는 바로 위에서 설명한 미디어를 다루고 있는 책입니다. 그런데 맥루한은 이 미디어라는 용어를 다소 독특한 방식으로 사용하고 있습니다.

《미디어의 이해》의 2부는 각각의 미디어들을 하나하나씩 설명하고 있는 부분인데 이 목록을 보면 우리가 일반적으로 미디어라고 생각하고 있는 텔레비전, 신문, 영화, 라디오뿐만 아니라 언어, 의복, 주택, 돈, 자동차 등도 미디어에 포함시키고 있으며, 심지어 인쇄술과 같은 기술 역시 미디어라고 부르고 있습니다. 아니, 옷이나 집, 자동차가 미디어라니 좀 이상하지요?

이를 이해하기 위해선 맥루한이 미디어라는 용어를 어떤 방식으로 사용하는지 알아야 합니다. 《미디어의 이해》라는 책은 '인간의 확장'(The Extensions of Man)이라는 부제목이 붙어 있습니다. 일찍이 미국 시인 랠프 에머슨은 "지구상의 모든 도구와 엔진들은 인간의 수족과 감각의 연장일 뿐"이라고 말한 적이 있습니다. 이와 비슷하게 맥루한은 인간의 몸이 확장된 모든 것을 미디어라고 부릅니다.

'인간의 몸이 확장된 모든 것이 미디어'라니 무슨 뜻일까요? 먼저 인간의 몸에 대해 자세히 알아보겠습니다. 인간 몸의 능력은 크게 두 가지로 구분할 수 있는데, 외부 세계의 정보를 받아들이는 감각 능력과 이 정보를 바탕으로 판단하고 실행하는 행동 능력입니다.

인간은 시각, 청각, 촉각, 미각, 후각이라는 다섯 가지 감각을 가지고 있습니다. 이 다섯 가지 감각은 인간에게 매우 중요한 것인데, 왜냐하면 우리는 이 감각을 통해 외부 세계의 정보들을 받아들여 생각하고 판단하고 행동할 수 있게 되기 때문입니다. 어느 한 가지 감각이 없을 때, 즉 눈이 안 보이거나 귀가 안 들리거나 맛을 볼 수 없는 것을 상상해 본다면 우리 생활이 얼마나 불편해질지 쉽게 이해할 수 있을 것입니다. 이처럼 인간의 감각은 매우 중요한 것입니다.

그러나 인간의 감각은 여러 가지 한계가 있습니다. 시각과 청각의 경우 상대적으로 먼 곳을 보거나 먼 거리에서도 소리를 들을 수 있지만, 후각은 가까운 곳에서 나는 냄새만, 촉각과 후각은 피부나 혀에 직접 닿아야만 느낄 수 있기 때문입니다. 또한 인간에 비해 8배나 멀리 볼 수 있는 매나 인간보다 무려 만 배나 되는 냄새를 맡을 수 있다는 개처럼, 다른 동물들과 비교해 본다면 인간의 감각은 무척 제한되어 있다고 할 수 있습니다. 앞에서 인간은 감각을 통해 외부 세계의 정보를 받아들여 생각하고 판단하고 행동한다고 하였지요? 그렇기 때문에 감각의 한계는 우리가 받아들이는 정보의 한계가 되고, 결국 우리의 생각과 판단 그리고 행동의 한계가 되는 것입니다.

마찬가지로 인간의 행동 역시 여러 한계가 있습니다. 인간의 신체 구조상 새처럼 날지 못하거나, 치타처럼 빠르게 뛰지 못하거나, 개미처럼 자신의 몸보다 몇 배 무거운 물건을 들지 못하거나 하는 것들이 바로 그러한 인간 행동 능력의 한계 때문입니다.

그러나 인간은 다른 동물들과 다르게 자신의 한계를 뛰어넘으려는 시도를 끊임없이 해왔습니다. 바로 도구나 기술의 발명이 그 결과입니다. 손으로 들지 못하는 무거운 물건을 들기 위해 지레를 발명하고, 빨리 뛰지 못하는 한계를 극복하기 위해 자동차를 발명하고, 더욱 멀리 보기 위해 망원경을 발명하는 등 여러 가지 다양한 도구와 기술의 발명을 통해 인간은 자신이 가진 능력의 한계를 극복하려고 노력해 왔던 것입니다. 그러므로 도구나 기술들은 바로 인간의 능력의 한계를 넘어 인간의 능력을 확장해 주는 것인 셈입니다.

자, 이제 여러분의 주위를 둘러봅시다. 텔레비전은 무엇의 확장일까요? 멀리서 일어난 일을 보여준다는 점에서 눈의 확장입니다. 안경이나 망원경 등도 볼 수 있는 눈의 능력을 확대해 준다는 점에서 눈의 확장이죠. 전화나 라디오는 멀리서 나는 소리를 들을 수 있게 해준다는 점에서 귀의 확장입니다. 마찬가지로 옷은 피부의 확장, 연필이나 망치는 손의 확장, 자동차나 자전거는 발의 확장 등등. 이처럼 우리는 우리 몸의 능력을 확장해 주는 도구이거나 기술들로 둘러싸여 있음을 알 수 있습니다.

그렇다면 왜 맥루한은 이처럼 인간 몸의 확장인 도구나 기술들을 미디어라고 불렀을까요? 앞서 미디어란 서로 다른 두 가지 항목을 이어주는 것이라고 얘기했습니다. 그렇다면 도구나 기술들은 무엇과 무엇을 이어주고 있는 것일까요? 똑똑한 여러분들은 금방 파악하셨으리라 믿습니다. 바로 '인간'과 '외부 세계'를 매개하고 있는 것입니다. 결국 맥루한은 '인간과 외부 세계를 매개해 주면서 인간의 능력을 확장하고 있는 모든 것'을 미디어라고 생각한 것입니다. 이제 옷이나 집, 자동차도 미디어라는 맥루한의 생각이 이해가 되었지요?

도구를 사용하는 인간(호모 파베르)

어떤 사람들은 인간을 호모 파베르(Homo Faber)라고 부르기도 하는데, 이는 도구 사용이 바로 인간을 다른 동물들과 구별해 주는 인간의 본질적 특성이라고 보기 때문입니다. 이처럼 인간을 다른 것들과 구별해 주는 특성에 주목하여 인간을 부르는 용어가 여럿 있습니다. 먼저 호모 사피엔스(Homo Sapiens, 지혜로운 인간)는 인간의 생물학적 학명이기도 한데, 이는 인간이 생각할 수 있다는 점을 강조하여 부르는 말입니다. 호모 폴리티쿠스(Homo Politicus, 정치적 인간)는 인간이 정치를 통해 사회를 이룬다는 점에 주목하여 부르는 이름입니다. 호모 루덴스(Homo Ludens, 유희적 인간)는 인간이 놀이와 같은 유희(遊戲)를 통해 문화를 형성하였음을 강조하여 부르는 말입니다. 또한 호모 로퀘엔스(Homo Loquens, 언어적 인간)는 인간만이 언어를 사용한다는 점을 강조하고 있는 말입니다.

3) 미디어는 메시지다

맥루한을 세계적으로 유명한 학자가 되게 한 말이 바로 "미디어는 메시지다"라는 구절입니다. 그가 이 말을 했을 때 많은 사람들은 어리둥절해 했습니다. 왜 그랬을까요? 일반적으로 사람들은 미디어와 메시지를 구분하여 사용합니다. 메시지란 전달하고자 하는 내용을 의미하고 미디어는 그 내용을 전달하는 도구라고 생각하고 있기 때문이지요. 게다가 중요한 것은 전달하고자 하는 내용이지, 그것을 전달하는 미디어는 그저 부수적인 것으로 생각하고 있었기 때문입니다. 그런데 갑자기 맥루한이 '전달 도구'에 불과하다고 여겼던 미디어를 '전달하고자 하는 내용'과 동일하다고 말하니 어리둥절할 수밖에 없었던 것이지요. 맥루한은 왜 이런 이야기를 한 것일까요?

우리는 흔히 "형식은 중요하지 않아, 내용이 중요하지"와 같은 말을 많이 합니다. 전하고자 하는 의미만 잘 전달하면 됐지, 어떻게 전달하는가는 별로 중요하지 않다는 것입니다.

그런데 다음과 같은 경우를 상상해 봅시다. 자신에게 잘못을 저지른 친구가 한 명 있습니다. 그 친구가 자신에게 사과를 하려고 합니다. 그 친구가 사과의 뜻을 서로 다른 방식으로 전한다면, 즉 편지로 써서 전하거나, 핸드폰 문자 메시지로 전하거나, 이메일로 전하거나, 직접 말로 전하거나 한다면, 각각의 경우에 그 사과에 대한 자신의 느낌은 모두 동일할까요?

이제 다음과 같은 사례를 상상해 봅시다.

선천적으로 장님으로 태어난 사람이 생각하는 세상과 그렇지 않은 사람이 생각하는 세상은 같을까요, 다를까요? 눈이 보이는 사람이 보는 세상은 다양한 색깔로 이루어진 사물들이 여기저기 널려 있는 세상이겠지요. 하지만 선천적으로 장님인 사람에게는 이건 빨간색, 저건 파란색이라고 하는 말은 어떤 의미도 갖지 못할 것입니다. 왜냐하면 처음부터 그것을 본 적이 없기에 그것이 어떻게 다른지 상상조차 할 수 없을 테니까요.

또한 눈이 보이는 사람은 공간을 파악할 때에도 눈에 보이는 거리까지를 모두 포함하여 받아들이겠지만, 장님의 경우는 모든 사물을 손, 즉 피부를 통해서만 파악할 수 있기 때문에 손이나 지팡이가 닿는 거리 안에서만 공간을 인식할 수 있겠지요. 이렇듯 감각 능력의 차이는 정보의 차이를 낳게 되고, 이러한 정보의 차이가 세계에 대한 인식의 차이를 낳게 되는 것입니다.

앞서 '미디어는 인간 몸의 확장'이라고 했던 맥루한의 말을 떠올려 봅시다. 만약 맥루한의 말처럼 미디어가 인간 몸의 능력을 확장하는 것이라면, 서로 다른 미디어를 사용하는 사람은 서로 다른 몸의 능력을 갖게 되는 것이고, 그렇다면 서로 다른 세상에 대한 인식을 갖게 된다고 생각해 볼 수 있습니다. 더 나아가 세상에 대한 서로 다른 인식을 갖고 있는 사람은 결국 서로 다른 삶의 방식을 갖게 되겠지요.

이처럼 미디어는 단순히 어떤 내용을 전달하는 도구가 아니라 미디어 사용자의 삶의 방식마저도 바꾸는 대단한 역할을 하고 있는 것입니다. 그렇기 때문에 우리는 미디어가 우리의 삶 그리고 우리 사회에 가져오는 효과가 과연 무엇인지에 대해 주목해야 하는 것입니다.

맥루한에 따르면 생각은 하늘에서 뚝 떨어지는 것이 아니라 바로 인간의 오감을 비롯한 지각능력에 그 출발점을 두고 있습니다. 휴대전화가 아무리 점점 더 좋은 기능을 갖춘다고 해도 어디까지나 우리가 사용하기에 편리해야 하며 인식하기 좋아야 한다는 것입니다. 예전에는 통화만 할 수 있었던 전화기에 카메라도 있고 라디오와 TV까지 볼 수 있게 되어 있습니다. 인간 육체의 감각기관으로부터 만들어진 미디어는 우리가 세상을 바라보는 데 영향을 줍니다. 디지털 카메라로 보는 것과 눈으로 보는 것에는 분명히 차이가 있으니 말이죠. 미디어는 갈수록 확장되어 나아가고 있으며 앞으로 어떤 미디어가 세상을 바꾸게 될 것인지는 우리들의 상상력에 달려있습니다.

— 《맥루한이 들려주는 미디어 이야기》 중에서

왜 맥루한이 "미디어는 메시지다"라고 했는지 이해가 되죠? 미디어 자체가 가져다주는 영향력이 대단히 크고 중요하기에 미디어의 내용보다는 미디어 그 자체에 주목하여야 한다는 것입니다.

4) 쿨 미디어와 핫 미디어

미디어가 인간의 삶의 방식을 어떻게 변화시키고 나아가 인간 사회를 어떻게 바꾸는지에 대해 구체적으로 알아봅시다. 이를 이해하기 위해선 각 미디어가 가진 두 가지 특성을 알아야 합니다. 하나는 각 미디어가 어떤 감각을 확장하고 있는가 하는 것이고, 다른 하나는 확장된 감각을 통해 어느 정도의 정보가 제공되고 있는가 하는 것입니다.

각각의 미디어는 대부분의 경우 특정한 감각만 확장됩니다. 망원경은 시각이 확장된 것이고, 라디오는 청각이 확장된 것입니다. 여기서 문제가 발생하게 됩니다. 즉, 한 가지 감각만 지나치게 확장된 경우에 다른 감각은 축소되거나 심지어 마비되기도 한다는 것입니다.

예를 들어 여러분도 컴퓨터 게임 화면이나 만화책에 지나치게 몰입한 나머지 어머니가 부르는 소리를 듣지 못한 경험이 있을 것입니다. 모든 감각이 시각에 집중되어 있기 때문에 청각이 제대로 작동하지 않았던 것입니다. 거꾸로 음악 소리를 더 잘 듣기 위해 눈을 감는 것도 마찬가지의 경우라고 할 수 있습니다.

한 가지 감각을 확장하기 위해선 다른 감각을 억제해야 하듯이, 한 가지 감각이 확장된다면 다른 감각은 축소될 수밖에 없습니다. 이처럼 미디어는 특정한 감각의 편향(偏向, 치우침)을 가져오게 됩니다.

앞서 미디어는 감각의 확장이고, 우리는 감각을 통해 외부 세계의 정보를 받아들인다고 말한 바 있습니다. 그러나 모든 미디어가 동일한 수준의 정보를 제공하는 것은 아닙니다.

예를 들어 어느 날 신문에 우리나라 대통령의 사진과 대통령을 다루고 있는 만평이 같이 실렸다고 생각해 봅시다. 사진의 경우 보자마자 '아, 우리 대통령이구나' 하는 것을 알 수 있습니다. 그러나 만평의 경우 '눈과 코를 이렇게 그렸으니 대통령을 그린 것이구나' 라고 생각을 해야 그 인물이 대통령인 것을 알 수 있습니다.

다시 말해서 동일한 대상을 보여주고 있는 사진과 만화이지만 어떤 미디어냐에 따라 주어지는 정보량이 다르기 때문에 판단에 차이가 생기는 것입니다. 정보량이 많으면 많을수록 생각할 필요가 없어지고, 정보량이 적으면 적을수록 여러모로 고민을 해야 할 것입니다. 결국 정보량이 많을수록 수동적이 되고, 정보량이 적을수록 능동적이 된다는 것입니다.

맥루한은 특정한 감각과 주어지는 정보량을 기준으로 모든 미디어를 쿨 미디어(cool media)와 핫 미디어(hot media)로 구분합니다. 핫 미디어란 단일한 감각에 많은 정보가 주어져 이용자의 참여가 필요 없는 미디어를 말하며, 쿨 미디어는 정보량이 적어 이용자의 능동적인 참여가 요구되는 미디어를 말합니다.

위의 사례에서 알 수 있듯이 사진은 핫 미디어이고 만화는 쿨 미디어가 됩니다. 이와 비슷하게 전화는 귀에 주는 정보량이 적고 듣는 사람도 적극적으로 참여해야 하기 때문에 쿨 미디어이고, 라디오는 모든 것이 다 설명되고 듣는 사람은 아무런 참여도 못하기 때문에 핫 미디어입니다. 이처럼 모든 미디어는 정보량과 참여도에 따라 핫 미디어와 쿨 미디어로 나뉠 수 있습니다.

자, 그럼 다음의 미디어는 핫 미디어일까요, 쿨 미디어일까요? 여러분께서 직접 괄호를 채워보세요.

책	(　　) 미디어
대화	(　　) 미디어
영화	(　　) 미디어
텔레비전	(　　) 미디어

괄호가 쉽게 채워지나요? 먼저 책을 생각해 봅시다. 책을 읽을 때는 책에

씌어있는 글자들에 눈을 집중해야 합니다. 한 가지 감각이 집중되는 것입니다. 책을 너무 열심히 읽다가 전화벨 소리나 어머니가 부르는 소리를 듣지 못했던 경험이 있는 학생이라면 쉽게 이해가 될 것입니다. 또한 책은 씌어있는 내용에 대해서 직접 참여하여 묻거나 고칠 수 없습니다. 그저 씌어있는 내용을 받아들일 수밖에 없는 것이지요. 그렇기 때문에 책은 핫 미디어입니다.

이와 반대로 대화를 할 때에는 친구가 말하는 소리를 들을 뿐만 아니라 표정과 몸짓 등도 함께 보게 됩니다. 여러 가지 감각이 동시에 동원되는 것이지요. 또 친구의 말이 이상하거나 틀렸을 경우 바로 참여하여 확인할 수도 있습니다. 그러므로 대화는 쿨 미디어입니다.

영화관에 가 본 적이 있는 학생은 영화가 핫 미디어라는 것을 금세 눈치챘을 것입니다. 영화를 볼 때는 어두컴컴한 곳에 가만히 앉아 스크린에 펼쳐진 화면에 몰입을 하게 됩니다. 한 장면이라도 놓치면 이야기를 내용을 이해하기 어렵게 되기 때문에 집중해서 보아야 합니다. 중간에 화장실에 갈 수도 없습니다. 이처럼 영화는 집중하고 몰입하게 되기 때문에 핫 미디어입니다.

반대로 텔레비전의 경우, 가족과 식사를 하거나 친구와 전화를 하는 등 다른 일을 하면서 볼 수도 있고, 또 재미없는 프로가 나온다면 쉽게 다른 채널로 돌릴 수도 있습니다. 또 한 프로의 중간부터 보기 시작했다고 해도 아무런 문제없이 볼 수 있습니다. 이처럼 텔레비전은 특정 감각의 집중도가 떨어지고 이용자가 참여할 수 있기 때문에 쿨 미디어입니다. 이해가 되시죠?

이를 구분하여 정리하면 다음과 같습니다. 여러분도 이 표에 나와 있지 않은 주변의 다른 미디어들을 구분해 표를 더 채워보시기 바랍니다.

핫 미디어	쿨 미디어
라디오	전화
영화	텔레비전
사진	만화
알파벳(표음문자)	상형문자, 표의문자
강의	세미나
책	대화

5) 전자 미디어 시대와 지구촌

맥루한은 인간이 가지고 있는 다섯 가지 감각 전체가 상호작용하며 외부 세계를 파악하는 경우를 가장 이상적인 상황으로 여깁니다. 왜냐하면 각 감각은 각각 나름의 한계가 있기 때문입니다.

눈은 멀리 볼 수 있지만, 몸의 한 쪽 면으로만 볼 수 있기 때문에 뒤에서 벌어지는 일을 알 수 없습니다. 청각은 상하좌우 어디서 나는 소리든 들을 수 있지만, 멀리 떨어진 곳의 소리는 듣지 못합니다. 눈과 귀로는 물건이 뜨거운지 차가운지 알 수 없지만, 피부는 촉각을 통해 확인할 수 있습니다. 하지만 그 물건과 직접 닿아야만 알 수 있다는 한계가 있습니다.

이처럼 각각의 감각은 대상에 대한 특정한 정보만을 전달합니다. 그렇기 때문에 인간이 가진 다섯 가지 감각을 모두 동원하여 종합적으로 대상을 파악할 때 대상에 대한 더 정확한 인식이 가능하게 될 것이라 생각하는 것입니다.

그러나 특정한 미디어는 특정한 감각만을 고도로 확장시키기 때문에 그 결과 대상에 대한 편향된 인식을 갖게 됩니다. 책을 예로 들어 설명해 보겠습니다. 위의 표에서 알 수 있듯이 문자로 이루어진 책은 시각을 고도로 확장하는 핫 미디어입니다. 그렇다면 문자는 어떻게 우리의 사고방식을 바꾸는 것일까요.

우리는 책을 읽을 때 처음부터 읽어야 합니다. 책을 중간 중간 아무 데서나 펴서 읽기 시작하는 학생은 아마 없을 것입니다. 처음부터 읽지 않는다면 내용이 이해되지 않을 테니까요. 또한 한 페이지를 읽을 때도 왼쪽에서 오른쪽으로, 위에서 아래로 읽어야 합니다. 이렇게 책을 읽을 때는 정해진 순서를 반드시 따라야 합니다.

그렇기 때문에 책을 많이 읽게 되면 어느 것이 먼저고 어느 것이 나중인지 밝히는 '선후 관계' 나 어느 것이 원인이고 어느 것이 결과인지 밝히는 '인과 관계' 에 익숙해지게 됩니다. 선후 관계나 인과 관계를 꼼꼼히 따지는 것을 우리는 논리적 혹은 이성적이라고 합니다. 그러므로 문자는 인간을 논리적이고 이성적으로 만든다는 것입니다. 책을 많이 읽은 학생들이 꼬치꼬치 따지고 캐묻기 좋아하는 것은 바로 책이라는 미디어의 특징 때문입니다.

이러한 사례는 우리 주위에서도 흔히 찾아볼 수 있습니다. 여러분께서 아무렇지도 않게 보고 있는 쇼 프로나 컴퓨터 게임 화면에 대해 부모님께서 '보고 있자니 머리가 아프다' 고 말씀하시는 것을 들어본 경우가 있을 것입니다. 이는 부모님 세대가 문자에 매우 익숙하기 때문에, 다시 말해 선후 관계나 인과 관계에 익숙하시기 때문에, 아무런 인과 관계없이 현란하게 화면이 바뀌는 것을 받아들이기 힘들기 때문입니다.

또한 친구와 말로 대화할 때는 어순을 바꾸어도 쉽게 뜻이 전달되는데, 인터넷 메신저에서 대화할 때는 어순을 바꾸면 쉽게 뜻이 전달되지 않았던 경우도 있었을 것입니다. 이는 대화가 말과 청각을 활용하는데 반해 인터넷 메신저는 문자와 시각을 활용하기 때문입니다.

특정한 미디어의 사용은 이용자의 사고방식을 바꿀 수 있습니다. 그렇다면 어떤 시대에 주로 사용되는 미디어가 무엇인가에 따라 그 시대의 특징이 구분될 수 있을까요? 맥루한은 '그렇다' 고 대답합니다. 즉, 미디어가 사람들의 사고방식을 바꾸고, 새롭게 바뀐 사고방식은 새로운 생활양식을 낳게 되기 때문에, 결국 사회 전체의 양식이 바뀐다는 것입니다. 그러므로 맥루한에게 미디어의 변화는 인간의 역사를 이해하는 중요한 기준이 됩니다.

맥루한은 주요 미디어의 변화를 기준으로 인간의 역사를 다음과 같이 네 시기로 구분합니다.

	역사적 시기	주요 미디어	감각	사고
구어시대 (Oral Age)	말과 오감에 의존하던 원시 부족사회	말 (구두 언어)	공감각	비논리적
문자시대 (Literate Age)	알파벳 · 한자가 발명된 이후 약 2천여 년의 기간	문자	시각편향	논리적
인쇄시대 (Gutenberg Age)	인쇄술 발명 이후 15C ~ 19C 근대 시대	문자	시각편향	논리적
전기 · 전자시대 (Electric Age)	TV, 인터넷 등이 지배하는 현대	말과 문자	공감각	비논리적

이처럼 맥루한은 미디어가 그 시대의 사회와 문화를 만들어 내는 원동력이라고 보았기 때문에 맥루한의 사상을 '매체결정론' 혹은 '기술결정론'이라고 부르기도 합니다.

위에서 구분한 네 시기 중 맥루한은 어떤 시기를 가장 좋은 시기라고 평가했을까요? 맥루한은 인간의 오감 전체가 상호작용하며 외부 세계를 파악하는 경우를 가장 이상적인 상황이라고 생각했기 때문에, 모든 감각이 균형 있게 활용될 수 있었던 구어시대가 가장 이상적인 시대라고 보았습니다.

그러나 문자와 인쇄술의 발명으로 인해 인간은 상당히 오랜 기간 동안 시각에 편향된 채 살게 되었지만, 현대에 텔레비전과 같은 전기 · 전자 미디어가 등장하면서 다시 과거와 같은 오감을 모두 사용하는 시대가 올 것이라고 생각했습니다.

텔레비전이나 컴퓨터, 혹은 전자게임기 등을 보면 쉽게 이해할 수 있듯이, 전기 · 전자 미디어는 시각뿐만 아니라 청각, 촉각 등 모든 감각을 활용하는 매체입니다. 또한 전기 · 전자 미디어는 빛처럼 빠른 특성으로 인해 전 세계의 곳곳의 소식을 실시간으로 전달해 줄 수 있습니다.

그렇기 때문에 그는 전기 · 전자 미디어는 전 세계의 사람들이 직접 만나 대화하는 것과 같은 환경을 만들어 줄 것이라고 생각했습니다. 전 세계가 하나의 마을처럼 되는 것입니다. 이러한 상황을 그는 '지구촌'(global village)이라고 불렀습니다. 지금은 너무나 흔히 쓰이는 '지구촌' 이라는 용어를 처음 만든 사람이 바로 맥루한입니다.

맥루한이 《미디어의 이해》를 쓸 당시에는 지금과 같은 인터넷이 없었기 때문에, 당시의 사람에게는 '지구촌' 이라는 말이 크게 다가오지는 않았습니다. 그러나 50여 년이 지나 인터넷과 초고속통신이 일상화된 지금, '지구촌' 은 우리의 피부에 와 닿는 중요한 용어가 되었습니다. 이 때문에 사람들은 맥루한을 '예언자' 라고 부르며 현재에도 중요한 사상가로 연구하고 있는 것입니다.

기술결정론 / 매체결정론

마르크스는 "손절구는 봉건 영주가 있는 사회를 낳았고, 증기 제분기는 산업 자본가가 있는 사회를 낳을 것이다"라고 말했으며, 역사학자인 린 화이트는 '등자(말을 탈 때 발을 고정하는 기구)의 발명이 중세를 낳았다' 고 말하기도 했습니다. 이처럼 특정한 도구나 기술의 개발과 사용이 사회 변화의 방향과 속도를 결정한다는 주장을 기술결정론이라고 부릅니다. 맥루한이 주장하는 매체 역시 도구나 기술과 유사한 것이므로, 매체결정론도 기술결정론의 일부라고 볼 수 있습니다.

3. 기출 문제에서 만난 맥루한

1) 정보화 사회의 인간관계

우리가 우리 자신을 확장하는 데 사용하는 새로운 매체와 테크놀로지는 방부처리(防腐處理)를 일절 고려하지 않고 사회라는 신체에 대대적으로 행해지는 수술이다. 수술이 필요하게 되면, 수술 중에 신체 조직 전체가 영향을 받을 수밖에 없다는 것을 고려해야 한다. 새로운 테크놀로지로 사회를 수술할 때, 가장 큰 영향을 받는 곳은 절개(切開)된 곳이 아니다. 절개된 장소는 충격을 받고 이미 마비되어 있다. 변화가 발생하는 곳은 전체 조직이다 따라서 라디오의 영향은 시각에 미치고, 사진의 영향은 청각에 미친다. 새로운 충격이 가해질 때마다 모든 감각의 배분비율(配分比率)이 변화한다. 오늘날 우리가 추구하는 것은 심리적 · 사회적 측면에서 감각의 비율 변화를 통제하거나, 또는 이를 전면적으로 회피하는 방법이다. (……)

어떤 새로운 테크놀로지도 그것의 완성도, 즉 인간 정신에 끼치는 영향의 정도는 그 테크놀로지에 대한 수요(需要) 여부에 달려 있다. 자동차가 나타나기 전에는 아무도 자동차를 원하지 않았으며, 텔레비전 프로그램을 직접 보기 전에는 아무도 텔레비전에 관심을 갖지 않았다. 그 자체의 수요를 만들어 내는 테크놀로지의 힘은 테크놀로지가 우리의 신체나 감각의 확장인 것과 깊은 관계가 있다. 우리가 시각을 잃어버리면 다른 감각이 그것을 대신해서 어느 정도까지의 시각 역할을 맡는다. 쓸 수 있는 감각을 이용하고 싶어 하는 인간의 욕구는 호흡과 마찬가지로 강한 것이다. 이것은 테크놀로지가 이미 우리 신체의 일부가 되어 있기 때문에 발생하는 현상이다.

— 맥루한, 《미디어의 이해》 중에서

2007년 동국대학교 정시 논술은 맥루한의 《미디어의 이해》와 김열규의 《고독한 호모 디지털》, 그리고 '프리 허그' 운동의 사례를 제시하며 정보화 사회에서 인간관계의 문제점과 해결 방안에 대해 논술할 것을 요구하고 있습니다. 맥루한의 책에서 인용한 제시문이 상당히 어렵지만 이 책의 앞부분을 꼼꼼히 읽은 친구이라면 대략 무슨 얘기를 하고 있는지 이해가 될 것이라고 믿습니다.

맥루한은 '수술' 이라는 비유를 사용하여 새로운 미디어의 출현이 사회를 새롭게 변화시킨다는 것을 말하고 있습니다. 왜 그런지는 이제 우리 친구들도 설명할 수 있겠지요? 모든 미디어는 특정한 감각의 확장이고 특정한 감각이 확장되면 다른 감각은 축소된다고 했지요? 이를 맥루한은 "모든 감각의 배분비율이 변화한다" 고 표현하고 있습니다. 이러한 '감각의 배분비율의 변화' 는 사고방식의 변화를 가져오고, 사고방식의 변화는 생활양식의 변화를 가져오게 되어, 결국 사회 전체가 변하게 되는 것입니다.

그런데 새로운 미디어가 인간에게 영향을 끼치는 정도는 인간들이 얼마나 그 미디어를 필요로 하는가에 달려 있습니다. 그런데 "그 자체의 수요를 만들어 내는 테크놀로지의 힘" 이라는 구절에서 알 수 있듯이 미디어는 스스로 인간들이 자신을 필요로 하게 만드는 능력을 가지고 있습니다. 이는 핸드폰을 보면 쉽게 이해할 수 있습니다. 핸드폰이 그다지 필요하지 않은 사람조차도 누구나 하나씩 가지고 있어야 한다는 사회 분위기 때문에 억지로 핸드폰을 사는 경우가 많습니다. 이처럼 미디어는 스스로 자신의 필요성을 만들어 내는 것입니다. 무언가 있다면 그것을 쓰지 않을 수 없게 되는 것입니다.

그러므로 이 글을 통해 맥루한이 말하고자 하는 바는, 새로운 미디어는 스스로의 필요성을 만들어 내어 인간이 쓰지 않을 수 없게 만들고, 인간은 이 미디어를 사용함으로써 새로운 생활양식을 가지고 되고, 결국 사회마저도 변화된다는 것입니다.

프리 허그(Free Hug)

프리 허그는 '공짜로 안아드립니다' 라는 뜻으로 후안 만(Juan Mann)이라는 호주 청년이 처음 시작해 화제를 모았던 운동입니다. 후안 만의 친구이자 클럽 밴드의 리드 보컬인 사이먼 무어(Shimon Moore)가 포옹 장면들을 찍어 자신의 음악과 함께 동영상으로 편집해서 인터넷에 올리면서 프리 허그는 일종의 캠페인으로 발전돼 전 세계로 퍼져나갔으며, 우리나라에서도 한동안 시내 곳곳에서 펼쳐지기도 했습니다. 후안 만이 이 운동을 처음 시작한 계기는 삶에 지치고 힘든 이들에게 때로는 100가지 말보다 조용히 안아주는 것이 더 위로가 된다는 사실을 체험하면서부터라고 합니다.

2) 자동화(정보화) 시대의 노동자

미래의 노동은 자동화 시대의 '생활 배우기'를 하는 것이다. 일반적으로 이것은 전기 테크놀로지에서 흔히 나타나는 패턴이다. 이것은 문화와 테크놀로지, 예술과 상업, 일과 여가라는 낡은 이분법을 없애 버린다. 단편화가 지배적이었던 기계 시대에는 여가란 일이 없는 것, 또는 단순히 놀고 지내는 것이었지만, 전기 시대에는 그 반대가 맞는 말이 된다. 정보 시대가 모든 능력을 동시에 사용하는 것을 우리에게 요구하고 있기 때문에, 우리는 모든 시대의 예술가들이 그랬던 것처럼 열심히 대상에 관여함으로써 가장 한가하게 여가를 누리게 된다. (……) 현재의 노동력을 산업으로부터 철수시키려고 하는 이 자동화의 작용 때문에 학습 그 자체는 생산과 소비에서 중요한 것이 된다. 이렇게 생각한다면 실업에 대한 불안은 어리석은 것이 된다. 이때 급료를 받아가며 배우게 되는데, 이는 이미 지배적인 고용 형태가 되고 있을 뿐만 아니라 우리 사회 내에서 새로운 부(富)의 원천이 되고 있다. 이것이 바로 사회 내에서 인간이 떠맡는 새로운 '역할'이다. 반면에 기계적인 구식 관념인 '직능' 즉 '노동자'에게 주어진 단편화된 일이나 전문가적 직위와 같은 개념은 자동화 상황에서는 더 이상 의의를 가지지 못한다. (……)

자동 제어 기구의 전기 시대는 갑자기 사람들을, 앞선 기계 시대의 기계적, 전문가적 노예 상태로부터 해방시킨다. 기계와 자동차가 말을 해방시켜서 오락의 세계 속으로 던져 넣은 것처럼, 자동화가 인간을 해방시키는 것이다. 우리는 그 해방에 대한 대가로, 내부의 자원을 이용해 스스로 고용을 창출해 내고 풍부한 상상력으로 사회에 참여해야 하는 부담을 갑자기 안게 되었다. (……)

전기적 에너지는 작업이 이루어지는 장소나 작업의 종류와는 무관하다. 그렇기 때문에 그것은 작업에서의 탈중심화와 다양성이라는 패턴을 형성한다. 예를 들면, 이것은 난롯불과 전깃불의 차이에서 분명히 나타나는 논리이다. 따스함과 빛을 찾아 난로가나 촛불 주위에 모여든 사람들은 전깃불을 지급받는 사람만큼 생각이나 과제를 자유롭게 추구하지는 못한다. 이처럼, 자동화 속에 숨어 있는 사회적, 교육적 패턴은 자기고용self-employment과 예술적 자율성의 패턴이다. 자동화가 세계적 규모의 획일화를 가져온다고 놀라 당황하는 것은, 이제는 이미 과거가 되어버린 기계적 규격화와 전문화의 미련에 사로잡혀 있는 것이다.

— 맥루한, 《미디어의 이해》 중에서

2003년 서강대학교 정시 논술에는 맥루한의 《미디어의 이해》에서 미래의 노동에 대해 다루고 있는 부분을 제시문으로 출제하였습니다. 이 부분은 특히 맥루한의 기술결정론적 시각과 미래에 대한 낙관주의가 잘 드러나 있는 부분입니다.

맥루한이 ‘미디어나 테크놀로지의 변화가 삶의 방식의 변화를 가져온다’ 고 했다는 것을 기억하시죠? 그렇기 때문에 맥루한은 전기 · 전자 미디어가 중심이 된 시대에는 사람들이 일을 하는 방식도 매우 달라질 것으로 생각했습니다. 이전의 기계 시대에는 기계에 맞춰 인간이 일을 해야 했기 때문에 일과 여가, 예술과 상업이 분명히 구분되는 시대였다고 맥루한은 생각합니다. 그래서 “단편화가 지배적이었던 기계 시대에는 여가란 일이 없는 것, 또는 단순히 놀고 지내는 것” 입니다.

그러나 전기 시대(즉 정보화 시대)에 들어서게 되면 자동화 시스템이 보편화되면서 인간은 이전과 같은 힘든 육체노동으로부터 해방될 것이라고 생각합니다. 이렇게 육체노동의 중요성이 감소하게 되면 자연히 창조적인 정신적 활동이 중요해지게 될 것입니다. 이는 마치 화가가 그림을 그리거나 작곡가가 음악을 만들어 내는 것과 같은 창조적 작업을 모든 사람이 하게 된다는 것입니다. 그래서 맥루한은 “우리는 그 해방에 대한 대가로, 내부의 자원을 이용해 스스로 고용을 창출해 내고 풍부한 상상력으로 사회에 참여해야 하는 부담을 갑자기 안게 되었다” 라고 말하는 것입니다.

그래서 맥루한은 이처럼 모든 사람이 창조적 활동을 하는 시대는 예술과 상업, 일과 여가가 분리되지 않는, 즉 놀면서 일하는 시대가 될 것이라고 긍정적으로 바라보고 있습니다. 이러한 시대에는 모든 능력을 동시에 사용할 것을 인간에게 요구하므로 인간은 “모든 시대의 예술가들이 그랬던 것처럼 열심히 대상에 관여함으로써 가장 한가하게 여가를 누리게 된다"고 말합니다.

실전 논술

논술 문제

case 1 〈가〉에 나타난 맥루한의 주장을 요약하고, 이를 바탕으로 〈나〉의 주홍이와 친구가 각각 축구 경기를 어떻게 받아들였을지 설명하시오. (400자 내외)

가 "기왕 말이 나왔으니 아빠가 맥루한에 대해 얘기해 줄게. 그 당시에는 많은 이론가들은 내용이 형식보다 중요하다고 여겼는데, 맥루한은 내용보다 형식이 중요하다고 생각했어. 그래서 맥루한은 '미디어는 메시지다' 라는 말을 한 것으로도 유명하단다."

"미디어는 메시지요?"

"그래, 맥루한은 미디어를 통해 전달되는 내용보다 어떤 미디어를 통해 전달하느냐 하는 형식을 중요시 했어. 같은 내용이라도 미디어가 달라지면 사람들은 다 다른 내용이라고 인식한단다. 예를 들어 아빠가 연예인에 대한 이야기를 해 주는 것과 그 이야기를 텔레비전에서 듣는 것, 인터넷으로 보는 것이 다 다르게 느껴진다는 말이야. 설사 그 내용은 조금도 다르지 않더라도 받아들이는 사람은 똑같다고 느끼지 않는단다." (……)

"모든 미디어는 그 메시지와 상관없이 우리가 세상을 인식하는 방식에 영향을 준다. 다시 말해서 미디어가 전달하는 것은 그 내용과 전혀 다른 미디어 자체의 특질이라는 것이야. 우리는 그 미디어의 특성에 맞게 메시지를 받아들이게 되는 거겠지."

—《맥루한이 들려주는 미디어 이야기》 중에서

나 주홍이 어머니께서 신물을 보시다가, 요즈음은 신문이 전보다 매우 두툼하다고 말씀하셨다.

"전에는 그렇지 않았나요?"

"그래. 요즈음은 다 읽을 수 없을 정도로 신문의 내용이 많구나."

"어머니는 주로 어떤 기사를 먼저 보세요?"

"생활에 관한 기사를 먼저 본단다."

"저는 스포츠면을 가장 먼저 보아요."

어머니께서는, 신문을 잘 보면 다양한 정보를 얻을 수 있다고 말씀하셨다.

주홍이는 친구들에게 신문에서 읽은 축구 경기에 대하여 이야기하였다. 다른 친구는 텔레비전에서 그 경기를 보았다고 하였다. 그래서 주홍이는 같은 정보도 여러 가지 방법으로 얻을 수 있다는 것을 알게 되었다.

— **교육인적자원부, 초등학교 《사회 5학년 2학기》 중에서**

맥루한은 "미디어는 메시지이다"라고 말하면서 미디어의 내용보다는 미디어 자체에 주목해야 한다고 주장합니다. 각 미디어가 가진 특성이 다르기 때문에 동일한 내용이라고 하더라도 어떤 미디어에 의해 전달되느냐에 따라 받아들이는 사람은 다르게 느끼게 된다는 것입니다. 이러한 맥루한의 생각은 많은 사람들을 놀라게 했습니다. 그 당시까지 대부분의 사람들은 미디어란 단순히 내용을 전달하는 수단일 뿐이라고 생각했기 때문입니다. 그러나 미디어가 단순히 내용만을 전달하는 수단이 아님을 우리는 경험적으로 잘 알고 있습니다. 친구에게 자신의 진실한 마음을 전하고 싶을 때는 문자메시지나 이메일보다는 편지로 쓰게 됩니다. 왜 그럴까요? 문자메시지나 이메일은 쉽게 삭제할 수 있는데 반해 편지는 그럴 수 없기 때문이죠. 이처럼 같은 내용이라 하더라도 미디어의 특성에 따라 다르게 받아들여진다는 것을 우리도 이미 잘 알고 있습니다. 맥루한은 이 점을 깊이 연구한 것이지요.

생각 쓰기

생각 쓰기

case 2 〈가〉에 나타난 맥루한의 주장을 요약하고, 이를 바탕으로 〈나〉의 주홍이와 친구가 각각 축구 경기를 어떻게 받아들였을지 설명하시오. (400자 내외)

가 맥루한의 주장에 따르면 미디어는 인간의 몸의 확장이라고 합니다. 갈릴레오가 하늘의 별을 관측하게 했던 망원경도 눈의 기능을 확대한 것이라고 할 수 있습니다. 망원경이 없었다면 눈으로 별의 크기를 정확히 알 방법이 없었을 것입니다. 현미경도 눈의 기능을 확대한 것이라고 할 수 있습니다. 눈으로 볼 수 없는 작은 세계도 현미경을 들이대면 큰 우주로 바뀝니다. 이 모든 것이 인간의 감각을 확대해서 만들어진 것입니다. 그렇다면, 우리도 앞으로 많은 미디어들이 발명될 수 있을 것입니다.

—《맥루한이 들려주는 미디어 이야기》 중에서

나 성우네 분단에서는 세계에 내놓을 만한 우리의 훌륭한 문화에 대하여 조사하고, 우리 문화를 세계 여러 나라에 알리기 위한 방법에 대해 토의하였다.

문화 관광부에서는 우리나라 문화를 상징하는 것을 열 가지를 선정하여 홍보 책자나 포스터 등을 통해 세계인들에게 널리 알리고 있다.

성우네 분단에서는 우리도 이와 같이 우리 문화를 알릴 수 있는 방법이 없는지 생각해 보았다.

외국의 학생들과 펜팔을 하여 우리 문화를 알리자는 의견도 있었고, 외국의 학교와 자매결연을 맺어 우리 문화를 알리면 좋겠다는 의견도 나왔다. 그 밖에도 우리 문화를 알릴 수 있는 방법에 대해 다양한 의견이 나왔다.

— 교육인적자원부, 초등학교《사회 6학년 2학기》중에서

미디어에 따라 같은 내용도 다르게 받아들여진다면, 내용을 의도대로 잘 전달하기 위해 새로운 미디어를 만들어 볼 수도 있습니다. 상품을 판매하기 위한 광고가 소비자의 유형에 따라 광고의 내용과 방법을 달리하는 것은 바로 이 때문입니다. 어떤 것은 신문에 광고하는 것이 효과적일 수 있고, 어떤 것은 거리에서 직접 광고하는 더 효과적일 수 있습니다. 여러분도 비슷한 기능의 물건이지만 광고의 차이에 따라 물건에 대한 선호가 달라지는 경험을 한 적이 있을 것입니다. 미디어 자체의 특성이 각각 달라 그 효과 역시 달라지기 때문에 이러한 차이가 나타나게 되는 것입니다.

또한 맥루한은 "미디어는 인간 몸의 확장"이라고 말합니다. 미디어란 인간의 감각 능력과 행동 능력을 확장해 주는 것이라는 뜻입니다. 예를 들어 전화를 사용하면 멀리 떨어져 있는 사람과도 마치 옆에서 있는 것처럼 대화할 수 있습니다. 텔레비전은 평생 가보지 못할 그런 곳도 바로 눈앞에 있는 것처럼 보여줍니다. 이처럼 전화나 텔레비전과 같은 미디어는 우리가 가진 능력의 한계를 넘어서게 해 줍니다. 그러므로 우리 감각의 한계를 알아내서 그것을 극복하려 시도한다면 우리도 얼마든지 새로운 미디어를 만들어 낼 수 있을 것입니다. 여러분도 새로운 미디어에 대해 생각해 보시기 바랍니다.

생각 쓰기

생각 쓰기

생각 쓰기

case 3 〈가〉에 나타난 맥루한의 주장을 요약하고, 이를 바탕으로 〈나〉의 주홍이와 친구가 각각 축구 경기를 어떻게 받아들였을지 설명하시오. (400자 내외)

가 은영이에게 문자메시지를 보냈습니다. 문자메시지를 기다리는 동안 나는 인터넷 인기 검색어를 찾아보았습니다. 모니터 화면보다는 자꾸 휴대폰 쪽을 쳐다보게 됩니다. 그러다가 '휴대폰 중독 자가 진단 테스트'라는 검색어가 눈에 띄었습니다.

"이거나 한번 해볼까?"

나는 테스트 항목을 읽고 나에게 해당되는 것을 골라 세어 보았습니다. 열 개의 항목 중에서 무려 일곱 개 항목에 해당되었습니다. 핸드폰이 없을 때 매우 불안하고, 휴대폰 벨이 울린 것으로 착각하는 환청 현상을 느끼는 등 나는 심각한 휴대폰 중독에 빠진 것 같았습니다. 휴대폰은 하나의 미디어일 뿐인데 나는 이 작은 기계를 너무 의지하는 것 같습니다. 친구가 없는 것도 아닌데 말입니다.

—《맥루한이 들려주는 미디어 이야기》 중에서

나 그 애의 눈길은 모니터에 고정되어 있고, 손은 자판 위에서 정신없이 움직였다. 그런데도 나는 자꾸만 인기 최고에게 말을 걸고 싶었다. 그 애가 동의한다면 게임을 그만두고 이야기를 나누고 싶었다. 슬쩍 눈치를 보니 그러고 싶은 생각은 조금도 없는 것 같았다. 인기 최고는 게임에 푹 빠져 있었다.

"넌 취미가 뭐니?"

유치한 질문이지만 인기 최고에 대해서 알고 싶었다.

"게임."

"나도 그런데, 나중에 뭐 되고 싶어?"

인기 최고가 내 장래 희망도 물어 봐 준다면 예전엔 축구 선수였는데 프로 게이머로 바뀌었다는 이야기를 해야지.

"게이머."

인기 최고는 내 질문에 짤막하게 대꾸만 할 뿐 묻는 일이 없었다. 그 때문에 이야기가 이어지질 않았다. 도무지 다른 일엔 관심이 없는 모양이었다. (……)

나는 인기 최고의 얼굴을 바라보았다. 그 아이의 눈동자엔 모니터 속의 그림만이 가득하였다. 이젠 자꾸 말을 거는 나까지도 성가신 모양이었다.

"나 갈게."

"응."

그 애는 나를 잡을 생각이 눈곱만치도 없어 보였다. 나는 할 수 없이 그 집에서 나왔다.

인기 최고의 집에는 다시는 가고 싶지 않았다. 그 애가 나와 너무 닮았다는 생각이 들었기 때문이다.

— 교육인적자원부, 초등학교 《국어 5학년 2학기》 중에서

생각 쓰기

생각 쓰기

case 4 〈가〉와 〈나〉를 참고하여 컴퓨터의 등장이 우리의 생활에 가져온 변화의 장점과 단점을 각각 설명하시오. (400자 내외)

가 컴퓨터의 증가는 곧 인터넷 사용의 증가를 가져왔다. 10여 년 전까지만 해도 인터넷은 전문가나 할 수 있는 것이었다. 그러나 초고속 통신망의 등장으로 인터넷은 우리 생활의 중심으로 자리 잡았다. 자료 수집, 증권 거래, 물건 사기, 지도 검색, 날씨 확인, 신문 보기, 음악 듣기, 오락 등을 모두 인터넷을 통하여 할 수 있게 되었다.

그러나 인터넷의 확산이 우리 생활에 긍정적인 영향만을 끼친 것은 아니다. 유해한 인터넷 사이트의 확산, 개인 정보의 누출, 표준어의 파괴 등이 새로운 문제로 떠올랐다. 가장 심각한 문제는 욕설이나 비방 등이 인터넷에 난무하고 있다는 점이다. (……)

이처럼 인터넷이 말의 쓰레기장으로 변한 가장 큰 원인은 직접 얼굴을 대하지 않는데다 자신의 이름을 밝히지 않아도 된다는 특성 때문이다. 또, 기성세대 대부분이 인터넷에 적응하지 못한 상황에서, 인터넷 문화를 이끄는 10대와 20대가 올바른 네티켓을 정립해 나가지 못했기 때문이라는 지적도 많다.

— 교육인적자원부, 초등학교 《국어 6학년 2학기》 중에서

나 다음 방은 멀티미디어방이었다. 멀티미디어란 문자, 소리, 음악, 그래픽, 동영상과 같은 여러 형태의 정보를 컴퓨터 기술로 처리하고 통합한 것을 말한다. 멀

티미디어를 이용하면 사람들에게 많은 정보를 훨씬 효과적으로 전달할 수 있다.

오늘날에는 여러 권의 백과사전에 들어 있는 정보를 단 한 장의 콤팩트디스크에 담을 수 있게 되었고 전시회, 음악회 등 각종 문화 행사도 통신망을 통해 즐길 수 있게 되었다. 백화점에 가지 않고도 물건을 골라 살 수 있는 홈 쇼핑, 집에서도 은행 업무를 볼 수 있는 홈뱅킹, 전자 도서관, 재택근무 같은 것도 모두 생활 깊숙이 자리하게 되었다.

미래의 학교는 어떻게 될까? 미래에는 아마 학교에 갈 필요가 없게 될지도 모른다. 서로 멀리 떨어져 있는 학생과 선생님이 멀티미디어를 이용하여 수업을 할 수 있기 때문이다. 물론, 잘 모르면 질문하고 토론하는 것도 가능하다. 실제로 나는 도우미 언니와 수업을 해 보았다. 선생님을 실제로 마주 대하는 것 같았다. 그렇지만 가상공간에서 이루어지는 수업이 교실에서 우리가 배울 수 있는 모든 것을 대신할 수 없을 것이라는 생각도 들었다.

— 교육인적자원부, 초등학교《국어 6학년 1학기》중에서

맥루한은 새로운 미디어의 등장이 새로운 생활 방식을 가져올 것이라고 말했습니다. 컴퓨터라는 새로운 미디어의 등장으로 인해 우리의 생활에도 많은 변화가 있었습니다. 재택근무와 같은 새로운 형태의 노동이 나타났고, 홈쇼핑과 같은 새로운 산업이 등장하기도 했습니다. 이제는 누구나 편지를 사용하지 않고 이메일을 통해 사람들과 연락합니다. 컴퓨터를 통한 대화가 많아지면서 '통신체'라고 부르는 다양한 말투가 일상화되었습니다. 지금 열거한 것들도 컴퓨터라는 미디어가 가져온 변화의 극히 일부일 뿐입니다.
컴퓨터의 등장으로 인해 우리 생활이 대단히 편리해진 것은 분명 사실입니다. 그러나 긍정적 변화만 있는 것은 아닙니다. 컴퓨터의 등장으로 생겨난 부정적인 현상도 많아서, 간혹 사회적인 문제로 대두될 때도 있습니다. 음란 사이트가 범람하게 되어 이를 보고 나쁜 영향을 받

는 학생이 생겨나기도 합니다. 통신체가 만연하게 되어 학교에서조차 표준어를 쓰지 않는 경우도 있습니다. 컴퓨터 게임에 중독되어 학교 공부를 소홀히 하는 경우도 발생합니다.
이처럼 미디어는 긍정적으로든 부정적으로든 우리 생활에 많은 영향을 끼치고 있습니다. 미디어를 중요하게 바라보아야 하는 이유가 바로 이 때문입니다.

생각 쓰기

생각 쓰기

case 5 〈가〉에서 주장하고 있는 바를 요약하고, 이를 비판할 수 있는 근거를 〈나〉와 〈다〉에서 각각 찾아 설명하시오. (400자 내외)

가 "우리는 흔히 텔레비전에 유익한 내용을 담으면 인간에게 유익한 것이고, 폭력적인 내용을 담으면 사회에 해악이 되는 것이라고 말하지. 텔레비전 그 자체가 유익하거나 무익한 것은 아니기 때문에 텔레비전의 내용을 잘 규제하면 된다고 생각하고 있어. 그러나 맥루한은 내용이 문제라기보다는 텔레비전 그 자체가 문제라고 생각했단다. 내용이 어떻든 간에 텔레비전이라는 미디어의 특성이 문제라는 거지. 결국 텔레비전 방송 시간을 규제한다거나 내용을 규제한다는 것은 아무 의미가 없다는 게 맥루한의 생각이야."

"그럼 텔레비전으로 인해 생기는 문제는 텔레비전이 없어지기 전에는 계속 생길 수밖에 없는 거네요. 그렇다고 모든 텔레비전을 다 없앨 수는 없잖아요."

— 《맥루한이 들려주는 미디어 이야기》 중에서

나 인간의 '게놈 지도'가 완성되면서 전세계적으로 생명 공학에 대한 관심이 높아지고 있다. 생명 공학은 사람들의 생활을 송두리째 바꿀 것이다. (……)

인제 병든 유전자를 골라내고 정상 유전자를 대신 넣는 기술을 통하여 난치병을 거뜬히 치료할 수 있는 시대를 맞이할 수 있다는 것은 놀라운 일이다. 공상 과학 영화에 등장하는 맞춤형 인간의 출현도 예상된다.

그러나 아직 넘어야 할 산은 많다. 한 전문가는 "유전자가 100퍼센트 일치하는 일란성 쌍둥이를 조사한 결과, 유전학자들의 예측과는 달리, 질병 발생 확률이 서로 다르다는 사실이 계속 입증되고 있다"라고 말하였다. 환경과 교육에 따라 다른 결과가 나올 수 있다는 것이다.

— 교육인적자원부, 초등학교《국어 5학년 2학기》 중에서

다 현대 사회를 정보화 사회라고 한다. 정보화 사회에서는 정보를 빠르고 정확하게 수용하는 것이 중요하다. 정보를 얻는 중요한 방법 중의 하나가 책을 읽는 것이다. 그런데 우리나라 성인의 평균 독서량은 1년에 9.6권이라고 한다. 한 달에 한 권의 책도 읽지 않는 셈이다.

책을 읽지 않는 현상은 어른에게만 나타나는 것이 아니다. 어린이는 어른에 비해 책을 많이 읽는 편이지만, 다른 나라 어린이에 비하면 우리나라 어린이의 독서량은 매우 적은 편이다. 이러한 문제를 해결하기 위해서는 어떻게 해야 할까? (……)

무엇보다 어린이 스스로 늘 책을 가까이하는 생활 습관을 지녀야 한다. 이를 위해서는 자기의 수준과 읽는 목적에 맞는 책을 골라 읽어야 한다. 어렵거나 흥미가 없는 책을 읽다 보면 책을 싫어할 수 있기 때문이다. 그리고 하루 중에 일정한 시간을 정하여 꾸준하게 책을 읽는 것도 책 읽는 습관을 가지는 데에 중요하다.

— 교육인적자원부, 초등학교《국어 6학년 2학기》 중에서

많은 사람들이 맥루한의 사상을 기술결정론 혹은 매체결정론이라고 부릅니다. 맥루한은 기술이나 미디어가 인간의 사고방식을 변화시키고, 이렇게 변화된 사고방식으로 인해 사회 전체의 생활양식이 변화된다고 주장합니다. 다시 말해 사회를 변화시키는 가장 중요한 원동력이 바로 미디어라고 보는 것입니다. 하지만 모든 사람이 이와 같은 맥루한의 주장에 동의하는 것은 아닙니다.

먼저 미디어 역시 인간이 만들어 낸 것이기 때문에 인간이 통제할 수 있다고 보는 입장이 있습니다. 어떤 물건에 대해 가장 잘 아는 사람은 그 물건을 직접 만든 사람일 것입니다. 그러므로 어떤 물건이 내는 결과에 대해서도 그 원인을 파악하고 수정할 수 있는 것은 바로 그 물건을 만든 사람일 것입니다. 이처럼 미디어 역시 인간이 창조해 낸 산물이기 때문에 적절히 통제하고 고친다면 인간이 기대한 효과로 바뀔 수 있을 것이라는 주장입니다.

또한 어떠한 물건이 특정한 효과를 내는 것이 그것이 처한 환경 때문이라는 입장도 있습니다. 맥루한에 의하면 텔레비전은 서구 선진국의 사람에게든 아프리카의 부족에게든 동일한 효과를 내야 합니다. 미디어의 특성은 동일하기 때문입니다. 그러나 텔레비전을 바라보는 두 사람의 반응은 매우 다를 것입니다. 다시 말해 주어진 환경에 따라 미디어의 필요성이 다르기 때문에 동일한 효과를 낼 수 없다는 것입니다.

이외에도 매우 다양한 입장들이 있을 수 있습니다. 여러분도 이제 맥루한에 대해 많은 것을 알게 되었을 테니, 맥루한의 사상에 대한 여러분 자신만의 입장을 만들어 보길 바랍니다.

생각 쓰기

생각 쓰기

실전 논술

예시 답안

case 1

〈가〉에서 맥루한은 미디어는 내용보다 형식이 더 중요하다고 말한다. 똑같은 내용이라고 하더라도 어떤 미디어로 전달하느냐에 따라 받아들이는 사람은 다르게 받아들이게 된다는 것이다. 그렇기 때문에 동일한 축구 경기라 하더라도 신문으로 기사를 읽은 주홍이와 텔레비전으로 본 친구는 서로 다르게 받아들이게 될 것이다.

먼저 주홍이는 신문으로 기사를 읽었기 때문에 축구 경기가 진행된 과정이나 누가 골을 넣었고 누가 실수했는지와 같은 인물이나 에피소드를 중심으로 축구 경기를 기억하게 될 것이다.

그러나 친구는 텔레비전으로 축구 경기를 본 것이기 때문에, 선수들의 움직임이나 격렬한 몸싸움, 골을 넣었을 때의 위치 등 주홍이보다 생생한 이미지로 축구 경기를 기억하게 될 것이다.

case 2

동일한 내용이라 하더라도 어떤 미디어냐에 따라 받아들이는 사람은 다르게 느껴진다. 그러므로 우리 문화를 세계 여러 나라에 잘 알리기 위해서는 우리 문화를 생생하게 느낄 수 있을 뿐만 아니라 사람들이 잘 받아들일 수 있는 미디어를 선택해야 한다.

그러나 펜팔이나 안내 책자와 같은 이전의 방식은 문화의 생동감을 잘 전달할 수 없다. 또한 텔레비전과 컴퓨터에 익숙한 요즘 세대들에게 효과적으로 전달할 수도 없을 것이다. 그러므로 새로운 미디어의 활용이 필요하다.

최근 UCC가 전 세계적으로 열풍을 일으키고 있다. 우리 문화를 소개하는 동영상을 만들어 세계 각국의 UCC사이트에 올린다면, 많은 사람들이 쉽게 접할 수 있을 것이다. 또한 화면과 소리가 동시에 전달됨으로써 지루하지 않고 즐겁게 우리 문화를 접할 수 있게 될 것이다.

case 3 현대 사회는 컴퓨터와 휴대폰 같은 다양한 도구로 인해 이전보다 편리한 생활을 할 수 있게 되었다. 그러나 이와 같은 도구들에 너무 의존한 나머지 그 도구에 중독되는 현상이 나타나고 있다. 〈가〉의 주인공은 문자메시지가 오지 않을까 기다리며 다른 일에 집중하지 못하게 되고, 〈나〉의 '인기 최고'는 컴퓨터 게임에 빠져 친구에게 관심을 두지 않는다.

이러한 문제를 해결하기 위해선 중독성이 강한 도구들에 대한 규제가 필요하다. 마약은 중독성이 강하기 때문에 사용하지 못하도록 국가에서 법으로 금지하는 것이다. 이와 마찬가지로 컴퓨터나 휴대폰처럼 중독성이 강한 도구들은 사용시간을 정해놓고 그 시간에만 사용할 수 있도록 한다면, 쉽게 중독되지 않을 것이다. 또한 스스로 중독되지 않기 위해 노력하는 자세도 필요하다.

case 4 컴퓨터의 등장은 우리의 삶에 많은 긍정적 변화를 가져왔다. 거리가 멀거나 시간이 오래 걸려 쉽게 하지 못했던 일들을 할 수 있게 된 것이다. 예를 들어 회사나 학교에 직접 가지 않아도 집에서 업무나 공부를 할 수 있게 되었고, 쇼핑도 할 수 있게 되었다. 또한 메신저나 이메일을 통해 외국에 있는 친구들과도 쉽게 대화를 나눌 수 있게 되었다.

그러나 이에 못지않게 부정적인 측면도 있다. 인터넷은 직접 얼굴을 보고 대화하는 것이 아니기 때문에 타인에 대해 무책임한 행동을 하기 쉬워진다. 예를 들어 남을 비난하거나 욕설이 담긴 글을 남기기 쉽다. 또한 음란 사이트와 같은 청소년에게 유해한 환경에 쉽게 노출되기도 한다. 나아가 사람들과 직접 만날 기회가 적어져 인간관계에 문제가 생길 수도 있다.

case 5 미디어의 효과는 그 미디어가 사라지기 전까지 통제될 수 없다고 〈가〉는 주장한다. 미디어의 효과는 미디어 자체가 가진 특성에 의해 나타난 것이기 때문이다.

그러나 미디어의 효과도 환경에 의해 변화될 수 있다. 〈나〉에서 알 수 있듯이 인간의 특성이 대부분 유전자에 의해 결정되지만, 환경이나 교육의 영향으로 크게 변화되는 측면도 있기 때문이다. 그러므로 미디어도 적절한 환경에 놓인다면 지금과는 다른 효과를 낼 수 있을 것이다.

또한 미디어를 사용하는 사람의 적극적인 노력으로도 미디어의 효과를 바꿀 수 있다. 〈다〉에서 알 수 있듯이 책을 읽지 않는 아이들도 습관을 가진다면 얼마든지 책을 즐기는 아이로 바뀔 수 있다. 그러므로 미디어를 사용하는 사람들이 적극적으로 노력한다면 미디어의 효과도 얼마든지 바뀔 수 있을 것이다.

Abitur

철학자가 들려주는 철학이야기 056

장자가 들려주는 달인 이야기

저자_**박현정**
전남대학교 국어국문학과를 졸업하고, 조선대학교 대학원에서 국어교육학을 전공했다. 현재는 일산 대화중학교에서 교사로 재직하고 있으며 《중학 교과서 속 논술》, 《아비투어 철학논술 신채호 초급, 중급, 고급》, 《아비투어 철학논술 박지원 초급, 중급, 고급》을 썼다.

배경 지식 넓히기

莊子

장자와 '달인'

장자 주요 개념

1. 장자를 만나다

1) 장자의 삶

장자(莊子, BC. 365?~BC. 270?)의 성은 장(莊), 이름은 주(周)로 맹자와 거의 비슷한 시대에 활약한 철학자입니다. 한때 초(楚)나라에서 재상으로 추대했지만 장자는 본래 벼슬에 뜻이 없어 그 자리를 거절하고 자연의 뜻대로 자유로운 삶을 살았습니다. 장자는 노자를 이은 도가 철학의 대표적인 사상가입니다.

장자는 이 세상의 모든 만물을 다 제각각 고유의 가치를 가진 존재로 인식했습니다. 따라서 인간이 자신의 생각이나 주관대로 무엇을 판단하거나 결정하는 것을 인정하지 않았습니다. 인간은 단지 거대한 자연의 일부로 존재할 뿐이라고 생각한 것이죠.

그런 생각을 바탕으로 만물을 차별하지 않는 정신적인 자유를 획득하는 것이 곧 장자가 말하는 제물(祭物)입니다. 그리고 외부의 자극이나 구속으로부터 벗어나 마음을 비우는 좌망(坐忘)과 심재(心齋)를 통해, 물아일체

(物我一體)의 경지에 이르게 되면, 그것이 곧 지인(至人), 신인(神人), 진인(眞人)이라고 불리는 이상적인 인간입니다. 우리 책 《장자가 들려주는 달인 이야기》에서 말하는 달인이 바로 그런 이상적인 삶을 살아가는 인간형입니다.

인간은 스스로가 발명하고 발전시켜 온 기계의 정교함을 자랑합니다. 그러나 사실 자연이야말로 정교한 규칙에 따라 움직이는 유기체입니다. 우주의 순환이나 시간의 경과만큼 어김없고 규칙적인 것이 세상에 또 존재할까요? 이러한 자연의 보이지 않는 규칙이 곧 장자가 말하는 도(道)입니다. 그리고 자연이 하는 일을 알고 사람이 하는 일을 아는 것이 최고의 인지(人知)이며 그 자연의 도에 내 몸을 고스란히 맡기는 것이 지인(至人)이 되는 지름길입니다. 다시 말해, 인간의 본성과 자연의 본성, 그 자연스러운 흐름을 따라 사는 것이 가장 바람직한 삶입니다. 결국 장자의 도란 어떠한 인위적인 것도 거부하는 자연 그대로의 자연스러움, 무위자연(無爲自然)이며 그 자연스러움에 맞춰 살아가는 것이 곧 달인의 삶입니다.

2) 장자와 노자, 도가 사상

도교는 귀족 중심으로 전래되었던 불교와 유교와는 달리, 서민들의 일상생활 속에 자연스럽게 스며들면서 많은 부분에서 삶의 지침으로 역할하였다. 이렇게 도교가 자연스럽게 모든 사람들의 생활 속에 스며들 수 있었던 것은, 모든 생활을 자연스럽게 조화를 유지하면서 살아갈 것을 강조한 근본 정신에 있다. 세상을 살아가되 억지로 무엇을 하려고 하지 말고, 주어진 인간 본연의 모습대로 자연스럽게 세상을 살아가라는 도교의 정신은 많은 사람들에게 커다란 부담 없이 받아들여질 수 있는 삶의 지침이었다. 그리고 이러한 정신으로 살아갈 때, 그것은 자연과의 조화를 이루는 삶, 다른 사람과의 조화를 이루는 삶이 되었다.

도교에서는 이 세상의 모든 문제가 자신만이 옳다는 편견을 가지고 다른 사람이나 사물과 어울리지 못하는 데서 생긴다고 보았다. 따라서, 사람들에게 무엇보다도 편견을 극복하고 모든 사람이나 사물을 차별하지 말 것을 강조하는데, 자연과 인간을 동등한 위치에 놓는 것도 이러한 정신에서 나타난 것이다. 이러한 정신이 우리 조상들의 삶 속에 스며들어, 자신만의 생각과 생활을 고집하기보다 다른 사람의 생활을 인정하고 서로 어울리는 조화로운 삶의 전통을 형성하였다. 그리고 이러한 조화는 인간관계의 범위에서 더 나아가 자연과의 조화로 이어졌으며, 이것을 바탕으로 자연을 소중하게 여기는 생활을 하게 되었다.

— 중학교 《도덕 2》 중에서

장자는 노자와 더불어 도교의 가장 대표적인 철학자입니다. 도교에서는 무엇보다도 편견을 극복하고 조화를 추구하는 삶을 최우선으로 여깁니다. 따라서 이 세상의 모든 문제와 갈등은 자신만이 옳다고 믿고 주장하는 사람들 때문에 생겨난다는 것이죠. 우리 사회를 보아도 그렇습니다. 사람들은 누구나 사회의 구성원으로서 살아가고, 그렇게 이루어진 사회는 거대한 자연의 한 부분으로 저마다의 역할과 책임을 다하며 어울려 살아갑니다. 그런데 자신의 입장만을 고집하거나 편견을 가지고 다른 사람을 바라보는 상황에서 갈등이 생기고 문제가 발생합니다. 편견이나 선입견을 버리고 상대방을 바라본다면 갈등은 사라지고 조화로운 세상이 열릴 것입니다.

그래서 장자는 달인의 삶을 주장합니다. '쓸모없는 것이 쓸모 있다' 는 장자의 말처럼 이 세상에는 어느 것 하나 쓸모없는 것이 없습니다. 따라서 각자가 자신의 일을 묵묵히 수행해 나갈 때 누구나 다 달인이 될 수 있으며 사회의 조화, 자연과 인간의 조화가 아름답게 실현될 것입니다.

3) 장자의 달인 이야기

《장자》의 〈달생〉 편에는 편종, 편경과 같은 악기를 매다는 악기틀을 제작하는 장인인 재경의 이야기가 나옵니다. 아로새겨진 조각을 마치 살아있는 것처럼 만드는 귀신같은 솜씨를 터득하게 된 비결을 묻는 질문에 대해, 그는 이렇게 대답합니다. "일에 착수하기 전에는 기운을 다른 곳에 함부로 써버리지 않고 몸과 마음을 가다듬어 마음을 평정한 상태에 있도록 합니다. 이렇게 사흘을 가다듬고 나면 상이나 벼슬을 받겠다는 마음이 사라집니다. 이렇게 닷새가 지나고 나면 남이 비난을 하거나 칭찬을 하거나 해도 개의치 않게 되고, 혹은 내 마음에 들까 안 들까 하는 조바심조차도 남김없이 사라지게 됩니다. 이렇게 이레가 지나고 나면 내 몸뚱이조차 잊을 수 있는 상태가 됩니다. 이렇게 마음을 어지럽힐 만한 것이 모두 사라졌을 때 비로소 솜씨가 온전해질 수 있습니다." 이렇게 오롯해진 마음의 평정은 결코 보이지 않는 것 같지만 그가 연마하고 터득한 솜씨를 통해 표현되고, 그가 살아온 생애를 보여주는 얼굴을 통해 결국은 밖으로 드러나게 된답니다.

—《장자가 들려주는 달인 이야기》 중에서

장자는 달인이 되는 방법으로 '좌망'과 '심재'를 이야기했습니다. 좌망이란 조용히 앉아서 우리를 구속하는 일체의 것을 잊어버리는 것을 말합니다. 심재란 마음을 비워서 깨끗이 하는 것입니다.

여러분은 남의 시선을 의식하거나 어떤 보상을 바라고 공부를 한 적이 있나요? 아마도 그런 경우 자꾸만 잡념이 생기고 공부의 진도가 잘 나가지 않는 경험을 해 보았을 것입니다. 반면에 남의 시선이나 보상과 상관없이 그저 내가 즐거워서 공부를 할 때에는 이해도 잘 되고 진도도 빠르게 나가는 경험도 해 보았을 것입니다.

장자가 말하는 좌망과 심재는 용어가 어려워 보이지만 바로 그런 경지를 말하는 것입니다. 우리를 구속하고 있는 외부적인 자극과 간섭에서 벗어나 자유로워지는 것입니다. 그리고 내 마음 속에 들어 있는 잡스러운 생각들을 모두 몰아내고 마음을 깨끗하게 비운 상태를 말합니다. 나를 둘러싸고 있는 내외의 인위적이고 가식적인 요소들로부터 떠나, 자유로운 상태에서 자신의 할 일을 추구하는 삶이 바로 달인의 태도입니다.

4) 장자와 자연

옛날에 어떤 바닷새가 노나라 교외로 날아들었다. 노나라 임금은 그 새를 맞아 묘당 위에서 연회를 열어 아름다운 음악을 연주하고, 기름진 음식을 베풀어 환대하였다. 그러나 그 바닷새는 도리어 눈이 어지럽고 마음이 슬퍼서 고기 한 점 먹지 못하고 물 한 모금 마시지 못한 채 사흘 만에 죽고 말았다.

인간은 자연의 일부입니다. 보통 사람들은 세상의 중심에 인간이 있고 자연을 마치 인간의 부속품인 것처럼 생각합니다. 그래서 인간이 만물의 영장이라고 주장하면서 자연을 마음대로 부리고 훼손해도 괜찮다고 생각해 왔습니다. 실제로 인간의 욕심과 이기심이 오늘날 현대 사회에 많은 문제점들을 낳았습니다. 자연이 파괴되면서 생긴 여러 가지 환경 문제들이 오늘날 오히려 인간의 생명과 삶을 위협하고 있는 것이죠.

그러나 사실 거대한 자연의 흐름과 섭리 속에 인간의 삶은 지극히 일부에 불과합니다. 그런 인간이 자연의 흐름을 거부하고 그것을 제 마음대로 변화시켰으니 그 순환의 원리가 불균형한 상태에서 여러 가지 문제가 발생하는 것은 불 보듯 뻔한 일입니다.

못가의 꿩이 열 걸음 걸어가서 겨우 한 입 쪼아 먹고 백 걸음 걸어가서 겨우 물 한 모금 마시면서 살지라도 새장 속에서 길러지길 바라지 않는다는 장자의 비유는 자연스러움을 거부하고 본성에서 멀어지는 것의 문제를 단적으로 제시해 줍니다. 자연은 본래 있던 그 자리에 그 모습 그대로 있는 것이 가장 아름답고 자유롭습니다. 마찬가지로 인간도 그 본성과 삶의 영역을 지킬 때 가장 아름답고 행복한 삶을 영위할 수 있습니다.

2. 기출 문제에서 만난 장자

1) 인간의 본성

2007학년도 건국대학교에서는 인간의 본성에 대해 물으면서 장자를 예로 들었습니다.

말을 잘 다룬다는 사람은 말을 고삐로 묶어 마구간에 매어 놓고, 훈련시킨다는 이유로 말을 정돈시키고 채찍으로 위협하며 억지로 달리게도 하고 멈추게도 합니다. 또 옹기장이는 둥글고 네모난 그릇을 잘 만들기 때문에 흙을 유연하게 다룬다고 자랑하고, 목수는 나무를 잘 깎는다는 이유로 나무를 유연하게 다룬다고 자랑합니다. 그러나 말과 흙과 나무의 본성은 그런 것이 아닙니다. 말은 제 마음대로 자유롭게 뛰어다니는 것이 본성입니다. 흙의 본성에 둥글거나 네모난, 어떤 모양이 있을 리가 없죠. 마찬가지로 나무 역시 깎이는 것이 본성은 아닙니다. 그런데 사람들은 자신의 기준대로 사물을 바꾸어 놓고 잘 다룬다고 이야기하는 것이죠.

인간 역시 마찬가지입니다. 백성들은 자연스러운 본성에 따라 스스로의 삶을 영위할 수 있습니다. 그런데 소위 성인(聖人)이라는 사람들이 나타나서 인의(仁義)와 예악(禮樂)으로 백성들의 자유를 구속하며 백성들을 잘 다스린다고 말하지만 그럴수록 백성들은 인간의 본성에서 멀어진다고 합니다. 장자는 근본적으로 백성들이 자연의 섭리에 따라 바르게 살 수 있는 착한 본성을 가지고 있다고 주장합니다. 그래서 일체의 인위적인 규제를 거부하는 것이죠. 자연의 일부인 인간의 본성을 그대로 발전시키는 것이 바람직하다는 생각입니다.

2) 윤편(輪扁)의 일화

이 이야기는 우리 책 《장자가 들려주는 달인 이야기》에도 소개되어 있는 이야기입니다. 책을 읽고 있는 제나라 환공에게 수레바퀴를 깎는 목수 윤편이 '전하께서 읽고 계신 책은 옛사람의 찌꺼기'라고 말합니다. 환공이 화를 내자 윤편은 다음과 같이 그 이유를 설명합니다. 수레바퀴를 깎는 비법은 손짐작으로 터득하고 마음으로 느낄 수 있을 뿐, 입으로 전할 수 없는 것입니다. 그렇다면 옛사람이 성인의 말씀을 책에 전하기는 하지만 그 온전한 마음을 전할 수는 없으니, 책은 결국 옛사람의 찌꺼기일 뿐이라는 논리입니다.

장자가 이런 논리를 편 이유는 무엇일까요? 그렇죠. 이미 우리 책을 읽은 친구들은 다 알고 있겠지요. 장자는 책이나 글이 쓸모없다고 말하려는 것은 아닙니다. 단지 책에서 알고 배우게 되는 것들의 한계를 지적하려는 것이죠. 지식이나 진리는 책을 통해 혹은 남에게 배워서 얻는 게 아니라 스스로의 부단한 노력과 경험에 의해 얻게 되는 것입니다. 목수 윤편이 일흔이 넘은 나이에도 불구하고 부지런히 수레바퀴를 깎고 있는 이유가 바로 그것입니다. 경지에 도달하는 일이란 즉, 달인이 되는 길이란 스스로의 노력에 의해서만 만들어진다는 사실을 알고 있기 때문입니다.

3) 소요유(逍遙遊)

이 이야기 역시 우리 책에서 언급되었던 내용입니다. 북녘 바다에 곤(鯤)이라는 거대한 물고기가 있는데 그 물고기가 변해서 붕(鵬)이라는 새가 됩니다. 그런데 이 대붕(大鵬)이 한번 날기 위해서는 날아갈 공간도 커야 하고 그 경지 또한 높아야 합니다. 하지만 그 모습을 본 매미와 새끼 비둘기는 가까운 곳에서도 얼마든지 힘껏 날 수 있고 잠깐 사이에도 목적지에 다다를 수 있는데 무엇 때문에 구만 리나 날아가야 하는지 알 수 없다고 투덜거립니다.

이 비유를 통해서 장자는 작은 지혜는 큰 지혜에 미치지 못하고 짧은 시간은 긴 시간에 미치지 못한다는 것을 알려 줍니다. 그것은 하루살이가 밤과 새벽을 알 리 없고 여름 벌레가 눈과 얼음을 알 리 없는 것과 마찬가지입니다. 이것이 큼과 작음의 차이라는 것이지요. 새끼 비둘기는 대붕의 뜻을 알지 못합니다.

장자는 이 이야기를 통해 큰 것의 위대함을 주장합니다. 큰 생각을 품고 큰 세상을 보는 사람은 큰 꿈을 이루고 그에 걸맞는 위대한 삶을 살겠지만, 작은 일에 안주하고 눈앞의 이익만을 좇으며 사는 사람들은 그것밖에 보지 못할 것입니다.

실전 논술

논술 문제

case 1 (가)에서 말하는 '달인'이란 어떤 사람을 말하는지 (나)를 예로 들어 설명하고 (다)를 통해 달인의 삶은 어떤 특징을 가지는지 설명하시오.

가 "좌망? 좌망이 뭐예요?" 제일 먼저 정우가 물었습니다.

"음…… 뭐라고 설명하면 이해하기 쉬우려나? 그래, 이렇게 한번 말해 볼까? 무엇이 옳고 무엇이 그르다는 생각이나 누가 좋고 싫다는 생각, 어떤 것이 예의에 맞고 어떤 것은 맞지 않다는 생각조차도 잊어버리고 급기야는 자기 자신의 몸은 물론 자기라는 의식조차도 잊고 크게 통하는 경지를 말한단다. 옛날 중국에 살았던 철학자 장자라는 사람이 이런 이야기를 했지. 전에도 꿈 이야기하면서 말한 것 같구나." (……)

"그래, 그런 경우를 상상해 보면 이해하기가 좀 쉬워질 거야. 특히 사람의 마음속 깊이 감동을 주는 것들을 만들어내는 예술가들이라면 그런 과정을 더욱 깊이 겪을 거라 생각해 볼 수 있겠지? 만약 남들이 뭐라고 할까를 계속 신경 쓴다거나 옳고 그른 것이 무엇인지 하는 생각에 매달리다 보면 제대로 작품에 집중할 수 없겠지. 더 나아가서는 자기가 작품을 만들면서 해왔던 방식으로부터 자유로워져야 할 필요도 있을 테고, 자기의 몸과 마음을 잊는다는 것은 자기의 몸과 마음이 온전히 하나의 기운이 된 순간이기도 해. 우리가 '신들린 연주'라든지 '신기에 가까운 솜씨'라고 부르는 것들은 자기를 잊는 집중의 과정을 거쳐서 나온 것이라 보아도 될 거야."

—《장자가 들려주는 달인 이야기》 중에서

나 마을 사람들의 성화에, 노인은 바지 적삼을 입고 버선 신은 발로 줄 위에 섰다. 그러고는 쥘부채를 펴 들고 중심을 잡으며 걸어갔다. 구경꾼들은 아슬아슬했다. 손바닥에 땀이 났다. 가슴이 죄어들었다.

노인은 쥘부채를 활짝 펴 흔들며, 일부러 줄에서 떨어지는 시늉을 했다.

"어머나!"

구경꾼들이 깜짝 놀라 비명을 질렀다.

그 때, 노인은 아이처럼 해해 웃으며 샅에 닿아 있는 줄을 퉁기는가 싶더니 어느새 줄 위에 다시 섰다. 그러나 마음뿐이었다. 몸이 기우뚱했다.

"으악!"

"에구머니나! 저걸 어째!"

노인과 구경꾼들의 비명 소리가 동시에 울렸다.

노인은 하늘로 뻗은 밧줄을 타고 계속 오르며 재주를 부렸다. 외줄에서 가볍게 달리기도 하고 뒤로 걷기도 했다. 또, 가부좌를 틀기도 하고 줄에 눕기도 했다. 그런가 하면, 줄이 샅에 닿게 두 발을 일부러 미끄러뜨렸다가, 줄이 아래위로 흔들리는 반동을 이용해 뒤돌아 앉기도 했다.

노인은 신바람이 났다. 오늘처럼 몸이 가뿐하게 말을 잘 들은 적도 없기 때문이다. 노인은 입을 다물 줄 모르는 구경꾼들을 향해 익살스러운 재담과 있는 재주를 다 보여 주었다. 몸의 중심을 잡느라 쥘부채를 펴서 흔드는 속심수의 춤사위도 될 수 있는 대로 멋들어져 보이게 했다.

노인은 수많은 구경꾼들의 경탄하는 시선을 받으며 외줄을 타고 계속 걸어갔다. 하늘을 향해 걸어갈수록 아름다운 음악과 새 소리가 가까이 들려왔다. 또, 줄 아래에는 이제껏 듣도 보도 못 하던 신기한 꽃들이 지천으로 피어 있었다. 꽃들은 독특한 향기를 내뿜으며 바람 따라 꽃 파도를 쳤다. 그런 꽃밭 사이를 헤치며 소년이 따라오고 있었다. 소년의 이마에는 송골송골 땀방울이 맺혀 있었다. 소년을 보자, 노인은 가슴 속에 송진덩어리처럼 뭉쳐 있던 응어리가 녹아내리고 있음을 느꼈다.

"애야, 너에게 줄 타는 법을 가르쳐야겠구나."

"……!"

소년은 대답 대신 얼른 고개를 끄덕였다. 소년의 얼굴은 무지개처럼 환했다. 노인은 하늘로 타고 오르던 줄 위에서 소년을 향해 펄쩍 뛰어내렸다.

노인은 주위가 왁자지껄함을 느꼈다. 눈가에 닿는 가느다란 햇살도 느꼈다. 눈꺼풀에 온 힘을 모아 간신히 눈을 떴다. 그러자 가장 먼저 소년의 가무잡잡한 얼굴이 보였다. 또, 그 뒤를 에워싼 구경꾼들의 근심스러운 얼굴도 눈에 들어왔다.

"선생님, 괜찮으세요?"

소년의 물음에 노인이 희미하게 미소를 지었다. 그리고 소년의 손을 잡으며 일어나려고 몸을 들썩였다. 그러나 마음만큼 몸이 움직여지지 않았다. 노인은 힘없이 소년의 손을 놓았다.

구경꾼들의 눈에는 가슴에서 피어오르는 물안개가 번지고 있었다.

— 초등학교 《국어 읽기 6-2》 중에서

다 부지런한 사람의 하루는
게으른 사람의 일 년보다 낫고,
모은 일에 최선을 다하면
못 이룰 일이 없다고 했다.

옛날이나 지금이나
크고 훌륭한 일을 해낸 사람들은
어려서부터 자기가 하는 일에
늘 열성을 다하고 꾸준히 노력했다.

오늘도 나는 스스로를 되돌아보며
마음에 새겨본다.
"일생의 성공은 어려서부터
부지런한 데에 있다."
"사람으로서 할 일을 다하고
하늘의 뜻을 기다린다."

— 초등학교 《도덕 6》 중에서

생각 쓰기

생각 쓰기

case 2 (가)와 (나)에서 공통적으로 말하는 '쓸모 있는 것'과 '쓸모 없는 것'의 차이를 설명하시오. 그 생각을 바탕으로 (다)의 강아지똥의 가치를 설명하시오.

가 혜자가 장자에게 말했습니다.

"내게 아주 큰 나무가 있는데, 사람들이 그걸 가죽나무라고 합니다. 줄기는 울퉁불퉁해서 먹줄을 댈 수도 없고 가지는 꼬여서 자를 댈 수가 없습니다. 그래서 길에 서 있지만 목수들이 거들떠보지도 않습니다."

그러자 장자가 말했습니다.

"선생은 너구리나 살쾡이를 아실 테죠. 몸을 낮게 웅크리고 놀러 나오는 닭이나 쥐를 노려 이리 뛰고 저리 뛰며 높고 낮은 데를 가리지 않다가 결국 덫이나 그물에 걸려서 죽지요. 그런데 소는 크기가 하늘의 구름 같아 큰 일은 하지만 쥐는 잡을 수 없습니다. 지금 선생에게 큰 나무가 있는데 쓸모가 없어 걱정인 듯 합니다만, 어째서 아무것도 없는 드넓은 들판에 그 나무를 심어 놓고 그 곁에서 마음 내키는 대로 한가로이 쉬면서, 그 그늘에 유유히 누워 자 보지는 못합니까? 도끼에 찍힐 일도 누가 해를 끼칠 일도 없을 것입니다. 그런데 어찌 쓸모가 없다고 괴로워한단 말입니까?"

— 장자, 〈소요유〉 중에서

나 "그런데 어떻게 해서 이 나무는 이렇게 오래 살 수 있었던 거예요?"

"이 나무줄기를 보렴. 옹이가 특별히 많이 박혀 있지? 이건 겉에만 있는 것이 아니라 속에서부터 시작되는 거란다. 그리고 이 껍질 사이에 맺혀 있는 나무진을 보렴. 달고 맛있는 배가 열릴 것 같은 모습이 아니야. 아마 이 길을 수없이 목판 재료를 구하는 장인들과 과실수를 기르려는 장사꾼들이 지나갔겠지만 이 나무는 거들떠보지 않았을 게다. 그게 이 나무가 이곳에 이렇게 오래 서 있을 수 있게 된 첫 번째 비결이지."

"그런데 왜 배는 안 열려요?"

"처음부터 배가 전혀 안 열리진 않았겠지. 어린 돌배나무들 사이에서 우뚝 할애비 노릇을 하고 서 있었기 때문에 처음에 할배나무라고 불리게 된 것이니까. 하지만 애초에도 그리 맛있는 배가 열리진 않았을 성 싶구나. 언제부터 이 자리에 서있었는지는 아무도 몰라. 우리나라는 삼국시대부터 돌배나무를 심었다고 하니까. 그런데 나라에 난리가 있을 때면 한 번씩 할배나무가 크게 울어서 동네 사람들을 일깨워주곤 했단다. 그래서 이제 더 이상 배는 열리지 않지만 여전히 할배나무라고 불리게 되었던 거지. 한동안 이 근처 사람들은 할배나무에게 소원을 빌러 찾아다니곤 했었단다. 덕분에 할배나무골이라는 별명도 얻게 되었고. 이게 이 나무가 나무꾼의 도끼에 찍히지 않고 이곳에서 오래도록 살 수 있게 된 또 다른 비결인 셈이야. 어떤 사람들은 저게 정말 돌배나무인지 의심스럽다고도 해. 식물도감에 나오는 돌배나무와는 너무 다르게 생겼으니까 말이야."

아저씨께서 설명을 마치고는 빙긋 웃자 정우가 제 딴에 이해를 한 것인지 고갤 끄덕거리며 말했습니다.

"알겠다. 그러니까 이게 제일로 큰 아빠나무였구나. 그래서 아기나무들을 저렇게 많이많이 낳은 거로구나……."

선우는 어느새 자리를 잡고 앉아 커다란 할배나무를 조그만 스케치북에 쓱싹쓱싹 눌러 담느라 정신이 없었습니다.

"이 나무야말로 자기 생명을 마음껏 살고 있는 진짜 달인이야. 나무들의 왕이라구."

예은이 누나는 혼잣말로 중얼거렸습니다.

—《장자가 들려주는 달인 이야기》 중에서

다 "네가 어떻게 그런 꽃을 피울 수 있니?"

물어 놓고 얼른 대답을 기다렸습니다.

"그건 하느님께서 비를 내리시고 따뜻한 햇볕을 비추시기 때문이야."

민들레는 예사로 그렇게 대답했습니다.

'역시 그럴 거야. 나하고야 무슨 상관이 있으려고……'

강아지똥의 얼굴이 금방 또 슬프게 일그러졌습니다. 그러자 민들레 싹이, "그리고 또 한 가지 꼭 필요한 게 있어" 하고는 강아지똥을 쳐다보며 눈을 반짝였습니다.

"……?"

"네가 거름이 되어 줘야 한단다."

강아지똥은 화들짝 놀랐습니다.

"내가 거름이 되다니?"

"너의 몸뚱이를 고스란히 녹여 내 몸 속으로 들어와야 해. 예쁜 꽃을 피우게 하는 것은 바로 너란 말이야."

강아지똥은 가슴이 울렁거려 끝까지 들을 수 없었습니다.

'아, 과연 나는 별이 될 수 있구나!'

그러고는 벅차오르는 기쁨에 그만 민들레 싹을 꼬옥 껴안아 버렸습니다.

"내가 거름이 되어 별처럼 고운 꽃이 피어난다면 온몸을 녹여 네 살이 될게."

사흘 동안 계속 비가 내렸습니다.

강아지똥은 온몸에 비를 맞아 잘게 부서졌습니다. 그리고 땅속으로 모두 스며들어가 민들레의 뿌리로 모여들었습니다. 줄기를 타고 올라와 꽃봉오리를 맺었습니다.

봄이 한창인 어느 날, 민들레는 한 송이 아름다운 꽃을 피웠습니다. 샛노랗게 햇빛을 받고 별처럼 반짝이었습니다. 향긋한 향기가 바람을 타고 퍼져 나갔습니다. 방긋방긋 웃는 꽃송이엔 귀여운 강아지똥의 눈물겨운 사랑이 가득 어려 있었습니다.

— 중학교 《국어 1-1》 중에서

생각 쓰기

생각 쓰기

case 3 (가)와 (나)에서 공통적으로 알 수 있는 달인이 되는 방법을 설명하시오.

가 어느 나라의 임금님이 대청마루에 앉아 글을 읽고 있었어요. 한 장인이 마루 아래의 뜰에서 수레바퀴를 깎고 있다가 임금님에게 물었어요. "임금님께서 읽고 계시는 것이 무엇입니까?" 무엄하기도 하지요? 정말로 이런 일이 일어났을 것 같지는 않아요. 임금님이 사시는 궁궐에 임금님과 대화를 나눌 수 있을 정도로 가까이에서 일개 기술자가 수레바퀴를 깎고 있는 장면이란 잘 상상이 가지 않으니까요. 하지만 누가 알아요? 마음씨 좋은 임금님이라면 아무도 접근하지 못하도록 겹겹이 성곽을 쌓고 깊숙이 들어앉아 있는 대신 백성들과 언제나 이야기를 나눌 수 있는 소탈한 태도를 가지고 있었을는지도 모르지요. 일단 우리 옛 이야기에서 종종 등장하는 임금님과 어느 촌로의 대화처럼 상황이 전개된 거라 생각해 보세요. 어쨌거나 이 임금님은 속으로는 어땠는지 모르지만 "성인의 말씀이니라." 하고 대답해 주었어요. 그랬더니 이 장인이 다시 묻는 거예요. " 그 성인이 살아계십니까?" 이때까지는 장인이 묻는 대로 임금님은 아무 거리낌 없이 대답을 해 주었어요. "이미 돌아가셨느니라." 그러자 장인이 이렇게 말했어요. "그렇다면 임금님이 읽고 계시는 것은 옛날에 돌아가신 분들이 남긴 찌꺼기라는 말이군요." 이쯤 되면 아무리 마음씨 좋은 임금님도 화가 머리끝까지 났겠지요? 임금님은 성을 내며 말했어요. "과인이 옛 성인의 글을 읽고 있거늘 수레바퀴 깎는 놈이 무슨 이래라 저래라 토를 단다는 말인고? 네가 대는 이유가 타당하다면 모르려니와 얼토당토않다면 죽음을 면치 못하리라."

장인은 수레를 깎던 손을 잠시 멈추고 이렇게 대답해요.

"저는 단지 제가 하는 일을 통해 알게 된 사실을 말씀드리는 것일 뿐입니다. 바퀴를 깎아보면 압니다. 바퀴를 조금이라도 늦추어 깎으면 헐거워서 고정이 되지 않고 조금 바짝 조이려 하면 빡빡하여 들어가지 않으니 느슨하지도 바짝 붙지도 않게 하는 것은 오랫동안 숙달된 손끝에서 터득되는 것이고 마음으로 알아차리는 일이라 입으로는 표현할 수 없습니다. 손과 마음이 하나된 순간이라야 그렇게 할 수 있기 때문입니다. 말로 전할 수 없는 것이기에 자식한테도 일러줄 수가 없고, 자식 역시 물려받을 수 있는 것이 아니니 이렇게 제 나이가 일흔이 되도록 여전히 제가 바퀴를 깎고 있는 것입지요."

임금님은 아무 말도 하지 못했어요.

―《장자가 들려주는 달인 이야기》 중에서

나 옛날에 어떤 도둑이 있었다. 그는 아들에게 자기의 기술을 모두 가르쳐 주었다. 얼마 후, 아들은 자기의 재주가 아버지보다 낫다고 생각하게 되었다. 훔치러 들어갈 때면 늘 아버지보다 앞서 들어갔고, 나올 때에는 아버지보다 나중에 나왔으며, 보잘것없는 것은 버리고 값진 것만 가지고 나왔다. 게다가 귀는 멀리서 나는 작은 소리도 잘 들을 수 있었고, 눈은 어둠 속까지 꿰뚫어 볼 수 있었다.

마침내 여러 도둑들이 그를 칭찬하자, 아들 도둑은 슬그머니 자만심이 생겼다. 그래서 어느 날 아버지에게 자랑삼아 이렇게 말했다.

"이제 저의 기술은 아버지에 비해 조금도 손색이 없습니다. 게다가 힘도 아버지보다 더 세니, 이런 실력(實力)이면 무슨 일인들 못 하겠습니까?"

그러자 아비 도둑이 말했다.

"아직 멀었다. 지혜란 배워서 되는 것이 아니다. 스스로 터득하는 데에서 나오는 것이다. 다시 말해서, 스스로 터득한 지혜가 있어야 한다는 말이다. 너는 아직 멀었다."

아들이 대들었다.

"도둑질에서는 얼마나 재물(財物)을 많이 훔치느냐가 중요합니다. 그런데 제가 훔친 것이 아버지가 훔친 것의 배가 됩니다. 게다가 저는 아직 젊습니다. 훗날 아버지 연세가 되면, 틀림없이 놀라운 경지에 이르게 될 것입니다."

이에 아비가 다시 말했다.

"아직 멀었다. 내가 가르친 기술로는 경비가 삼엄한 성에도 쉽게 들어갈 수 있고, 숨겨 둔 보물도 쉽게 찾을 수 있지만, 한번 일이 잘못되는 날에는 영락없이 곤란한 처지에 빠지고 말 것이다. 임기응변(臨機應變)으로 그것을 벗어나려면 스스로 터득한 지혜가 있어야 하는 것이다. 그래서 너에게 멀었다고 하는 것이다."

그러나 아들은 아버지의 말에 수긍이 가지 않았다.

아버지는 이튿날 밤, 아들을 데리고 어떤 부잣집 곳간에 숨어 들어갔다. 아들이 정신없이 보물을 챙기고 있을 때 아비 도둑이 밖에서 문을 닫고 자물쇠를 잠가 버렸다. 그리고는 일부러 자물쇠 잠그는 소리를 내어 주인에게 들리게 했다.

주인은 도둑이 든 줄을 알고 나와 곳간을 살펴보았다. 그러나 자물쇠가 그대로 잠겨 있는 것을 확인하고는 다시 안으로 들어가 버렸다. 곳간 속에 갇힌 아들은 빠져 나올 도리가 없었다. 아들 도둑은 할 수 없이 손톱으로 곳간 문을 박박 긁으며 쥐 소리를 냈다. 안으로 들어갔던 주인은 속으로 중얼거렸다.

'곳간 속에 쥐가 든 게 틀림없다. 가만두었다가는 물건을 망칠 터이니 쫓아 버려야겠구나.'

주인이 자물쇠를 열고 곳간에 막 들어가려고 할 때였다. 이때를 기다렸던 아들은 잽싸게 뛰쳐나와 도망치기 시작했다. 주인이 놀라 소리치자, 가족들이 모두 나와 함께 도둑을 쫓았다. 다급해진 아들은 연못을 끼고 달리다가 연못 속에 커다란 돌을 던졌다. 그러자 쫓아오던 사람들은 도둑이 연못 속으로 뛰어 든 줄 알고 모두 연못을 에워싸고 도둑을 찾았다. 그 틈에 아들은 그 곳을 빠져 나올 수 있었다. 집에 돌아온 아들은 아버지를 보고 원망했다.

"새나 짐승도 제 새끼를 돌볼 줄 아는데, 아버지는 제가 무엇을 잘못했다고 그 지경에 이르도록 하셨습니까?"

이 말을 들을 아비가 말했다.

"이제부터 너는 세상에서 누구도 따를 수 없는 뛰어난 도둑이 되었다. 사람들이 말하는 기술이라는 것은 대개 다른 사람에게서 얻은 것이기 때문에 한계(限界)가 있는 법이다. 그러나 스스로 터득한 지혜는 그렇지 않아서 그 응용이 무궁무진하다. 특히, 사람들이 곤경에 처하여 막막하게 되면 도리어 그 어려움이 그 사람의 의지를 더욱 굳건하게 만들고, 그의 어진 마음도 더 성숙하게 하는 것이다.

내가 너를 곤경에 처하게 한 까닭은 장차 너를 안전하게 하고자 해서이며, 내가 너를 함정에 빠지게 한 것은 장차 너를 위험에서 건지고자 해서이다. 만약, 네가 곳간에 갇히지 않고, 또 쫓기는 신세(身世)가 되어 보지 않았더라면, 어떻게 쥐 소리를 낼 생각을 했겠으며, 돌을 연못에 던지는 기지를 발휘할 수 있었겠느냐? 궁지에 몰리자 지혜를 짜낼 수 있었던 것이다. 이처럼 지혜의 샘이 한번 열리기 시작하면 다시 또 곤궁에 처하게 되어도 혼미해지지 않을 것이니, 이제 너는 틀림없이 세상에서 으뜸가는 도둑이 될 것이다.

후에 아들은 정말 세상에서 겨룰 사람이 없는 도둑이 되었다. 도둑질이란 세상에서 지극히 천하고 악한 기술이지만, 그것도 스스로 터득한 다음에야 비로소 세상에서 으뜸가는 존재가 될 수 있는 것이다. 하물며 학문(學問)의 길에 있어서야 더 말해서 무엇하겠느냐?

— 중학교 《국어 1-1》 중에서

생각 쓰기

생각 쓰기

생각 쓰기

생각 쓰기

case 4 **(가)에 나타난 생각이 현대 사회에 끼친 문제점을 지적하고 (나)와 (다)를 통해 문제 해결의 바람직한 방향을 설명해 보시오.**

가 데카르트는 '방법서설' 에서 낡은 철학 대신에 인간으로 하여금 자연의 지배자와 소유자가 될 수 있게끔 하는 새로운 철학을 제시하는 것이 자신의 의도라고 밝힌 바 있다. 그에 의하면 우리 인간은 본질적으로 의식적 · 정신적 존재로서, 물질적 자연의 세계로부터 완전히 분리되어 있는 전혀 별개의 존재라는 것이다. 인간의 정신으로부터 분리된 자연은 죽은 물질적인 것에 불과하다는 것이다. 이러한 근대의 자연관은 자연 환경을 인간과 분리된 것으로 보고, 자연을 통제하고자 하는 기술의 발달을 가져왔다.

이후 서양에서는 인간이 자연의 지배자고 자연은 인간의 번영을 위한 수단에 불과하다는 견해가 지배적이었다. 즉, 서구인들은 이성을 지닌 인간만이 내재적 가치를 지니며, 모든 자연은 인간을 위한 도구라 생각했던 것이다. 이러한 인간 중심적이고 정복 지향적인 자연관은, 인간과 자연을 분리시키고 무분별한 자연 착취와 자원 남용을 정당화함으로써 생태계의 급격한 파괴와 자연의 훼손을 가져 왔다.

— 고등학교 《시민 윤리》 중에서

나 그대들은 어떻게 저 하늘이나 대지를 사고 팔 수 있는가? 우리에게는 이상하게 생각된다. 신선한 대기와 반짝이는 물을 우리가 소유하고 있지도 않은데, 어떻게 팔 수 있단 말인가? 이 대지의 모든 부분은 신성한 것이다. 솔잎, 모래 언덕, 숲

속 안개, 온갖 벌레들, 이 모두가 우리에게는 신성한 것이다.

우리는 대지의 한 부분이고, 대지는 우리의 한 부분이다. 꽃은 우리의 자매이다. 사슴, 말, 독수리, 이들은 우리 형제들이다. 바위산, 풀꽃, 조랑말과 인간은 모두 한 가족이다.

우리는 땅을 사겠다는 당신들의 제안을 생각해 보겠다. 그러나 한 가지 조건이 있다. 이 땅의 짐승들을 형제처럼 대해야 한다는 것이다. 나는 초원에서 썩어 가는 수많은 들소들을 본 일이 있는데, 모두 백인들이 총으로 쏘고는 그대로 내버려 둔 것들이었다.

짐승들이 없는 세상에서 인간이란 무엇인가? 모든 짐승이 사라져 버린다면, 인간은 외로움 때문에 죽게 될 것이다. 짐승들에게 일어난 일은 인간들에게도 일어난다. 만물은 서로 연결되어 있기 때문이다.

우리가 이 땅을 팔더라도, 우리가 사랑했듯이 이 땅을 사랑해 달라. 우리가 돌본 것처럼 이 땅을 돌보아 달라. 온 힘을 다해서, 온 마음을 다해서, 당신들의 아이를 위해 이 땅을 지키고 사랑해 달라.

— 중학교 《도덕 1》 중에서

다 《장자》의 〈천지〉에는 채소밭을 가꾸는 할아버지 이야기가 나옵니다. 어떤 할아버지가 물동이를 이고 힘들여 채소밭에 물을 대니 어떤 사람이 지나가다가 펌프 원리를 이용해서 자동으로 물을 대면 편할 텐데 왜 어리석게 고생을 하느냐고

딱하다는 듯 이릅니다. 그랬더니 할아버지는 이렇게 대답해요.

"내가 그것을 쓸 줄 몰라서 쓰지 않는 게 아닙니다. 하지만 기계를 이용해서 거저 되기를 바라는 마음을 한번 가지게 되면 순수한 마음을 영영 잃게 됩니다. 힘들여 가꾸고서 고생한 보람을 얻고자 하는 마음을 한번 잃어버리면 다시는 평온한 마음으로 세상을 살아갈 수 없습니다."

오늘날 우리들이 사용하고 있는 기계를 다 강물에 버리거나 기껏 만들어놓은 댐이니 도로와 공적 자원들을 부수거나 해서 못쓰게 만들자는 말이 아니에요. 설마 어린이 여러분들 가운데 이 할아버지 이야기를 그런 식으로 오해한 사람은 없겠지요? 이 이야기에서 장자는 노력하지 않고도 거저 되기를 바라는 마음이 자꾸 자라나면 세상이 걷잡을 수 없게 돌아갈 수 있다는 것을 걱정하고 있는 거예요. 오늘날 인류가 부딪힌 환경의 위기가 이러한 우려를 잘 보여주지요. 반대로 주어진 생명의 원리에 맞게 몸과 마음을 움직여나가는 사람들은 자연의 흐름에 맞게 살 수 있지요. 아무리 크고 위대한 일도 작은 일부터 시작됩니다. 예를 들어 일회용품이 편리하긴 하지만 환경을 해칠 수 있으니 조금 수고스럽더라도 씻어서 쓰자고 돌이킬 수 있는 사람, 힘들긴 하지만 쓰레기를 잘 분류하여 버리면 불필요한 오염을 줄일 수 있다는 것을 알고 분리수거의 습관을 들이는 사람이라면, 아마도 편리한 것만을 추구하는 마음을 돌이켜 나와 전체의 생명을 길러주는 마음을 차츰 회복해나갈 수 있지 않을까요?

―《장자가 들려주는 달인 이야기》 중에서

생각 쓰기

생각 쓰기

생각 쓰기

실전 논술

예시 답안

case 1 (나)의 줄 타는 노인은 몸이 힘들고 불편한 상황에서도 줄에 올랐습니다. 그리고 결국 그 줄에서 떨어져 운명을 맞이하게 됩니다. 노인은 줄 타는 일을 하늘이 준 자신의 일로 여겼기 때문에 줄을 타다가 잘못될지도 모르는 위험한 상황에서도 기어코 줄 위에 올랐던 것입니다. 노인은 줄 타는 일이 세상에서 인정받지 못하고 대우받지 못하는 일이라고 할지라도 평생을 혼신을 다해 자신의 일에 매진했습니다.

줄 타는 노인과 같은 이러한 삶의 태도가 장자가 말하려는 달인의 삶입니다. 옳고 그름, 좋고 나쁨과 같은 뭇사람들의 생각에 얽매이지 않고 자신의 일을 소신 있게 해나가는 삶의 모습입니다. (가)에서 말하는 신들린 연주나 신기에 가까운 솜씨는 (나)의 노인이 줄을 타는 모습을 묘사한 부분에서 확인해 볼 수 있습니다.

결국 달인이 되는 길이란 자신이 맡은 부분에서 최선을 다하는 태도에 있습니다. (다)에서 말하듯이 부지런하게 최선과 열성을 다하고 꾸준히 노력하면 누구나 달인이 될 수 있습니다. 자신의 분야에서 묵묵히 맡은 일을 수행하고 하늘의 뜻을 기다린다는 의미가 바로 장자가 말하는 자연의 도에 따라 사는 삶입니다.

case 2 사람들은 세상의 모든 물건이나 가치를 두 가지로 나눕니다. 쓸모 있는 것과 쓸모없는 것. 그런데 쓸모가 있는 것과 없는 것은 생각하기에 따라 얼마든지 달라질 수 있습니다. 장자는 세상에는 결국 쓸모가 없는 것은 없다는 결론을 내리고 있습니다.

(가)에서 자신이 가진 나무가 크기만 할 뿐 쓸모없다고 생각하는 사람에게 장자는 말합니다. 너구리나 살쾡이는 닭이나 쥐를 잡는 동물이지만 소는 쥐를 잡는 일은 하지 않는다고 말이죠. 따라서 큰 나무가 쓸모없다고 생각하는 것은 편견입니다. 베어서 쓸 일이 없다면 다른 방도로 쓸 수가 있습니다. 사람들이 거들떠보지 않아도 들판에 심어 놓고 한가로이 누워 쉴 수 있는 그늘을 줄 수 있다면 그것 또한 쓸모가 있다고 말할 수 있습니다.

(나)에서 보여주는 할배나무 역시 마찬가지입니다. 재목으로 쓰기에 적합하지 않고 맛있는 배가 열리지도 않아서 쓸모없었던 할배나무는 결국 어느 배나무보다 오래 살아 모든 배나무들의 근간이 되었습니다. (가)와 (나)에서 공통적을 알 수 있는 생각은 바로 쓸모없는 것과 쓸모 있는 것이 따로 존재하지 않는다는 점입니다. 쓸모없다고 생각했던 물건도 편견이나 선입견에서 벗어나 생각을 바꾸면 얼마든지 유용한 물건이 될 수 있습니다. 결국 이 세상에는 쓸모없는 존재는 없습니다.

(다)의 강아지똥은 쓸모없는 존재로 여기는 것이 보통입니다. 강아지똥 스스로도 자신이 아무 것에도 쓸모가 없다는 사실에 슬퍼하기도 하지요. 하지만 민들레는 강아지똥의 생각을 바꾸어 줍니다. 민들레가 아름다운 꽃을 피우기 위해서는 비와 따뜻한 햇빛뿐만 아니라 강아지똥이 거름이 되어 주어야 한다는 사실을 말이죠. 그 말은 들은 강아지똥은 자신의 몸을 녹여 기꺼이 민들레의 거름이 됩니다. 자신을 희생하면서도 강아지똥은 자신도 별이 될 수 있다는 사실이 기뻐하고

감사해 합니다.

사람들이 더럽고 쓸모없다고 무시했던 강아지똥이 아름다운 꽃을 피우는 밑거름이 될 수 있듯이, 사람들이 생각하는 편견은 생각을 달리하면 얼마든지 달라질 수 있다는 진리를 장자는 우리에게 가르쳐 줍니다. 더불어 세상에 존재하는 모든 사물에는 다 저마다의 쓰임이 있다는 가르침을 함께 주고 있습니다.

case 3 (가)의 장인은 임금이 책을 읽고 있는 것을 보고 '책이란 옛날에 죽은 사람들이 남긴 찌꺼기' 라고 말합니다. 이것은 책을 통해 옛 성인의 말씀을 배우는 것은 완전하지 못하다는 말입니다. 책이란 그동안 인류가 터득하고 쌓아온 지식의 보고입니다. 그런데도 왜 장인은 찌꺼기에 불과하다고 말했을까요.

장인은 수레바퀴를 깎는 일을 통해 살아있는 경험이 책 속의 지식보다 더 완전하고 위대하다는 진실을 전해 줍니다. 바퀴를 깎는 기술은 오랫동안 숙달된 솜씨와 마음을 통해 얻는 것이지 누구에게서 말로 전달받을 수 없고 마찬가지로 후손에게 온전히 전달할 수 없습니다. 경험과 마음을 통해서만 달인이 될 수 있다는 것입니다.

(나)의 아들 도둑은 기술과 힘, 젊음을 들어 자신의 재주를 자랑합니다. 그러나 아비 도둑은 지혜란 배워서 되는 것이 아니라고 말합니다. 아비 도둑은 아들 도둑

이 지혜를 터득할 수 있도록 아들을 일부러 곤경에 빠뜨립니다. 아들 도둑은 그 곤경을 극복하는 과정에서 스스로 지혜를 터득하게 됩니다. 기술은 남에게 배운 것이므로 한계가 있지만 스스로 터득한 지혜는 응용이 무궁무진하여 어떤 상황에서도 그 가치를 발휘할 수 있습니다.

(가)와 (나)에서 공통적으로 말하는 달인이 되는 방법은 스스로 터득하는 진실의중요성입니다. 책이나 남을 통해 배우게 되는 것이 아니라 수많은 경험과 시행착오를 거치면서 스스로 깨달아 경지에 오르는 것이 바로 진정한 달인의 삶입니다.

case 4

(가)는 서양의 자연관을 설명하고 있습니다. 서양에서는 전통적으로 인간이 자연에 우선한다고 생각해 왔습니다. 인간이 자연을 필요에 따라 마음대로 이용하고 훼손해도 별 문제가 되지 않는다고 생각했던 것이죠. 그러한 생각은 현대 사회에 많은 악영향을 끼치고 말았습니다. 현대 사회가 안고 있는, 이를 테면 환경 오염과 같은 심각한 문제들은 모두 인간이 자연은 마음대로 훼손했기 때문에 생긴 문제들입니다.

하지만 (나)에서는 자연과 인간을 동등한 존재로 여기고 있습니다. (나)에서 자연은 인간의 소유물이 아니라 지구상에서 함께 공존해 나가야 하는 동반자로 인식되고 있습니다. 서로가 서로에게 필요한 존재, 어느 한 쪽이 없다면 다른 한 쪽

역시 살아갈 수 없는 존재로 인식하고 있는 것이죠. 그래서 내 자식을 사랑하듯이 자연을 사랑해야 한다고 주장합니다.

(다)는 자연을 대하는 우리의 태도에 가르침을 줍니다. 기계를 이용해서 손쉽게 살아가다 보면 결국 인간의 마음은 모두 기계의 마음으로 전락해 버립니다. 기계의 마음으로 자연을 대한다면 어떻게 될까요. 앞서 말했던 지금 우리 사회가 당면한 문제들을 보면 기계의 마음으로 자연을 대하는 것이 얼마나 어리석은 일인지 알 수 있습니다.

순수하고 평온한 인간의 마음으로 대할 때 자연과 인간이 하나되는 조화를 이루어 낼 수 있습니다. 현대 사회가 당면한 문제들을 해결하기 위해서는 자연을 인간과 동등한 존재로 인정하고 인간이 본래 가지고 있는 순수한 마음으로 그들을 대하는 것이 무엇보다도 중요합니다.

Abitur

철학자가 들려주는 철학이야기 057

화이트헤드가 들려주는 과정 이야기

저자_**김광식**
서울대학교 철학과에서 학사 · 석사과정을 마쳤다. 독일 베를린 자유대학교와 공과대학교에서 철학을 공부하고 공과대학교 과학 · 기술 · 철학과에서 철학박사학위를 받았다. 저서는《체화된 행위방식으로서의 행위지식》(Mensch & Buch),《사회철학대계4: 기술시대와 사회철학》(공저, 민음사),《철학대사전》(공저, 동녘)과 자음과모음에서 펴낸 아비투어 철학논술 시리즈 중《롤스》,《데리다》,《리쾨르》,《화이트헤드》,《한나 아렌트》,《흄》,《맹자》,《왕수인》,《복희씨》,《이이》,《최한기》등이 있으며, 2007년 경향신문에 "하버마스 '의사소통 행위론'", "존 롤스의 '정의론'", "아도르노 '계몽의 변증법'", "맹자의 '성선설'", "이이의 '이기론'"을 연재했다. 번역서는《흄-나는 존재하지 않는다》(스트래던, 편앤런) 등이 있으며, 논문은《본질과 현상의 범주를 통해서 본 인식들 사이의 모순의 문제》(서울대),《하버마스의 보편화용론에 대한 연구》(서울대) 등이 있다. 독일학술진흥협회의 연구프로젝트(준비중) "조종-조형-소통: 미디어비판적 행위이론에 초점을 맞춘 음악적 인간-기계-상호작용"의 공동연구자로 참여하고 있으며, 인지과학철학을 중심으로 인지과학(신경생물학, 사이버네틱스 등), 인식론, 행위론, 과학 · 기술철학, 언어 및 커뮤니케이션이론, 미디어이론, 문화이론, 윤리학, 동양철학에 걸친 광범위한 분야를 통합하는 연구를 하고 있다.

배경 지식 넓히기

화이트헤드와 '과정'

화이트헤드 주요 개념

1. 스파이더맨

평범하고 소심하며 내성적인 학생인 피터 파커는 우연히 유전자가 조작된 슈퍼 거미에 물려서 손에서 거미줄이 튀어 나오고 벽을 기어오를 수 있는 거미와 같은 초능력과 다가오는 위험을 본능적으로 감지하는 초능력과 엄청난 파워를 갖게 됩니다.

피터는 짝사랑하던 메리 제인의 관심을 끌기 위해 멋진 스포츠카를 구입하는데 초능력을 처음 사용합니다. 그러다 사랑하는 벤 아저씨의 죽음을 계기로 엄청난 파워에는 그만큼의 책임이 동반된다는 사실을 깨닫습니다.

한편, 피터의 절친한 친구 해리 오스본의 아버지인 노만 오스본은 공학자로 정부를 위해 무기를 만드는 일을 하는데 실험 도중 가스에 중독되어 괴력의 악의 화신 그린 고블린으로 변합니다. 그린 고블린은 자신의 프로젝트를 무시했던 정부 관계자들을 공격하고 도시를 공포의 도가니로 몰고 갑니다.

피터는 그린 고블린에 맞서 싸우게 되고 결국 이깁니다. 그러나 친구 해리는 자신의 아버지를 죽인 스파이더맨에게 꼭 복수를 하겠다고 합니다. 이렇게 이야기는 2편, 3편으로 이어집니다.

우리는 이 영화에서 어떤 가르침을 얻을 수 있을까요? '능력에는 책임이 따른다' 는 것입니다. 영화의 끝에 피터의 삼촌이 피터에게 말하지요. "능력이 클수록 책임도 큰 법이란다."

이 영화는 그 원작인 만화 〈스파이더맨〉에서 나온 위치 추적 전자 장치가 전자 팔찌 부착 제도에 아이디어를 제공했다는 점 말고도 그 제도에 대한 평가에 대한 중요한 실마리도 제공합니다. 피터는 스파이더맨의 능력으로 평소 괴롭히던 톰슨에게 통쾌하게 복수를 합니다. 그때 삼촌이 말합니다. "톰슨은 늘씬하게 맞아도 될 만큼 나쁜 녀석이야. 하지만 누구도 함부로 그를 때릴 권리는 없단다."

세상에는 성범죄자들처럼 도저히 용서하기 힘든 범죄자들이 있습니다. 하지만 그렇다고 누구에게도 그들을 함부로 대할 권리는 없습니다. 그들도 존중 받아야 할 평등한 인권이 있기 때문입니다. 그들의 신상을 공개하고 전자 팔찌를 채워 24시간을 감시하고 격리시키는 것은 그들을 동물원의 철창에 가둬 놓는 것과 다를 바 없습니다.

2. 전자 팔찌 부착법

정식 명칭은 〈특정 성폭력 범죄자에 대한 위치 추적 전자 장치 부착에 관한 법률〉입니다. 아동 납치 성폭력 살해 사건이 연달아 일어나자 한나라당에서 발의하여 2007년 4월에 공포하고 2008년 10월 28일부터 시행에 들어갈 예정에 있는 법입니다.

성범죄자들 가운데 다시 범죄를 저지를 가능성이 큰 사람들에게 전자 팔찌를 채워 24시간 동안 위치를 추적하고 신체 상태의 변화를 감시하여 성범죄를 예방하는 것을 목적으로 합니다.

가해자의 인권 침해보다 잠재적 피해자의 인권 보호가 더 중요하다고 생각하는 사람들은 찬성하지만, 모든 사람이 존엄한 인간으로서 침해될 수 없는 인권을 가지고 있으므로 범죄자의 인권이라 할지라도 침해해서는 안 된다고 생각하는 사람들은 반대하여 찬반 논란이 있는 법입니다.

3. 합생

합생(合生)은 '더불어 성장한다' 는 뜻의 라틴어에서 온 말입니다. 이것은 공생(共生)과 다릅니다. 공생에서 각 요소들은 자신의 개체를 각각 유지하고 상호 협력을 하며 더불어 삽니다. 악어와 악어새의 경우가 그 대표적인 예지요.

또한 이것은 합성(合成)과도 다릅니다. 합성에서 각 요소들은 독립성과 자율성을 상실하고 전체 속에 통합됩니다. 물과 이산화탄소와 햇빛이 엽록체에서 녹말로 바뀌는 광합성이 대표적인 예지요. 합성 이전에 가지고 있던 자기동일성을 모두 잃어버립니다.

이러한 것들과 달리 합생은 각 요소들이 각각의 개체성은 잃어버리지만 독립성과 자율성은 유지하면서 전체의 부분으로 통합되는 것입니다. 세포와 세포를 구성하고 있는 미토콘드리아나 엽록체와 같은 여러 세포소기관들의 경우가 대표적인 예지요. 세포 속에 핵이 생겨 진핵세포가 되는 경우나, 단세포들이 모여 다세포가 되는 것도 합생의 예입니다.

화이트헤드에게서 합생이란 현실적 존재가 다수의 다른 현실적 존재들을 그 동일성을 해치지 않고 경험을 통해 하나로 통합하여 자기 것으로 만드는 과정을 뜻합니다.

4. 선비와 사무라이

유교 사회에서 학식과 인품을 갖춘 사람을 뜻합니다. 선비는 우리말로

'어질고 지식이 있는 사람' 을 뜻한다는 설도 있습니다. 한자어 '사(士)' 와 같은 뜻입니다. '사' 는 지식과 인품을 가지고 있는 사람이라는 뜻뿐만 아니라 기능을 가지고 있는 사람이라는 뜻으로도 쓰입니다.

선비 정신은 '의리' 입니다. '의리' 란 '옳은 이치에 따르는 정신' 을 뜻합니다. 조선시대 세조가 자신의 조카 단종을 죽이고 왕의 자리를 빼앗자 죽음을 무릅쓰고 단종에 대한 충성을 지켰던 사육신이나 생육신들이 선비 정신을 보여준 대표적인 예입니다.

사무라이는 일본의 무사를 뜻합니다. 사무라이들은 높은 무술 실력을 갖추고 자신이 섬기는 자에게 목숨을 건 충성을 바칩니다. 싸움에 지거나 불명예스러운 일을 하면 할복자살을 하는 것으로 유명합니다. 12세기에 권력을 잡고 일본을 지배하다 19세기 후반 메이지 유신 때 봉건제도를 없애면서 함께 없앴습니다.

5. 삼손과 데릴라

삼손은 기독교의 구약성서에 나오는 이스라엘 민족의 영웅입니다. 삼손은 거대한 성문을 뽑을 정도로 무서운 힘을 발휘하여, 이스라엘 민족을 억압하던 필리스티아인들에 대항하여 싸워 이깁니다. 그러나 삼손이 사랑하는 여인인 데릴라는 삼손을 속여서 삼손의 힘의 비밀이 머리카락에 있다는 사실을 알아내고 삼손이 자는 사이에 머리카락을 자릅니다. 삼손은 필리스티아인들에게 잡혀가 두 눈이 뽑히고 노예 생활을 합니다. 하지만 그의 머리카락이 다시 자라자 힘을 되찾아 필리스티아인들의 신전을 무너뜨리고 자신도 죽습니다.

6. 동물보호법

이 법은 척추동물에 대한 학대 행위를 방지하고, 동물의 생명과 안전을 보호하고, 복지를 증진하며, 생명 존중 정신을 높이는 데 이바지할 것을 목적으로 만들었습니다.

이 법에 따르면, 누구든지 동물을 키울 때는 생명의 존엄성을 인식하고, 그 동물이 본래의 습성과 모습을 유지하면서 정상적으로 살 수 있도록 노력하여야 합니다.

누구든지 동물을, 사람의 생명 · 신체 · 재산이 피해를 입는 등 정당한 이유 없이, 공개된 곳에서나 같은 종류의 동물이 보는 앞에서 목을 매다는 등 잔인하게 죽여서는 안 됩니다.

누구든지 동물에게, 도구나 약물을 사용하거거나 살아 있는 상태에서 동물의 신체를 손상하거나 체액을 채취하거나, 도박 · 광고 · 오락 · 유흥의 목적으로 동물에게 상해를 입히는 등, 학대 행위를 해서는 안 됩니다. 또한 키우던 동물을 버려서도 안 됩니다. 한편, 동물을 죽일 때는 가스나 전기를 통해 단번에 죽임으로써 고통을 최소화해야 합니다.

동물 실험은 인류의 복지 증진과 동물 생명의 존엄성을 고려하여 실시하여야 합니다. 동물 실험을 실시하고자 하는 때에는 이를 대체할 수 있는 방법을 우선적으로 고려해야 합니다. 동물 실험은 동물의 윤리적 취급 방식과 과학적 사용에 관한 지식과 경험을 가지고 있는 사람이 해야 하며 필요한 최소한의 동물을 사용해야 합니다.

실험동물의 고통이 수반되는 실험은 감각 능력이 낮은 동물을 사용하고 진통 · 진정 · 마취제의 사용 등 고통을 덜어주기 위한 적절한 조치를 취해야 합니다.

동물 실험을 행한 자는 그 실험이 끝난 뒤, 지체 없이 그 동물의 건강 상태를 검사해야 합니다. 그 동물이 회복될 수 없거나 지속적으로 고통을 받으며 살아야 할 것으로 인정되는 경우에는 가능한 한 빨리 고통을 주지 않는 방법으로 처리해야 합니다.

누구든지 버려진 동물이나 맹도견 · 안내견 등 인간을 위하여 일한 동물을 대상으로 실험을 해서는 안 됩니다.

철학 법정

화이트헤드와 '과정'의 철학 법정

아비투어 철학 법정에 오신 것을 환영합니다. 철학 법정에서는 성범죄자 전자 팔찌 부착 사건을 다루겠습니다. 빅브라더(Bigbrother) 씨를 피의자로 기소한 검사는 화이트헤드 씨며 빅브라더 씨의 변호를 맡으신 분은 플라톤 변호사입니다. 이번 재판을 맡으실 분은 아비투어 판사님이시며, 여러분을 배심원으로 모셨습니다. 재판의 진행을 잘 관찰하시고 어떤 분이 옳은지 심판해 주시기 바랍니다. 재판에 앞서 명검사이신 화이트헤드 씨를 모셨습니다. 신사 숙녀 여러분! 명검사 화이트헤드 씨를 소개합니다!

위대한 검사, 화이트헤드

이름 : 노스 화이트헤드(Alfred North Whitehead, 1861년~1947년).

나이 : 86살.

성별 : 남자.

국적 : 영국.

직업 : 수학자, 철학자.

업적 : 과정의 철학.

저서 : 《수학원리》(1910~13), 《자연의 개념》(1920), 《과정과 실재》(1929) 등이 있음.

자모 : 신사 숙녀 여러분, 위대한 검사, 화이트헤드입니다.

화이트헤드 : 아비투어 철학 법정 배심원 여러분 직접 만나 뵙게 되어 반갑습니다.

자모 : 바쁘신데도 이렇게 인터뷰에 응해 주셔서 감사합니다. 검사님은 철학자로 뿐만 아니라 수학자로도 유명하시잖아요? 어떻게 두 가지를 함께 할 수 있었죠?

화이트헤드 : 저는 영국의 케임브리지 대학교에 입학해서 수학과 논리학을 공부했습니다. 대학을 졸업한 이후에 케임브리지 대학교 수학 교수가 되었지요. 수학으로 제 인생을 시작한 셈이지요.

자모 : 검사님이 수학자로서 남긴 최대의 업적이 뭔가요?

화이트헤드 : 러셀과 함께 수학의 논리적 기초에 대해 쓴 《수학 원리》입니다.

자모 : 철학은 언제 하게 되셨나요?

화이트헤드 : 1924년 미국의 하버드 대학교의 초청을 받아 미국으로 건너

간 뒤에 본격적으로 연구하게 되었습니다.

자모 : 실례가 안 된다면 그때의 연세가……?

화이트헤드 : 예순 셋이었지요.

자모 : 철학을 배운 것도 아닌데 힘들지 않으셨는지요?

화이트헤드 : 수학과 과학을 바탕으로 철학을 연구했기 때문에 그렇게 어렵지는 않았습니다.

자모 : 철학자로서 남긴 최대 업적이 뭔가요?

화이트헤드 : 1929년 과정 철학의 바이블인 《과정과 실재》를 출판한 일입니다.

자모 : 어떤 내용인지 간단하게 소개해 주시죠.

화이트헤드 : 저는 이성을 지나치게 믿었던 합리주의와 이성을 지나치게 의심했던 비합리주의를 모두 비판하고, 우주의 모든 존재가 생성과 소멸의 과정 속에 있으며, 서로 유기적인 관계를 맺고 있다고 주장했습니다.

자모 : 그래서 검사님의 철학을 과정의 철학 또는 유기체의 철학이라고 부르는 거군요.

자모 : 신학자로도 유명하시던데…….

화이트헤드 : 저의 과정의 철학이 신마저도 생성 과정 속에 있는 존재로 보는 과정의 신학으로 이어졌기 때문입니다.

자모 : 그런데 검사님은 왜 이번 사건을 맡으셨죠?

화이트헤드 : 모든 것이 변화 과정 속에 있으며 서로 유기적인 관계를 맺고 있는데 성범죄자 전자 팔찌 부착은 이런 진실을 무시한 사건이기 때문입니다.

자모 : 무슨 뜻입니까?

화이트헤드 : 그 궁금증은 이번 재판에서 시원하게 해결될 것입니다.

자모 : 아, 그래요. 인터뷰 감사합니다. 그럼, 철학 법정에서 뵙겠습니다.

첫 번째 재판 — 성범죄자 전자 팔찌 부착 사건

아비투어 : 지금부터 아비투어 철학 법정 첫 번째 재판을 시작하겠습니다. 검사님, 도대체 전자 팔찌라는 게 뭔지 설명해 주십시오.

화이트헤드 : 위치를 추적할 수 있는 전자 장치인데 바로 이렇게 생긴 겁니다.

아비투어 : 그럼, 사건의 개요를 말씀해 주십시오.

화이트헤드 : 전자 팔찌 부착 제도는 위치 추적 전자 장치인 전자 팔찌를 전과자에게 부착시켜 전과자의 위치를 추적하는 제도를 말합니다. 1984년 미국의 한 판사가 만화 〈스파이더맨〉에서 나온 위치 추적 전자 장치에서 영감을 얻어 재발률이 높은 특정 범죄 전과자에게 부착하게 한 것

이 이 제도의 시작입니다. 지금은 미국, 영국 등 몇몇 나라에서 실시하고 있습니다.

우리나라도 아동 납치 성폭력 살해 사건이 연달아 일어나자 2007년 4월에 〈특정 성폭력 범죄자에 대한 위치 추적 전자 장치 부착에 관한 법률〉을 공포하고 2008년 10월 28일부터 시행에 들어갈 예정입니다.

저는 이 제도가 범죄자의 침해될 수 없는 소중한 인권을 침해하기 때문만이 아니라, 모든 것이 변화 과정 속에 있으며 서로 유기적인 관계를 맺고 있다는 진실을 무시하고 마치 변화하지 않고 다른 것들과 관계를 맺고 있고 홀로 존재하는 것이 있다는 허위 사실을 퍼뜨리고 있기 때문에 이 제도를 만든 빅브라더 씨를 인권침해죄와 허위사실유포죄로 기소한 것입니다.

아비투어 : 말씀 감사합니다. 잠시 쉬고 30분 뒤에 재판을 계속하도록 하겠습니다.

두 번째 재판 — 증인, 과정

아비투어 : 재판을 다시 시작하겠습니다. 검사 측에서 프로세스 씨를 증인으로 요청했습니다. 프로세스 씨 증인석으로 나와 주십시오.

화이트헤드 : 이름이 무엇입니까?

프로세스 : 프로세스(Process)입니다. '과정' 이라고도 합니다.

화이트헤드 : 프로세스 씨, 당신은 모든 것이 과정이라고 주장하시는데, 무슨 뜻입니까?

프로세스 : 존재하는 모든 것은 앞선 과정의 결과들(다수)로부터 새로운 것(하나)을 창조하는 자기실현의 과정이란 뜻입니다.

화이트헤드 : 그런 창조를 가능하게 하는 게 뭡니까?

프로세스 : 앞선 과정에서 주어진 다수를 종합하여 새로운 하나를 만들어 내는 힘이나 에너지인 '창조성' 이지요. 다수로부터 하나를 만들어 내는 것을 '창조적 전진' 이라 합니다. 우주는 이 창조적 전진의 산물들로 이루어져 있습니다.

화이트헤드 : 그런 창조적 전진을 하는 가장 기본적인 존재가 뭔가요?

프로세스 : '현실적 존재' 또는 '현실적 계기' 지요. 신뿐만 아니라 먼지까지 포함한, 존재하는 모든 것은 현실적 존재입니다. 현실적 존재가 아닌 초월적 존재나 절대적 존재 따위는 없습니다.

화이트헤드 : 다수의 다른 존재들을 하나의 자기 것으로 만드는 것이 혹시 '경험' 아닌가요? 경험이라는 것이 외부 존재들을 인식하여 자기 것으로 만드는 거잖아요.

프로세스 : 그렇습니다. 다수의 다른 존재들을 하나의 자기 것으로 만들

어 가는 과정인 현실적 존재의 창조적 전진은 바로 '경험' 입니다. 현실적 존재는 경험을 통해 자기를 만들어 가는, 자기를 실현하는 존재인 셈이지요. 뒤집어 말하면 그 경험 과정 또는 경험의 계기 자체가 현실적 존재 또는 현실적 계기입니다.

화이트헤드 : 어차피 현실적 존재는 과정이고, 그것도 경험하는 과정이라면, 경험 과정 자체가 현실적 존재라고 할 수 있겠네요.

플라톤 : 무슨 황당한 소리입니까? 그럼 돌도 경험한다는 말이요?

프로세스 : 하지요. 경험은 의식을 전제로 하지 않습니다. 의식은 경험한 것을 선택적으로 수용하는 역할만 합니다. 돌도 외부 환경을 자기 것으로 만듭니다. 석회암이 물과 이산화탄소를 받아들여 신비한 자기 모습을 만든 종유석이나 석순들을 보신 적이 있죠? 그것이 바로 돌이 외부 환경을 경험하는 방식입니다.

아비투어 : 아하, 외부 환경을 자기 것으로 만들면 모두 경험이라고 할 수 있겠네요.

플라톤 : 재판장님, 어느 한쪽 편을 들지 말고 공정한 재판을 하시기 바랍니다.

아비투어 : 오해하지 마십시오. 편을 드는 것이 아니라 증인의 증언을 이해하려고 질문한 것일 뿐입니다. 프로세스 씨 증언을 계속하십시오.

프로세스 : 재판장님 말씀대로 외부 환경을 자기 것으로 만들면 모두 경

험이라고 할 수 있습니다.

화이트헤드 : 현실적 존재가 다수의 다른 존재들에 대한 경험들을 통합하여 하나의 자기 경험으로 만드는 경험의 계기라고 하는 것은 현실적 존재가 타자 의존적이라는 말씀입니까?

프로세스 : 그렇습니다. 현실적 존재는 경험의 대상(객체)으로 다른 존재들을 필요로 하지요.

화이트헤드 : 모든 것은 외부 환경이 있어야 존재할 수 있다는 말씀이군요. 식물이 물과 공기와 햇빛이 있어야 광합성을 하며 살 수 있는 것처럼 말이죠.

프로세스 : 그렇지요. 경험 과정에서 다른 존재들을 자기 것으로 끌어들이는 개별 작용들을 '느낌' 또는 '파악'이라 합니다. 느낌이나 파악은 다른 존재들을 주관적으로나 정서적으로 평가하는 것입니다.

플라톤 : 그건 또 무슨 소리요? 느낌이라니?

프로세스 : 예를 들어 돌은 무거운 것으로, 솜은 가벼운 것으로, 빨간색은 따뜻한 것으로, 파란색은 차가운 것으로 느낍니다. 이 느낌들이나 파악들을 하나의 느낌이나 파악으로 통일시키는 과정을 '합생'이라 합니다.

아비투어 : 합생(合生)이라면 합쳐져서 함께 사는 것을 말하나요? 세포 속에 미토콘드리아가 합쳐져서 사는 것처럼 말이죠?

플라톤 : 재판관님, 잘난 척 좀 하지 마세요. 그걸 누가 모른다고 그래요.

각자의 독립성과 자율성을 그대로 유지한 채로 합쳐져서 더불어 사는 것을 합생이라고 하잖소.

프로세스 : 그래요. 합생은 '저기와 과거' 로부터 주어진 다수의 경험 객체(다른 존재)들을 통합하고 평가하여 '여기와 현재' 에 존재하는 하나의 경험 주체(자신)로 만들어 가는 과정인 것입니다.

화이트헤드 : 증언 감사합니다.

플라톤 : 도대체 이 증언이 이번 사건과 무슨 관계가 있단 말이요?

화이트헤드 : 모든 존재는 끊임없이 외부 환경을 받아들여 자기 것으로 만들어 자기를 실현하는 과정 속에 있다고 하지 않았습니까? 성범죄자도 마찬가지입니다. 성범죄자가 영원히 성범죄자로 머무는 것이 아니라 외부 환경이 따뜻하게 보듬어 주면 그 사랑을 자기 것으로 만들어 따뜻한 새 사람으로 거듭날 수 있습니다.

플라톤 : 무슨 소리요? 성범죄자는 달라요. 다시 범죄를 저지르는 재범률이 80%나 된다고 하지 않소. 성범죄자는 영원히 성범죄자일 뿐이오. 새 사람이 되다니, 가당치도 않소.

화이트헤드 : 어떤 통계자료를 보셨는지 모르겠으나, 경찰청이 2006년에 국회에 제출한 강력 범죄자 전과에 관한 자료에는 재범률이 53%입니다.

플라톤 : 80%나 50%나 많기로는 그게 그거 아니겠소.

화이트헤드 : 살인이나 강도나 방화 같은 다른 강력 범죄자의 재범률이 각

각 58%, 62%, 68%로 강간 성폭력 성범죄자의 재범률보다 높습니다. 성범죄자만 재범률이 높다는 것은 확실하게 오해입니다.

플라톤 : 그럼, 그들도 전자 팔찌를 채우면 되잖소.

화이트헤드 : 제가 말한 것은 성범죄자에게만 해당되는 문제가 아닙니다. 다른 범죄자들도 따뜻하게 보듬어 주면 새 사람이 될 수 있다는 말입니다. 게다가 다시 범죄를 저지르지 않는 사람들까지 전자 팔찌를 채우는 일은 명백한 인권침해가 분명합니다.

플라톤 : 그래서 전과 2범부터 채우겠다고 하지 않소.

화이트헤드 : 두 번만 저지르고 다시 범죄를 저지르지 않는 사람들도 많습니다.

플라톤 : 인권, 인권 하는데 범죄자의 인권보다 피해자의 인권을 보장하는 게 더 중요하지 않소?

화이트헤드 : 인권은 사람이면 누구나 존중받아야 할 평등한 권리입니다. 범죄자보다 피해자의 인권이 더 중요하다는 것은 인권의 본질을 몰라서 하는 말씀입니다. 게다가 범죄자는 형을 살고 나면 더 이상 범죄자가 아닙니다. 다른 사람들과 똑같은 권리를 누려야 합니다. 더구나 모든 존재는 더불어 사는 삶의 방식인 합생을 본성으로 가지고 있습니다. 성범죄자들이 가지고 있는 합생의 본성을 키워 주지는 못할망정 전자 팔찌를 채워 감시하고 격리하여 합생과 정반대가 되는 고립감과 증오감을 키운

다면 그들은 더욱 잔인해질 수밖에 없습니다. 더 이상 빼앗길 것이 없는 사람들은 무서울 것이 없습니다. 법도 죽음도 두렵지 않습니다.

플라톤 : 아니, 원래 그렇게 잔인한 사람들 아닙니까? 뭘 더 잔인해질 게 있겠소.

화이트헤드 : 그렇게 단정하지 마십시오. 예부터 죄는 미워해도 사람을 미워하면 안 된다고 했습니다. 사람은 새 사람이 될 수 있는 희망이 있기 때문입니다.

아비투어 : 논쟁이 치열하군요. 이번 재판은 여기서 마치겠습니다. 수고하셨습니다. 다음 재판에서 뵙겠습니다.

세 번째 재판 — 증인, 스파이더맨

아비투어 : 재판을 시작하겠습니다. 검사 측에서 스파이더맨을 증인으로 요청했습니다. 스파이더맨 씨는 증인석으로 나와 주시기 바랍니다.

화이트헤드 : 이름을 왜 스파이더맨이라고 지었습니까?

스파이더맨 : 우주에 있는 모든 것이 서로 연결되어 있는 거미줄(네트워크)이니까 그 속에서 사는 우리들은 스파이더맨이라는 뜻으로 지었습니다.

화이트헤드 : 그러니까 우리가 보는 현실적 존재들이 서로 연결되어 우주

를 이루고 있다는 거죠?

스파이더맨 : 그렇습니다. 하지만 현실적 존재는 우주를 구성하는 존재지만 너무 작은 미시적 존재기 때문에 우리가 감각으로 경험하기 어렵습니다. 보통 우리가 감각으로 경험하는 것은 다수의 현실적 존재들이 하나로 결합된 커다란 거시적 존재지요. 이것을 '결합체' 라 합니다. 우리가 보는 일상의 사물들이나 신체들이 바로 결합체입니다.

플라톤 : 일상적인 사물들 말고도 '나무' 나 '돌' , '자유' 나 '평화' 같은 추상적인 개념들도 있잖소?

스파이더맨 : 그런 추상적인 존재들은 모두 현실적 존재에서 파생된 것들입니다. 그것들은 변하지 않기 때문에 '영원한 객체들' 이라고 부릅니다.

플라톤 : 제가 말하는 '이데아' 라고 보면 됩니까?

스파이더맨 : 그래요. 그것들은 감각 패턴들, 기하학 패턴들, 수학 패턴들, 정서 패턴들, 의지 패턴들로 현실적 존재를 규정하는 가능한 형식들입니다.

플라톤 : 그것들은 현실적 존재와 무슨 관계가 있소?

스파이더맨 : 현실적 존재는 이 무한히 가능한 형식들 가운데 일부를 선택하여 그 형식(패턴)을 통해 경험 객체들을 파악함으로써 그 자신을 규정함으로써 한정하지요.

화이트헤드 : 특정한 파장의 빛들을 '빨강' , '노랑' , '파랑' 과 같은 패턴

들을 통해 빨간색, 노란색, 파란색으로 파악하는 것인가요?

스파이더맨 : 그렇습니다. 앞선 현실적 존재들을 파악하는 것을 물리적 느낌이라 하고, 영원한 객체들을 파악하는 것을 개념적 느낌이라 합니다. 물리적 느낌으로 이루어지는 현실적 존재의 측면을 물리적 극이라 하고, 개념적 느낌으로 이루어지는 현실적 존재의 측면을 정신적 극이라 하지요.

플라톤 : 느낌이라니? 감각하는 것과 같소?

스파이더맨 : 비슷하지만 정신적인 인식까지 포함하는 더 넓은 의미를 뜻합니다.

화이트헤드 : 그러면 새로운 것을 만들어 내는 창조적인 활동은 둘 중 어느 것에서 이루어지나요?

스파이더맨 : 물리적 극은 과거의 현실적 존재들을 순응적으로 수용하는 물리적 활동의 측면이고, 정신적 극이 새로운 가능성을 끌어들이는 창조적 활동의 측면입니다. 이 창조적 활동의 극단이 의식 활동이지요. 모든 현실적 존재는 이 두 가지 극을 가지고 있습니다.

플라톤 : 그럼, 사회라는 것은 어떻게 설명할 수 있소?

스파이더맨 : 영원한 객체들(형식이나 패턴들)은 현실적 존재들의 결합체에 잇달아 반복해서 실현될 수 있습니다. 특정한 영원한 객체들이 잇달아 반복해서 실현되는 결합체가 바로 '사회' 입니다.

아비투어 : 그 반복되는 영원한 객체들이 혹시 사회질서가 아니오?

스파이더맨 : 맞아요. 이 결합체를 규정함으로써 한정하는 특정한 영원한 객체들을 질서 또는 '한정하는 특성들' 이라고 하지요. 이 질서 또는 한정하는 특성들의 반복으로부터 사회의 정체성이 생깁니다. 한국 사회와 미국 사회가 서로 다른 것은 반복되는 특성들이 다르기 때문입니다.

플라톤 : 사회를 이루지 않고 혼자 독립되어 있는 것도 있지 않소? 고독한 킬리만자로의 표범처럼.

화이트헤드 : 어떻게 고대 그리스인이 조용필 씨의 노래를 아십니까?

플라톤 : 아니, 소리를 얼마나 질러대는지 하늘까지 시끄러워서 듣지 않을 수 없었소. "먹이를 찾아 산기슭을 어슬렁거리는 하이에나를 본 일이 있는가, 짐승의 썩은 고기만을 찾아다니는 산기슭의 하이에나, 나는 하이에나가 아니라 표범이고 싶다. 산정 높이 올라가 굶어서 얼어 죽는 눈 덮인 킬리만자로의 그 표범이고 싶다." 멋있지 않소. 더러운 타협보다 깨끗한 고독을 즐기는 킬리만자로의 표범!

아비투어 : 진정하십시오. 여기는 신성한 법정입니다.

플라톤 : 죄송합니다. 저도 모르게 감정이 북받쳐서…….

스파이더맨 : 하지만 고립된 삶이란 환상일 뿐입니다. 표범들끼리의 작은 사회라는 관점에서 보면 다른 표범들과 어울리지 않고 혼자 지내기 때문에 독립적인 삶을 사는 것처럼 보이지만, 보다 큰 사회인 생태계라는 관

점에서 보면 그도 그가 속한 생태계의 질서에 따라 다른 구성원들과 서로 의존하며 연결되어 살고 있습니다.

화이트헤드 : 다만 사람들이 작은 사회만 생각하고 그가 속하는 보다 큰 사회의 질서를 보지 못해서 마치 독립된 것처럼 보이는 거군요.

스파이더맨 : 그렇습니다. 그 표범은 혼자 사는 것처럼 보이지만, 사실은 자신이 속한 생태계 속에서 그 반복되는 특정한 질서에 따라 살고 있습니다.

화이트헤드 : 그 질서는 변하지 않나요?

스파이더맨 : 물론 변하지요. 사회는 끊임없이 과거의 질서로부터 새로운 질서를 창조하는 과정에 있어요.

플라톤 : 그럼, 우주는 어떻게 설명할 수 있소?

스파이더맨 : 이러한 사회들이 그 사회들의 결합체인 더 큰 사회를 이루고, 이 더 큰 사회들은 그 더 큰 사회들의 결합체인 더욱 더 큰 사회를 이룹니다. 이러한 과정은 계속되며 마지막에 이르는 가장 큰 사회가 우주입니다. 따라서 우주라는 것은 특정한 영원한 객체들(형식이나 패턴들)이 잇달아 반복해서 실현되는 네트워크인 셈이지요.

플라톤 : 하지만 우주의 질서는 변하지 않잖소?

스파이더맨 : 지금의 우주가 특정한 질서로 규정됨으로써 한정되어 있으므로 변하지 않는 것처럼 보이지만, 사실은 끊임없이 새로운 질서를 창

조합으로써 새로운 우주를 향해 창조적인 전진을 하고 있습니다.

플라톤 : 그런데 이 증언들이 이번 사건과 무슨 상관이 있소?

화이트헤드 : 모든 존재는 서로 의존하며 연결되어 있습니다. 성범죄자들도 사회를 이루는 구성원들이므로, 심지어 사회는 범죄자에게도 의존합니다. 사회의 밝은 미래를 꿈꿀 수 있는 것은 범죄자를 철저히 감시하고 격리할 수 있는 사회의 능력을 믿기 때문이 아니라 사회의 따뜻한 격려를 밑거름으로 삼아 건강한 시민으로 거듭날 수 있는 범죄자의 자정 능력에 대한 희망과 믿음 때문입니다. 그들을 전자 팔찌를 채워 격리시키지 말고 함께 사회의 질서를 만들어 가야 합니다.

플라톤 : 범죄자는 범죄자일 뿐이오. 그들은 결코 변하지 않소. 그들을 철저히 격리시키는 것만이 사회를 밝게 만드는 유일한 길이오.

화이트헤드 : 세상에 변하지 않는 것은 없습니다. 저기와 과거에 있는 성범죄자를 전자 팔찌로 배척하거나 격리시키지 않고 적극적으로 끌어안고 여기와 현재로 끌어내어 하나의 공동체 성원으로 만들어가는 합생이야말로 사회의 밝은 미래로 창조적으로 전진하는 길입니다.

아비투어 : 이것으로 재판이 막바지에 이르렀습니다. 이제 아비투어 철학법정 배심원 여러분의 판결만 남았습니다. 성범죄자들에게 전자 팔찌를 채워 감시하고 격리하려고 하는 빅브라더 씨가 죄가 있는지 없는지 판결을 내려 주십시오. 그 이유도 함께 써 주십시오.

배심원들 : (중얼중얼) 여기 저희들이 내린 판결입니다.

판 결 문

____
____
____
____
____
____
____
____
____
____

배심원 :

(서명)

실전 논술

논술 문제

case 1 다음 제시문을 읽고 답하시오.

가 수업이 끝나고 주번이었던 나와 예린이는 단 둘이 교실에 남아 뒷정리를 하게 되었어. 저 새침데기 공주님이 일이나 제대로 하겠어? 나는 바쁘게 움직였어. 예린이도 부지런히 일하면서 별 말이 없더라. 도도한 척하기는.

말없이 서로 쓰레기통을 들고 소각장으로 향하다가 나는 정말 아무렇지도 않게 지나가는 말처럼 들리기를 바라면서 슬쩍 말을 건넸어.

"넌 키도 크고 어른스러워서 좋겠다."

"너도 귀엽고 예쁘잖아. 난 그게 부럽던데?"

나는 뜬금없는 예린이의 말에 화들짝 놀라고 말았어. 혹시 나를 놀리는 건가? 이렇게 세상 부러울 것 없이 완벽한 애가 지금 나 보고 부럽다고 말을 하는 거야? 말도 안 돼.

"놀리지 마. 너 같은 애가 뭐가 모자라서 날 부러워하니?"

"난 어른스럽다는 말보다 귀엽다는 말이 더 좋아. 그런 말을 한 번도 들어본 적이 없거든."

나는 새삼스럽게 예린이를 바라봤어. 잘난 척도 하고 도도할 거라고 생각했었는데 생각했던 것보다 훨씬 착하고 멋진 아이 같았어.

"넌 이담에 커서 뭐가 되고 싶어? 바이올리니스트?"

"응…… 물론 훨씬 더 노력해야하겠지만……."

"넌 지금도 바이올린 잘 켜잖아. 다들 네가 바이올린 신동이라고 그러는데 뭘."

"지금의 나는 노력하는 과정이야. 정말 멋진 바이올리니스트가 되기 위해서. 지금은 내가 일등이라고 해도 언젠가는 꼴지가 될지도 모르잖아. 모든 건 다 변하는 것 같아."

나는 왠지 그렇게 말하는 예린이가 좀 힘들어 보였어. 하지만 예린이는 곧 아무렇지도 않다는 듯이 나를 보고 활짝 웃으면서 말했지.

"그래도 괜찮아. 내가 하고 싶은 일이니까. 난 누구보다 열심히 할 거고 그 결과에 만족할거야. 세상 모든 것들이 변하지 않고 그대로 있으면 얼마나 지루하고 재미없겠어? 뭔가 변화하고 달라져야 긴장감도 생기고 그러지 않을까?"

나도 그런 예린이를 보고 활짝 웃어줬어.

"실은 영아야, 이건 비밀인데 나 말이야. 이 키가 거의 다 큰 키래. 어쩌면 앞으로 네가 나보다 더 클 수도 있을 걸."

"뭐? 정말?"

나는 깜짝 놀라서 소리쳤다가 나도 모르게 내 입을 막았어. 너무 좋아하는 것 같잖아.

예린이가 그렇게 말해 주니까 나도 모르게 그동안 송곳처럼 삐죽삐죽하던 마음들이 눈 녹듯이 풀어졌어. 나도 모르게 내 비밀을 다 털어놓고 싶은 기분이 드는 거야. 그래서 용기를 내어 예린이에게 말했어.

"그래서 자꾸 키가 크고 싶다고 한 거였구나."

나는 영국에서 대학생인 승주오빠를 만난 일, 승주오빠를 보고 좋아하게 된 일이랑 얼마 전 승주오빠에게서 받은 사진 속에서 본 여자 얘기까지 숨도 쉬지 않고 다 말해 버렸어. 그렇게 털어놓고 나니 마음은 한결 가벼워졌는데 한편으로는 괜히 말했나 싶은 후회도 살짝 밀려왔어. 그때 예린이가 말했어.

"나도 비슷한 경험이 있는데."

"뭐? 너도? 무슨 일이었는데?"

"실은, 나도 바이올린을 이렇게 열심히 하게 된 거, 다 어떤 오빠 때문이었어. 음악회 공연을 보러 갔다가 바이올린을 연주하는 정말 멋진 오빠를 본 거야. 그때 그 오빠는 고등학생이었는데 곧 유학을 떠난다고 했어."

예린이는 그 오빠를 만난 후에, 꼭 그 오빠처럼 멋진 바이올리니스트가 되고 싶었대. 그리고 언젠가는 더 멋진 모습으로 오빠 앞에 서고 싶었다는 거야.

"그럼, 네 목표는 결국 그 오빠에게 어울리는 사람이 되는 거겠네?"

"시작은 그랬는데 지금은 꼭 그렇지만도 않아."

"무슨 소리야?"

"지금 나는 오빠와 상관없이 꼭 훌륭한 바이올리니스트가 되고 싶어. 열심히 연습하다 보니까 나도 모르게 최고가 되고 싶다는 생각이 들어."

"마음이 달라졌다는 거니? 모든 게 다 변하는 것처럼?"

"아니, 오빠를 좋아하는 마음은 그대로야. 하지만 다른 더 큰 꿈이 생긴 거지."

내가 오빠를 좋아하는 마음도 언젠가는 변하게 될까? 나는 왠지 기분이 우울해져 버렸어.

"변한다는 게 꼭 나쁜 것만은 아니야. 너도 지금 이 상태로 그대로 머문다면 싫을 걸? 정말 멋진 어른이 되기 위해 노력하는 거야. 우리는 하나씩 경험하면서 변하는 거야. 우리가 이렇게 변해가면서 어른이 되기 위해 필요한 것들을 하나씩 얻어간다고 생각해. 아직 우리는 부족한 게 많잖아. 그러니까 그 부족한 점을 목표를 향해 가면서 얻고, 또 다른 목표를 향해 가면서 얻는 거야. 그게 우리가 어른이 되는 과정이라고 생각해."

나도 예린이를 보고 웃어 줬어. 역시 마음까지도 참 어른스럽고 멋진 친구야. 나는 그동안 어른이 되고 싶다 말은 하면서도 전혀 이런 모습을 보여 주지 못했는데, 이젠 나도 왠지 멋진 어른이 될 수 있을 것 같아.

— 《화이트헤드가 들려주는 과정이야기》 중에서

나 삼손은 천하장사다. 아무도 그를 쓰러뜨릴 수 없다. 하지만 그에게도 치명적인 약점이 있다. 데릴라가 머리카락을 뽑아 힘을 잃자 그는 독재라는 사악한 독사들에게 씨름 경기 때마다 순간적으로 놀라운 힘을 내게 하는 마약을 사서 먹었다. 그는 심판들에게 모른 체해 달라고 경기 때마다 돈을 주었다. 마약의 놀라운 힘에 당할 자가 없었다. 그는 마약만 믿지 말고 머리카락을 키우자는 코치의 말을 무시하고, 독사들에게 마약을 사는 데만 열중했다.

어느 날 삼손의 코치가 양심선언을 했다. 삼손이 독재라는 독사들에게 마약을 사서 먹었다고. 하지만 삼손에게 마약을 판 독사들의 부하들이 삼손을 수사했다.

수사가 제대로 될 리 없었다. 독사들의 부하들은 삼손에게 아무런 죄가 없다고 발표했다. 심지어 근거 없는 모함을 했다고 코치를 허위 사실 날조 죄로 고발했다.

삼손은 마약으로 여전히 천하장사 자리를 지켰다. 하지만 멋진 기술력을 원했던 구경꾼들이 세련된 기술 없는 무식한 괴력으로만 씨름판을 휩쓰는 삼손의 경기에 싫증을 냈다. 경기에 싫증이 난 구경꾼들 중에 삼손의 마약 심부름꾼들도 많이 있었다. 그들이 연달아 양심선언을 했다. 그들은 독사들에게 마약을 사 온 영수증들을 증거로 제출했다. 독사들은 사실이 아니라고 완강히 부인했다. 하지만 구경꾼들이 삼손과 독사들의 더러운 범죄행위에 분노해서 그들이 마약 거래를 할 수 없도록 직접 감시했다.

삼손은 더 이상 마약을 얻을 수 없자 이제 머리카락을 키우려고 온갖 노력을 다 기울였다. 하지만 그는 곧 그가 먹은 마약이 놀라운 힘을 내게 해준 대신에 머리카락이 자랄 수 없도록 머리카락의 뿌리를 없앴다는 사실을 깨달았다. 삼손은 자신의 어리석음을 뒤늦게 후회했지만 소용이 없었다. 없어진 뿌리에서 머리카락이 나올 리가 없었다.

다 우리에게 '관포지교' 이야기로 낯익은 관중이란 사람은 자신이 모시던 왕을 배신하고 그 원수를 도왔다. 공자는 관중을 문명을 보전한 영웅이라고 칭찬했지만, 공자의 제자 자로는 그를 배신자라고 비판했다. 자신이 섬기던 왕에게 충성을 맹세한 약속을 어겼기 때문이다. 자로의 생각을 이은 것이 일본 사무라이들이다.

이들은 자신들이 섬기는 왕이 옳은 사람인지 그른 사람인지를 따지지 않았다. 왕이 아무리 옳지 못한 명령을 내려도 목숨을 걸고 명령에 따랐다. 사무라이는 그것을 '의리'라고 믿었다. 와타나베 히로시 도쿄대 교수는 이것을 "개의 윤리"라고 비판했다.

공자의 생각은 자로와 달랐다. 이른바 관중이 배신한 것은 사소한 약속일 뿐이며, 그는 참된 약속을 지켰다는 것이다. 공자는 개인이나 조직에 복종하겠다는 약속은 '사소한 약속'이며, 공동체의 정의를 실현하겠다는 약속이 '참된 약속'이라고 보았다. 따라서 공자는 "참된 약속은 굳게 지키되, 사소한 약속에는 휘둘리지 않는 존재"가 참된 사람이라고 말했다. 이 생각을 이은 것이 조선의 선비였다. 이들은 왕이 옳지 못하다고 생각하면 왕에게 상소문을 올렸고, 왕이 하는 일이 의리에 어긋난다고 판단되면 제 목을 칠 도끼를 들고서 광화문 앞에서 농성하기를 서슴지 않았다.

흥미롭게도 일본식 사무라이와 조선식 선비는 똑같이 사(士)로 표기한다. 다만 선비가 공동체를 위해 몸을 바쳐야 한다고 마음을 다잡았던 반면, 사무라이는 조직을 위해 충성해야 한다고 믿었던 점에서 다르다. 사무라이는 왕에게 몸을 바쳐 땅을 얻었지만, 선비는 공동체를 위해 애쓰다가 죽어 명예를 얻었다. 이 전통은, 잃어버린 나라를 위해 몸을 던진 안중근을 의로운 선비, 곧 '의사'로 기리는 데까지 이어진다. 그렇다면 '사' 앞에는 딱 두 길이 있을 뿐이다. 조직의 의리에 몸 바치는 기술을 가지고 있는 자인 기사(技士)의 길과 공동체의 의리에 투신하는 선비의 길이다.

요즘 자신이 직원으로 일하던 삼성그룹의 비리를 고발한 김용철 변호사를 두고서도 옳고 그름에 대한 평가가 나뉜다. 한쪽에선 그것을 정의로운 행동으로 평가하고, 또 한쪽은 조직에 대한 배신으로 흘겨본다. (……)

변호사란 무엇인가? 고객의 이익을 위해 봉사하는 기사인가, 아니면 공동체의 정의를 보호하는 선비인가? 개인의 이익에 몰두할수록 공동체의 이익이 증진된다는 논리를 따르는 이 냉혹한 자본주의 사회에서 웬 생뚱맞은 질문일까 싶지만, 이 땅은 또 나름의 고유한 철학 위에 서 있는 곳이다. 오랜 세월 우리 조상들은 '선비'라는 이름에 걸맞게 살기 위해 목숨을 걸고 싸워 왔다. 그러므로 변호사의 끄트머리 '사'가 안중근 의사의 '사'와 같은 의미라는 점을 환기시키는 것이 또 주제넘은 짓만은 아니리라.

곧 생긴다는 법학대학원인 로스쿨이 고작 법 기술자를 만드는 공장이 아니라 공동체의 정의를 수호할 참된 변호사를 기르는 학교가 되기를 바라는 것도 이 이유에서다. 또 변호사를 고객과의 작은 약속에 충실한 기술자로 머물게 둘 것인지, 아니면 사회정의라는 큰 약속의 수호자로 격려할 것인지도 지금 '김용철 사건'을 바라보는 우리 눈길에 달려 있다.

— 배병삼, '개의 윤리'(한겨레, 2007년 12월 13일자) 수정

라 아비투어 : 재판을 다시 시작하겠습니다. 검사 측에서 프로세스 씨를 증인

으로 요청했습니다. 프로세스 씨 증인석으로 나와 주십시오.

화이트헤드 : 이름이 무엇입니까?

프로세스 : 프로세스(Process)입니다. '과정' 이라고도 합니다.

화이트헤드 : 프로세스 씨, 당신은 모든 것이 과정이라고 주장하시는데, 무슨 뜻입니까?

프로세스 : 존재하는 모든 것은 앞선 과정의 결과들(다수)로부터 새로운 것(하나)을 창조하는 자기실현의 과정이란 뜻입니다.

화이트헤드 : 그런 창조를 가능하게 하는 게 뭡니까?

프로세스 : 앞선 과정에서 주어진 다수를 종합하여 새로운 하나를 만들어 내는 힘이나 에너지인 '창조성' 이지요. 다수로부터 하나를 만들어 내는 것을 '창조적 전진' 이라 합니다. 우주는 이 창조적 전진의 산물들로 이루어져 있습니다.

화이트헤드 : 그런 창조적 전진을 하는 가장 기본적인 존재가 뭔가요?

프로세스 : '현실적 존재' 또는 '현실적 계기' 지요. 신뿐만 아니라 먼지까지 포함한, 존재하는 모든 것은 현실적 존재입니다. 현실적 존재가 아닌 초월적 존재나 절대적 존재 따위는 없습니다.

화이트헤드 : 다수의 다른 존재들을 하나의 자기 것으로 만드는 것이 혹시 '경험' 아닌가요? 경험이라는 것이 외부 존재들을 인식하여 자기 것으로 만드는 거잖아요.

프로세스 : 그렇습니다. 다수의 다른 존재들을 하나의 자기 것으로 만들어 가는

과정인 현실적 존재의 창조적 전진은 바로 '경험' 입니다. 현실적 존재는 경험을 통해 자기를 만들어 가는, 자기를 실현하는 존재인 셈이지요. 뒤집어 말하면 그 경험 과정 또는 경험의 계기 자체가 현실적 존재 또는 현실적 계기입니다.

화이트헤드 : 어차피 현실적 존재는 과정이고, 그것도 경험하는 과정이라면, 경험 과정 자체가 현실적 존재라고 할 수 있겠네요.

플라톤 : 무슨 황당한 소리입니까? 그럼 돌도 경험한다는 말이에요?

프로세스 : 하지요. 경험은 의식을 전제로 하지 않습니다. 의식은 경험한 것을 선택적으로 수용하는 역할만 합니다. 돌도 외부 환경을 자기 것으로 만듭니다. 석회암이 물과 이산화탄소를 받아들여 신비한 자기 모습을 만든 종유석이나 석순들을 보신 적이 있죠? 그것이 바로 돌이 외부 환경을 경험하는 방식입니다.

아비투어 : 아하, 외부 환경을 자기 것으로 만들면 모두 경험이라고 할 수 있겠네요.

플라톤 : 재판장님, 어느 한쪽 편을 들지 말고 공정한 재판을 하시기 바랍니다.

아비투어 : 오해하지 마십시오. 편을 드는 것이 아니라 증인의 증언을 이해하려고 질문한 것일 뿐입니다. 프로세스 씨 증언을 계속하십시오.

프로세스 : 재판장님 말씀대로 외부 환경을 자기 것으로 만들면 모두 경험이라고 할 수 있습니다.

화이트헤드 : 현실적 존재가 다수의 다른 존재들에 대한 경험들을 통합하여 하나의 자기 경험으로 만드는 경험의 계기라고 하는 것은 현실적 존재가 타자 의존

적이라는 말씀입니까?

프로세스 : 그렇습니다. 현실적 존재는 경험의 대상(객체)으로 다른 존재들을 필요로 하지요.

화이트헤드 : 모든 것은 외부 환경이 있어야 존재할 수 있다는 말씀이군요. 식물이 물과 공기와 햇빛이 있어야 광합성을 하며 살 수 있는 것처럼 말이죠.

프로세스 : 그렇지요. 경험 과정에서 다른 존재들을 자기 것으로 끌어들이는 개별 작용들을 '느낌' 또는 '파악' 이라 합니다. 느낌이나 파악은 다른 존재들을 주관적으로나 정서적으로 평가하는 것입니다.

플라톤 : 그건 또 무슨 소리요? 느낌이라니?

프로세스 : 예를 들어 돌은 무거운 것으로, 솜은 가벼운 것으로, 빨간색은 따뜻한 것으로, 파란색은 차가운 것으로 느낍니다. 이 느낌들이나 파악들을 하나의 느낌이나 파악으로 통일시키는 과정을 '합생' 이라 합니다.

아비투어 : 합생(合生)이라면 합쳐져서 함께 사는 것을 말하나요? 세포 속에 미토콘드리아가 합쳐져서 사는 것처럼 말이죠?

플라톤 : 재판관님, 잘난 척 좀 하지 마세요. 그걸 누가 모른다고 그래요. 각자의 독립성과 자율성을 그대로 유지한 채로 합쳐져서 더불어 사는 것을 합생이라고 하잖소.

프로세스 : 그래요. 합생은 '저기와 과거' 로부터 주어진 다수의 경험 객체(다른 존재)들을 통합하고 평가하여 '여기와 현재' 에 존재하는 하나의 경험 주체(자

신)로 만들어 가는 과정입니다.

화이트헤드 : 증언 감사합니다.

플라톤 : 도대체 이 증언이 이번 사건과 무슨 관계가 있단 말입니까?

화이트헤드 : 모든 존재는 끊임없이 외부 환경을 받아들여 자기를 실현하는 과정 속에 있다고 하지 않았습니까? 성범죄자도 마찬가지입니다. 성범죄자가 영원히 성범죄자로 머무는 것이 아니라 외부 환경이 따뜻하게 보듬어 주면 그 사랑을 자기 것으로 만들어 따뜻한 새 사람으로 거듭날 수 있습니다.

— 아비투어 철학논술, 〈화이트헤드 (초급)〉 중에서

1. 제시문 (가)에서 영아가 예린이와의 주변 경험과 대화를 통해 변한 것들을 찾아보시오. (500자 내외)

2. 제시문 (가)에서 '멋진 어른' 이 된다는 것의 의미를 제시문 (다)의 '선비' 가 된다는 것의 의미와 비교하여 설명하시오. (400자 내외)

3. 김용철 변호사가 자신이 직원이었던 삼성그룹의 비리를 고발한 행위가 '배신' 인지, '양심선언' 인지에 대한 여러분의 생각을 제시문들을 참고하여 써 보시오. (600자 내외)

생각 쓰기

생각 쓰기

생각 쓰기

case 2 다음 제시된 그림과 지문을 보고 답하시오.

가 이 세상에 약 5억 마리의 동물들이 매년 실험으로 고통을 받고 있다. 마취도 없이 두개골을 열거나, 배를 가르거나, 독가스를 마시게 하거나, 뱃속의 새끼를 죽인 뒤 자궁을 해부한다. 경련을 일으키거나, 눈과 입으로 피를 쏟거나, 고통 때문에 자신을 물어뜯기도 한다.

동물 실험과 해부의 역사는 2천5백년이 넘는다. 역사상 기록에 남아 있는 최초의 동물 해부를 한 사람은 고대 그리스의 자연과학자이자 철학자인 아리스토텔레스였다. 하지만 근대 과학이 발달하기까지는 그렇게 활발하지 않았다. 그러나 최근에 와서 유전공학이 발달하면서 급격히 늘어났다.

1956년 동물 실험의 '체르노빌 사건' 이라고 불리는 비극이 일어났다. 비극의 진원지는 독일의 그루넨탈이란 제약회사였다. 그 회사는 임신한 여성들이 입덧을 하는 것을 억제하는 약인 탈리도마이드를 개발하였다. 생쥐, 쥐, 기니피그, 토끼로 실험하여 그 약의 안정성을 확인했다. 그 다음해 '역사상 가장 안전한 기적의 알약' 이라고 선전하며 시장에 선보였다. 그 뒤 세계에 기형아들이 급격히 증가했다. 원인은 바로 이 '역사상 가장 안전한 기적의 알약' 이었다. 이 약으로 46개국에서 약 1만 명의 기형아들이 태어났다.

1962년 이 회사는 다시 개, 고양이, 닭, 햄스터 등 더욱 다양한 동물들로 더욱 철저한 동물 실험을 했다. 실험 결과 이 약은 그 동물들에게 아무런 문제도 일으키지 않았다. 당연한 결과였다. 인간과 동물에게 공통된 병은 1.16%에 지나지 않기 때문이다.

나 소년들이 놀고 있는 동산 위로 기러기 떼가 허공을 가로질러 날아가고 있었습니다. 한 소년이 기러기를 향해 활을 쏘았습니다. 그러자 다른 소년들도 활을 쏘기 시작했습니다. 화살이 허공을 갈랐습니다. 그러나 모두 기러기에는 미치지 못했습니다. 그것을 보고 마음을 놓는 한 소년이 있었습니다. 싯다르타였습니다. 그는 활을 쏠까 말까 망설였습니다.

옆에서 활을 쏘고 있던 친구 데바닷타가 싯다르타에게 말했습니다.

"너는 왜 안 쏘니?"

"나는 힘이 없어서 못 맞힐 것 같아서 그래."

"그것도 못 맞히니? 나는 꼭 기러기를 잡아서 사람들에게 뽐낼 거야."

데바닷타는 다시 화살을 메겨 힘껏 활을 당겼습니다.

싯다르타는 활을 쏘기 싫어서 궁궐로 돌아왔습니다. 기러기가 화살에 맞지 않기를 바랐습니다. 아이들에게, '기러기가 불쌍하지도 않니? 우리 그만두자' 라고 말하지 않은 것이 후회가 되었습니다. 마음을 가라앉히려고 정원을 거닐었습니다.

그 때, 싯다르타는 하늘에서 무엇인가가 정원 쪽으로 떨어지는 것을 보았습니다. 가까이 다가가 살펴보니, 화살을 맞은 기러기였습니다. 아직 숨이 끊어지지 않은 채, 가쁜 숨을 몰아쉬고 있었습니다.

"불쌍하기도 해라. 걱정 마라, 내가 돌보아 줄 테니!"

싯다르타는 화살에 맞은 기러기를 조심스럽게 안고 궁궐로 들어가 깃털과 살을 뚫은 화살을 조심스럽게 뽑았습니다. 그러자 화살을 뽑은 자리에서 피가 흘러내렸습니다. 싯다르타는 피를 멎게 하는 가루약을 상처에 뿌리고 붕대를 감아 주었습니다. 그 기러기는 데바닷타의 화살을 맞고 떨어진 것이었습니다.

한편, 데바닷타는 기러기가 궁궐에 떨어졌다는 말을 듣고, 하인을 보내 기러기를 달라고 하였습니다.

그러자 싯다르타는 데바닷타의 하인에게 이렇게 말했습니다.

"그 기러기는 상처가 심해서 내가 돌보고 있는 중이다. 데바닷타가 기러기를 어디에 쓰려고 하는지 내가 너무 잘 알고 있으니, 죽어 가는 기러기를 돌려줄 수 없구나. 가서 그렇게 전해라."

— 초등학교, 《도덕 6》 중에서

다 우리는 인간과 자연이 대립적인 관계가 아니라 상호 보완적인 관계에 있음을 인식하고, 환경이 더 이상 훼손되거나 오염되지 않도록 우리의 생각과 행동을 개선해 나가야 한다. (……)

우리는 인간이 자연의 지배자가 아니라 자연의 한 구성원일 뿐이라는 사실을 받아들여야 한다. 또, 우리 인간은 자연의 일부로서 자연과 서로 조화를 이루면서 살아야 한다는 사실을 인정해야 한다. 아울러 지구상의 모든 생명체는 저마다 독자적이고 고유한 가치를 지니고 있으므로, 인간이 함부로 생태계를 파괴해서는 안

된다는 사실을 명심해야 한다.

— 고등학교, 〈시민윤리〉 (교육인적자원부) 수정

라 아비투어 : 스파이더맨 씨 증인석으로 나와 주십시오.

화이트헤드 : 이름을 왜 스파이더맨이라고 지었습니까?

스파이더맨 : 우주에 있는 모든 것이 서로 연결되어 있는 거미줄(네트워크)이니까 그 속에서 사는 우리들은 스파이더맨이라는 뜻으로 지은 것입니다.

화이트헤드 : 그러니까 우리가 보는 현실적 존재들이 서로 연결되어 우주를 이루고 있다는 거죠?

스파이더맨 : 그렇습니다. 하지만 현실적 존재는 우주를 구성하는 존재지만 너무 작은 미시적 존재기 때문에 우리가 감각으로 경험하기 어렵습니다. 보통 우리가 감각으로 경험하는 것은 다수의 현실적 존재들이 하나로 결합된 커다란 거시적 존재지요. 이것을 '결합체' 라 합니다. 우리가 보는 일상의 사물들이나 신체들이 바로 결합체입니다.

플라톤 : 일상적인 사물들 말고도 '나무' 나 '돌', '자유' 나 '평화' 같은 추상적인 개념들도 있잖소?

스파이더맨 : 그런 추상적인 존재들은 모두 현실적 존재에서 파생된 것들입니다. 그것들은 변하지 않기 때문에 '영원한 객체들' 이라고 부르는 것입니다.

플라톤 : 제가 말하는 '이데아' 라고 보면 됩니까?

스파이더맨 : 그래요. 그것들은 감각 패턴들, 기하학 패턴들, 수학 패턴들, 정서 패턴들, 의지 패턴들로 현실적 존재를 규정하는 가능한 형식들입니다.

플라톤 : 그것들은 현실적 존재와 무슨 관계가 있소?

스파이더맨 : 현실적 존재는 이 무한히 가능한 형식들 가운데 일부를 선택하여 그 형식(패턴)을 통해 경험 객체들을 파악함으로써 그 자신을 규정함으로써 한정하지요.

화이트헤드 : 특정한 파장의 빛들을 '빨강', '노랑', '파랑' 과 같은 패턴들을 통해 빨간색, 노란색, 파란색으로 파악하는 것인가요?

스파이더맨 : 그렇습니다. 앞선 현실적 존재들을 파악하는 것을 물리적 느낌이라 하고, 영원한 객체들을 파악하는 것을 개념적 느낌이라 합니다. 물리적 느낌으로 이루어지는 현실적 존재의 측면을 물리적 극이라 하고, 개념적 느낌으로 이루어지는 현실적 존재의 측면을 정신적 극이라 하지요.

플라톤 : 느낌이라니? 감각하는 것과 같소?

스파이더맨 : 비슷하지만 정신적인 인식까지 포함하는 더 넓은 의미입니다.

화이트헤드 : 그러면 새로운 것을 만들어 내는 창조적인 활동은 둘 중 어느 것에서 이루어지나요?

스파이더맨 : 물리적 극은 과거의 현실적 존재들을 순응적으로 수용하는 물리적 활동의 측면이고, 정신적 극이 새로운 가능성을 끌어들이는 창조적 활동의 측면입니다. 이 창조적 활동의 극단이 의식 활동이지요. 모든 현실적 존재는 이 두 가

지 극을 가지고 있습니다.

플라톤 : 그럼, 사회라는 것은 어떻게 설명할 수 있소?

스파이더맨 : 영원한 객체들(형식이나 패턴들)은 현실적 존재들의 결합체에 잇달아 반복해서 실현될 수 있습니다. 특정한 영원한 객체들이 잇달아 반복해서 실현되는 결합체가 '사회' 입니다.

아비투어 : 그 반복되는 영원한 객체들이 혹시 사회질서가 아니오?

스파이더맨 : 맞아요. 이 결합체를 규정함으로써 한정하는 특정한 영원한 객체들을 질서 또는 '한정하는 특성들' 이라고 하지요. 이 질서 또는 한정하는 특성들의 반복으로부터 사회의 정체성이 생깁니다. 한국 사회와 미국 사회가 서로 다른 것은 반복되는 특성들이 다르기 때문입니다.

플라톤 : 사회를 이루지 않고 혼자 독립되어 있는 것도 있지 않소? 고독한 킬리만자로의 표범처럼.

스파이더맨 : 하지만 고립된 삶이란 환상일 뿐입니다. 표범들끼리의 작은 사회라는 관점에서 보면 다른 표범들과 어울리지 않고 혼자 지내기 때문에 독립적인 삶을 사는 것처럼 보이지만, 보다 큰 사회인 생태계라는 관점에서 보면 그도 그가 속한 생태계의 질서에 따라 다른 구성원들과 서로 의존하며 연결되어 살고 있습니다.

화이트헤드 : 다만 사람들이 작은 사회만 생각하고 그가 속하는 보다 큰 사회의 질서를 보지 못해서 마치 독립된 것처럼 보이는 거군요.

스파이더맨 : 그렇습니다. 그 표범은 혼자 사는 것처럼 보이지만, 사실은 자신이 속한 생태계 속에서 그 반복되는 특정한 질서에 따라 살고 있는 것입니다.

화이트헤드 : 그 질서는 변하지 않나요?

스파이더맨 : 물론 변하지요. 사회는 끊임없이 과거의 질서로부터 새로운 질서를 창조하는 과정에 있어요.

플라톤 : 그럼, 우주는 어떻게 설명할 수 있소?

스파이더맨 : 이러한 사회들이 그 사회들의 결합체인 더 큰 사회를 이루고, 이 더 큰 사회들은 그 더 큰 사회들의 결합체인 더욱 더 큰 사회를 이룹니다. 이러한 과정은 계속되며 마지막에 이르는 가장 큰 사회가 우주입니다. 따라서 우주라는 것은 특정한 영원한 객체들(형식이나 패턴들)이 잇달아 반복해서 실현되는 네트워크인 셈이지요.

플라톤 : 하지만 우주의 질서는 변하지 않잖소?

스파이더맨 : 지금의 우주가 특정한 질서로 규정됨으로써 한정되어 있으므로 변하지 않는 것처럼 보이지만, 사실은 끊임없이 새로운 질서를 창조함으로써 새로운 우주를 향해 창조적인 전진을 하고 있습니다.

플라톤 : 그런데 이 증언들이 이번 사건과 무슨 상관이 있소?

화이트헤드 : 모든 존재는 서로 의존하며 연결되어 있습니다. 성범죄자들도 사회를 이루는 구성원들이므로, 사회는 심지어 범죄자에게도 의존합니다. 사회의 밝은 미래를 꿈꿀 수 있는 것은 범죄자를 철저히 감시하고 격리할 수 있는 사회의

능력을 믿기 때문이 아니라 사회의 따뜻한 격려를 밑거름으로 삼아 건강한 시민으로 거듭날 수 있는 범죄자의 자정능력에 대한 희망과 믿음 때문입니다. 그들을 전자 팔찌를 채워 격리시키지 말고 함께 사회의 질서를 만들어가야 합니다.

플라톤 : 범죄자는 범죄자일 뿐이요. 그들은 결코 변하지 않소. 그들을 철저히 격리시키는 것만이 사회를 밝게 만드는 유일한 길이요.

화이트헤드 : 세상에 변하지 않는 것은 없습니다. 저기와 과거에 있는 성범죄자를 전자 팔찌로 배척하거나 격리시키지 않고 적극적으로 끌어안고 여기와 현재로 끌어내어 하나의 공동체의 성원으로 만들어 가는 합생이야말로 사회의 밝은 미래로 창조적으로 전진하는 길입니다.

— 아비투어 철학논술, 《화이트헤드》(초급) 중에서

1. 제시문 (나)에서 싯다르타가 기러기를 돌려주지 않은 까닭은 무엇이며, 여러분이 화살을 맞은 기러기를 보았다면 어떻게 할 것인지 써 보시오. (200자 내외)

2. 제시문 (다)에서 말하려는 바의 핵심을 간추리시오. (200자 내외)

3. 동물 실험에 대한 여러분의 생각을 제시문들을 참고하여 써 보시오. (600자 내외)

생각 쓰기

생각 쓰기

실전 논술

예시 답안

case 1

1. 예린이에 대한 선입견이 변했다. 잘난 척하고 도도하며, 새침데기여서 일을 제대로 못할 것이라고 생각했는데, 착하고 부지런하고 멋진 아이라는 사실을 알게 되었으며, 부러운 게 없고 더 이상 바라는 것이 없는 완벽한 아이일 것이라고 생각했는데, 예린이도 귀엽다는 말을 듣고 싶어 하고, 자신의 바이올린 실력이 부족하므로 많이 노력해야 한다고 생각한다는 사실을 알게 되었다.

예린이의 큰 키보다 자기 키가 더 커질 수도 있다는 예린이의 말을 듣고, 모든 것은 변하므로 지금의 상태가 바뀔 수 있다는 사실을 깨달았다. 예린이의 꿈이 바이올린을 잘해서 좋아하는 오빠의 마음에 드는 것이었는데, 최고의 바이올린 연주자가 되는 것으로 바뀌었다는 말을 듣고 자신도 승주 오빠에 대한 지금의 마음이 변할 수 있다는 사실을 깨달았다.

가장 큰 변화는 어른이 되지 못한 청소년기에 대한 불만이 사라지고 청소년기가 어른이 되기 위해 끊임없이 변하면서 부족한 것을 얻는 소중한 시기라는 점을 깨닫게 된 것이다.

2. 제시문 (가)에서 멋진 어른이 된다는 것은 부족함이 없는 어른이 된다는 뜻이다. 바이올린 실력과 같은, 자기가 하고 싶은 것에 필요한 능력을 갖춘 어른일 뿐만 아니라 자신의 상황을 돌아보고 반성하며 부족한 점을 찾고 채우거나 고치려고 노력하는 어른이 된다는 것을 뜻한다.

제시문 (다)에서 선비는 자신이나 자신이 속한 집단에 필요한 능력을 갖추고 그 능력을 훌륭하게 발휘할 뿐만 아니라, 항상 자신이나 자신이 속한 집단의 이익보다 공동체의 이익에 비추어, 자신이나 자신이 속한 집단을 돌아보고 반성하며 부족하거나 잘못된 점을 찾아 채우거나 고치려는 노력을 하는 어른을 뜻한다. 자신이나 자신의 집단과의 작은 약속보다 공동체와의 참된 약속을 지키려는 선비의 모습이야말로 '멋진 어른' 이라고 할 수 있다.

3. 개인이 자발적으로 어떤 집단에 소속되었다는 것은 그 집단의 이익을 위해 봉사한다는 약속을 한 것이다. 자신이 속한 집단의 비리를 고발하면 그 집단은 당장은 피해를 보니까 약속을 어긴 배신일까?

개인은 주어진 외부 환경을 그대로 받아들이지 않고 반성을 통해 자신이나 자신이 속한 집단의 부족함을 찾아 새롭고 바람직하게 변화시킬 수 있는 존재다. 멀리 보고 반성할 때, 그 비리는 공정한 경쟁과 절차를 피하는 편법이므로 그 집단의 진정한 경쟁력을 키우는 데 걸림돌이 된다. 병은 빨리 고쳐야 고질병이 되지 않는다. 스스로 고칠 수 없으면 강제로라도 빨리 고쳐야 한다. 따라서 비리를 고발하는 것은 장기적으로 집단에 도움이 되어 약속을 지킨 것이므로 배신이 아니다.

한편 개인은 작게는 집단에 속해 있지만, 크게는 공동체에 속해 있다. 따라서 개인은 집단의 이익을 위해 봉사한다는 작은 약속도 했지만, 공동체의 이익을 위해 봉사한다는 큰 약속도 한 것이다. 집단의 비리가 공동체에 손해를 끼친다면, 개인은 작은 약속보다 큰 약속을 지켜야 한다. 더구나 작은 약속을 지키는 행위가 정당하지 못한 행위며, 큰 약속을 지키는 행위가 정당한 행위라면 큰 약속을 지켜야 마땅하다.

case 2

1. 그는 돌려주면 데바닷타가 사람들에게 자랑하고 나서 잡아먹을 것이라는 사실을 알았다. 기러기가 아무런 잘못도 없이 고통스럽게 죽는 것을 원하지 않았기 때문에 돌려주지 않았다.

내도 그런 기러기를 보았다면 치료를 해 주고 다 나으면 자연에 다시 풀어 줬을 것이다. 생명은 소중한 것이고, 고통을 주는 것은 옳지 못하며, 기러기도 사랑하는 가족이 있기 때문이다.

2. 모든 것은 자신이 속한 어떤 사회 속에서 그 사회의 질서에 따라 서로 물리적으로 뿐만 아니라 개념적으로 의존하며 연결되어 있다. 사회에 속하지 않고 독립된 것처럼 보이는 것은 작은 사회의 관점에서 보기 때문이며, 그가 속한 보다 큰 사회의 관점에서 보면 그는 그 사회의 구성원으로 다른 구성원들과 그 사회의 질서에 따라 서로 의존하며 연결되어 있음을 알 수 있다.

3. 동물 실험은 인간에게 유용하다. 동물 실험을 통해 약을 개발하거나 개발한 약이 안전한지 실험하여 아픈 사람들을 부작용 없이 낫게 할 수도 있고, 부작용 없는 화장품도 만들 수도 있으며, 심지어 천천히 늙게 만드는 약을 개발할 수 있을지도 모른다. 하지만 인간에게 유용하면 모두 좋은 것일까?

모든 것은 자신이 속한 어떤 사회 속에서 그 사회의 질서에 따라 서로 의존하며 연결되어 있다. 동물이 인간이 속한 사회에 속하지 않고 독립된 것처럼 보이는 것은 인간 사회라는 작은 사회의 관점에서 보기 때문이며, 생태계라는 보다 큰 사회의 관점에서 보면 동물도 생태계의 구성원으로서 생태계의 질서에 따라 인간과 연결되어 있음을 알 수 있다. 동물은 인간과 동등한, 생태계의 주인이므로, 인간에게 억압되거나 고통을 받지 않고 생태계 속에서 자유롭게 살아갈 동등한 권리를 갖는다.

한편 다른 사람을 해치면 안 되는 이유는 그도 자신처럼 소중한 생명을 가지고 있으며, 고통을 느끼기 때문이다. 동물 실험에 이용되는 대부분의 동물들도 인간처럼 '고통을 느끼는 존재'다. 다른 사람에게 고통을 주는 것이 옳지 못하듯이, 동물에게 고통을 주는 것도 옳지 못하다. 자신이 원하지 않는 것을 다른 존재에게 행하는 것은 옳지 못하다.

Abitur

철학자가 들려주는 철학이야기 058

주돈이가 들려주는 태극 이야기

저자_**박현정**

전남대학교 국어국문학과를 졸업하고, 조선대학교 대학원에서 국이교육학을 전공했다. 현재는 일산 대화중학교에서 교사로 재직하고 있으며 《중학 교과서 속 논술》, 《아비투어 철학논술 신채호 초급, 중급, 고급》, 《아비투어 철학논술 박지원 초급, 중급, 고급》을 썼다.

배경 지식 넓히기

周敦頤

주돈이와 '태극'

주돈이 주요 개념

1. 주돈이를 만나다

1) 주돈이는 누구인가 — 시대와 생애

주돈이(周敦頤, 1017~1073)는 중국 송(宋)나라 때의 유학자입니다. 호는 염계(濂溪)이며 자는 무숙(茂叔)입니다. 만년에 루산(廬山) 기슭의 염계서당(濂溪書堂)에 은거했기 때문에 염계선생이라고 불리기도 합니다. 주돈이는 도가(道家) 사상의 영향을 받아 새로운 유교 이론을 창시한 철학자입니다. 여기에서 새로운 유교 이론이란 성리학을 말합니다. 그래서 주돈이는 성리학에서 주장하는 우주론의 창시자로 추앙받는 인물입니다.

주돈이는 우주 생성의 원리와 인간의 도덕 원리가 같다는 철학을 전제로 우주가 태극, 음양, 오행, 남녀, 만물의 순서로 구성된다고 주장했습니다. 그리고 주돈이는 온 우주에 존재하는 만물 가운데에서 인간을 가장 우수한 존재로 여겼습니다. 따라서 모든 인간은 배움을 통해 누구나 성인이 될 수 있다고 주장하면서, 중정(中正)과 인의(仁義)의 도리를 지키고 마음을 성실하게 하면 성인이 될 수 있다는 도덕과 윤리를 강조했습니다.

저서로는 태극의 사상을 담은 〈태극도설(太極圖說)〉과 〈통서(通書)〉가 있으며, 수필 〈애련설(愛蓮說)〉이 있습니다.

성리학(性理學)

중국 사상의 주류를 이루는 학문과 철학의 기원을 찾아 역사를 거슬러 올라가 보면 공자와 맹자에 의해 완성된 유학(儒學)에서 비롯되었음을 알 수 있습니다. 유학은 춘추전국 시대의 어지러운 사회를 바로잡고자 하는 도덕 사상으로 인(仁)과 예(禮)를 주장했습니다. 이 유학이 한나라와 당나라에 이르면 경전을 수집하고 정리하며 그것을 해석하는 훈고학으로 진행됩니다. 그리고 송나라와 명나라 시대에 이르면 성리학으로 발전합니다. 정호, 정이, 주돈이 등의 여러 학설을 주희(朱熹:朱子)가 집대성하여 성리학의 철학적 체계를 완성하였기 때문에 성리학을 주자학이라고도 합니다.

2) 태극도설(太極圖說)

주돈이의 철학을 대표하는 〈태극도설〉은 우주의 생성과 인간의 근원에 대한 해답을 구하는 글입니다. 비록 249자밖에 안 되는 짧은 글이지만 그 안에는 우주 생성의 원리와 인간이 태어나게 되는 지극한 원리가 담겨 있는 명문 중의 명문입니다. 그리고 이 〈태극도설〉은 훗날 성리학의 성전으로, 성리학에서 말하는 우주론의 기초가 되고 있습니다.

無極而太極 太極動而生陽 動極而靜 靜而生陰 靜極復動 一動一靜 互爲其根 分陰分陽 兩儀立焉 陽變陰合 而生水火木金土 五氣順布 四時行焉 五行一陰陽也 陰陽一太極也 太極本無極也 五行之生也各一其性 無極之眞 二

五之精 妙合而凝 乾道成男 坤道成女 二氣交感 化生萬物 萬物生生 而變化無窮焉

惟人也得其秀而最靈 形旣生矣 神發知矣 五性感動 而善惡分 萬事出矣 聖人 定之以中正仁義 而主靜 立人極焉 故聖人與 天地合其德 日月合其明 四時合其序 鬼神合其吉凶 君子修之 吉 小人悖之 凶 故曰 立天之道 曰陰與陽 立地之道 曰柔與剛 立人之道 曰仁與義 又曰 原始反終 故知 死生之說 大哉易也 斯其至矣

원문의 내용을 살펴볼까요? 무극이태극(無極而太極)이란 처음은 없으면서도 가장 큰 처음이라는 뜻입니다. 처음으로 올라가면 아무것도 없는 것 같지만 곧 그것은 가장 커다란 처음입니다. 그리고 가장 처음이 움직여서 양(陽)을 낳고 그 움직임이 끝까지 이르면 움직임은 고요함으로 바뀝니다. 그 고요함, 즉 조용함은 음(陰)을 낳습니다. 이로써 음양(陰陽)이 생겨나게 되는 것이지요. 그리고 조용함이 가장 끝까지 가면 다시 움직임이 될 것입니다. 이렇듯 움직임과 조용함, 양과 음은 따로 존재하는 것이 아니라 서로 상대방의 바탕이 되는 존재입니다.

이 양과 음이 변하고 합쳐지면 물(水), 불(火), 나무(木), 쇠(金), 흙(土)이 만들어집니다. 우리는 이것을 오행(五行)이라고 부릅니다. 또한 이 다섯 가지 기운이 부드럽게 퍼지면 4계절이 움직이게 되는 것이지요.

이 음양과 오행의 성질을 바탕으로 하늘의 길은 남성(男性)을 만들어 내고 땅의 길은 여성(女性)을 만들어 냅니다. 그리고 남성과 여성, 이 두 기운이 서로 감응해서 만물을 변화시켜 만들어 냅니다. 이렇게 생겨난 만물은 생기고 또 생겨서 그 변화가 끊임이 없게 되는 것입니다.

이것이 곧 우주가 생성된 원리입니다. 다시 거꾸로 거슬러 올라가 보면, 이 세상에 존재하는 모든 만물은 남성과 여성에서 비롯되며 남성과 여성은 음양과 오행의 기운을 받아 생성된 것입니다. 그리고 오행은 음양의 기운을 받은 것이며 음양은 다시 태극의 움직임으로 생성된 것입니다. 따라서 우주 만물이 생성된 가장 처음에는 태극이 있습니다. 우주 만물의 생성 원리는 곧 태극이라고 할 수 있습니다.

우주의 생성 원리를 찾아가다 보면 인간의 근원에 대한 물음에 해답이 열립니다. 인간이 어떻게 만들어지고 생겨나게 되었는지에 대한 해답을 찾은 것은 모든 철학자뿐만 아니라 인류 전체의 과제이지요. 인간은 어떻게 만들어졌을까요?

주돈이의 〈태극도설〉에 의하면 인간은 하늘과 땅의 기운을 받아 만들어졌습니다. 그리고 오직 사람만이 그 빼어남과 신령함을 가지고 있습니다. 형체가 생긴 뒤에 정신이 슬기를 나타내고 오성(五性)과 감응하여 선악을 분별하게 되며 만 가지 일을 만들어 냅니다.

그 중 성인은 중정(中正)과 인의(仁義), 즉, 공평함과 올바름, 어짊과 의리로 사람의 지극함을 세웁니다. 성인은 하늘과 땅과 더불어 그 덕(德)을 합하고 해와 달을 더불어 그 밝음(明)을 합하며 4계절과 더불어 그 질서(序)를 합하며 귀신과 더불어 그 좋고 나쁨(吉凶)을 합합니다. 군자는 이 모든 것들을 잘 닦는 사람이고 반대로 이 모든 원리를 거스르게 되면 소인이 되고 마는 것입니다.

따라서 하늘의 도를 세우는 것이 음과 양이고 땅의 도를 세우는 것은 부드러움과 굳셈, 그리고 사람의 도를 세우는 것은 어짊과 의리라고 합니다.

결국 이 세상에 존재하는 모든 만물의 근원이 인간이며 인간만이 그 빼어남과 신령함을 가진 고귀한 존재라는 것이지요. 주돈이는 인간이 타고난 기운과 그 운행의 원리를 잘 지켜 사람으로서의 도리를 다할 때 군자와 성인의 삶을 살 수 있으며, 그 태극의 원리를 거스르게 되면 소인배와 같은 삶을 살게 된다는 가르침을 주고 있습니다. 우리는 여기에서 주돈이의 가르침에 따라 중정과 인의를 지키며 사는 삶의 모습이 가장 아름답다는 것을 알 수 있습니다.

3) 애련설(愛蓮說)

〈애련설〉은 주돈이의 유명한 수필입니다. 〈애련설〉은 이 세상의 꽃 가운데 사랑할 만한 것이 매우 많다는 전제로 시작됩니다. 진의 도연명(陶淵明)은 유독 국화를 사랑했으며 당나라 이래 사람들은 모란을 매우 좋아했지만 주돈이는 유독 연꽃을 사랑했습니다. 그리고 그 이유를 연꽃은 진흙에서 나왔으나 더러움에 물들지 않고, 맑고 출렁이는 물에 씻겼으나 요염하지 않은 꽃이기 때문이라고 설명합니다. 이 말은 세상이 아무리 어지럽거나 혼탁하여도 그 속세에 물들지 않는 연꽃의 고결함을 칭송하는 것이겠지요. 그리고 맑고 출렁이는 물에 씻겨도 요염하지 않다는 것은 화려하거나 튀지 않은 우아함을 말하는 것입니다. 속이 비었고 밖이 곧은 연꽃은 마음에 탐욕이 없으며 곧은 지조를 가진 사람을 의미하는 듯합니다. 덩굴은 뻗지 않고 가지도 치지 아니한 연꽃에서는 지저분하지 않은 단아한 아름다움을 엿볼 수 있습니다. 또한 연꽃의 향기는 멀리까지 퍼지며 함부로 가지고 놀 수 없다는 구절을 통해서는 연꽃이 가진 고귀한 인품을 만날 수 있습니다.

그래서 주돈이는 국화는 속세를 피해서 살아가는 사람을 비유하고 모란은 부귀한 자를 상징하며 연꽃은 군자를 상징한다고 극찬을 아끼지 않습니다. 주돈이는 결국 연꽃에 대한 애정을 통해서 인간과 삶의 자세에 대한 깨달음을 얻고 그것을 사람들에게 널리 알려주고 있습니다.

도연명
(陶淵明, 365~427)
도연명은 중국 송(宋)대의 아주 유명한 시인입니다. 기교를 부리지 않고 평범하고 담백한 문장을 구사한 시인으로 유명합니다. 대표적인 작품으로는 〈도화원기(桃花源記)〉, 〈귀거래사(歸去來辭)〉와 같은 명문이 있습니다.

실전 논술

논술 문제

case 1 (가)의 〈애련설〉과 (나)의 〈오우가〉를 통해서 자연을 대하는 선인들의 가치관을 설명하시오.

가 물이나 뭍에서 자라는 풀과 나무의 꽃 가운데 정말 사랑할 만한 것이 대단히 많다.

진의 도연명은 그 중 국화를 가장 사랑했고, 이당 이래로부터는 세상 사람들은 모란을 몹시 사랑했다.

그런데 나는 유독 연꽃이 진흙탕 속에서 나왔지만 그에 물들지 않고, 맑고 잔잔한 물에 씻겨도 요염하지 않은 것을 사랑한다. 연꽃은 가운데가 비었어도 외모는 꼿꼿하며 넝쿨도 없고 가지도 없다. 게다가 향기는 멀리 있을수록 더욱 맑으며 우뚝하고 맑게 심어져 있어 멀리서 보기에 적당하지 가까이 감상하기에는 적당하지 않다.

내 평하건대, 국화는 은일을 상징하는 꽃이요, 연꽃은 꽃 중의 군자일 것이다.

— 주돈이, 〈애련설〉 중에서

나 내 벗이 몇이냐 하니 수석과 송죽이라
동산에 달 오르니 그것이 또한 반갑구나!
두어라 이 다섯밖에 또 더하여 무엇하리

구름 빛이 좋다하나 검기를 자주한다.

바람소리 맑다하나 그칠 때가 많은지라
좋고도 그칠 때가 없기는 물 뿐인가 하노라.

꽃은 무슨 일로 피면서 쉬이 지고
풀은 어찌하여 푸르는 듯 누르나니
아마도 변치 않는 것은 바위뿐인가 하노라.

더우면 꽃 피고 추우면 잎 지거늘
소나무야 너는 어찌하여 눈과 서리를 모르느냐
땅속 깊이 뿌리가 곧은 줄을 그것으로 아노라.

나무도 아닌 것이 풀도 아닌 것이
곧기는 누가 시켰으며 속은 어찌 비었는가?
저러고 사철을 푸르니 그를 좋아 하노라.

작은 것이 높이 떠서 만물을 비추니
밤중에 밝은 빛이 너만 한 것 또 있겠는가?
보고도 말이 없으니 내 벗인가 하노라.

— 윤선도, 〈오우가〉

윤선도(尹善道, 1587~1671)

호는 고산(孤山) 윤선도는 조선 중기의 문인입니다. 당쟁이 치열했던 시대에 관직에 나아가 평생을 유배지에서 보낸 사람으로 유배지에서의 감회와 임금에 대한 그리움, 나라에 대한 걱정들이 그의 시 속에 고스란히 묻어납니다. 또한 자연 속에서 자연과 벗하며 한적하게 살아가는 선비의 삶이 작품 속에 잘 나타나 있습니다. 어부의 삶의 모습을 사계절을 통해 보여주는 연시조 〈어부사시사(漁父四時詞)〉와 자연과 벗하며 살고픈 작가의 마음이 잘 드러나는 〈오우가(五友歌)〉 등이 유명합니다. 특히 아직 한글을 경시하던 시대에 우리말의 아름다움을 잘 살려 시를 쓴 사람으로 문학사에서 높이 칭송받고 있으며, 그의 시조는 송강 정철의 가사(歌辭)와 더불어 조선 시대의 시문학사에서 쌍벽을 이루고 있습니다.

생각 쓰기

생각 쓰기

case 2 (가)에서 풍자하고 있는 사회의 모습을 찾고 (나)를 바탕으로 그 문제점을 설명하시오.

(가) 내 동생은 삼대독자란다.

삼대독자가 뭔지.

명절날이면 현관부터 요란하다.

'영호야 영호야.'

친척들 목소리.

나도 인사드릴라치면

'영호한테 잘 해 줘야 한다.'

어쩌다 영호 감기 걸리면

할머니 먼저 앓아누우시고

엄마는 죄인이다.

오늘도 동생은 오락에

나는 엄마 심부름인데

엄마 몰래

눈 째지게 째려보다가

마음속으로 꿀밤 콩이다.

— 중학교 《국어 1》 중에서

나 "주돈이의 태극도설에서는 무극의 참다움과 음양오행의 정교한 본바탕이 묘하게 합하여 사람이 되었다고 알려준단다."

아니, 이렇게 말씀하시면 대체 누가 알아들을 수 있을까요?

"엥? 그게 무슨 말이에요? 너무 어려워요."

"음…… 그러니까 다시 말해, 끝없는 우주의 참다운 기운과 음양과 오행이라는 핵심적 요소가 모여 사람이 된 거야. 동양의 옛 사람들은 하늘의 기운이 남자가 되고 땅의 기운이 여자가 된 것으로 믿어 왔어. 그래서 주돈이는 건도(乾道)로는 남자가 되고 곤도(坤道)로는 여자가 된다고 했단다."

"아무래도 주돈이는 갈수록 태산이 아니라 갈수록 태극 같은 철학자군요. 건도는 뭐고 곤도는 또 뭐래요?"

아버지께서는 이마의 땀을 닦으시며 차근차근 설명해 주셨습니다.

"하늘 건(乾), 도리 도(道) 해서 건도, 땅 곤(坤), 도리 도(道) 해서 곤도란다. 하늘의 기운을 대표하는 것이 남자고, 땅의 기운을 대표하는 것이 여자라는 말이지."

"남자는 하늘, 여자는 땅, 이런 말인가요? 요새 어디 가서 그런 말하면 목숨이 위태로워지는 사태가 벌어질지도 몰라요."

"하하. 그건 남자가 잘났고 여자가 못하다는 게 아니야. 땅이 없으면 하늘이 있을 수 있겠니? 또 하늘이 없으면 땅도 없겠지. 그런 하늘과 땅처럼 남자, 여자도 서로 상대적인 관계지."

수철이는 무언가 생각이 난 듯 피식 웃었습니다. 이제야 조금 이해가 가는 모양입니다.

"아하! 그래서 엄마는 땅하고 친하고 아빠는 하늘하고 친하군요?"

"그게 무슨 말이냐?"

"아빠는 시간만 나면 등산하러 가서 하늘을 쳐다보시고, 엄마는 시간만 나면 걸레 빨아서 반질반질 방바닥을 닦으시잖아요."

"이 녀석아, 아빠도 자주 도와주는데 뭘 그래?"

아버지께서는 멋쩍으신 듯 헛기침을 하며 이마의 땀을 다시 닦으십니다. 어머닌 아무렇지도 않은 표정으로 평소처럼 주방에서 저녁준비를 하고 계셨죠. 아버진 괜스레 집안 곳곳을 기웃거리며 요새 먼지가 좀 쌓였네 어떻네 궁시렁 대시더니, 곧 팔을 숭숭 걷어붙이고 걸레를 가져와 여기저기 닦기 시작합니다. 그런데 그게 참…… 모양새가 어색합니다.

전 어머니 곁에 슬쩍 다가가 물었습니다.

"이래서야 건도가 어지럽혀지는 거 아닌가요?"

"응? 무슨 말이냐?"

"아빠가 걸레질을 하시는데요?"

"그러게. 결혼 십오 년 만에 이런 일은 또 처음이구나."

퓻, 하고 의아한 웃음을 짓는 어머니에게 수철이는 어깨를 으쓱하며 한 마디 던집니다.

"하늘의 도리를 다하시려는가 보죠, 뭐."

—《주돈이가 들려주는 태극 이야기》 중에서

생각 쓰기

생각 쓰기

생각 쓰기

case 3 (가)를 바탕으로 (나)의 군고구마 아저씨가 성인이 될 수 있는 이유를 설명하시오.

가 "4대 성인의 전기래요. 근데 제목이 어쩐지 좀 어려워 보여서 그냥 거절했어요. 성인은 너무 완벽한 사람인 것 같아요. 전 어차피 그렇게 되기 어려울 텐데요, 뭐."

"그렇지 않아. 우리가 하기 나름이란다."

"에이, 성인이 되려면 빈틈없이 살아야 되는데 어떻게 빈틈없이 살 수가 있겠어요? 저는 신도 아닌 사람인데요."

"성인을 너무 어렵게만 생각하니까 그렇지. 하나 예를 들어보자. 수철이는 가끔 인품이 훌륭한 사람들을 만나게 될 때가 있지? 이를테면 지하철 계단에서 노인 분들의 짐을 들어 준다든가 하는 분들 말이야. 그런 분들을 보면 수철이 기분이 어떠니?"

"막 흐뭇해져요. 저도 그런 사람이 되어야겠다 하는 생각이 들고요."

"그래, 맞다. 그런 분들이 바로 성인인 거야. 주돈이는 누구나 배움을 통한다면 성인이 될 수 있다고 했단다."

"정말요? 전 신처럼 완벽한 사람만이 성인인 줄 알았어요. 그렇다면 이 세상엔 성인이 무척 많은 거네요?"

"그래, 성인이 그렇게 많기 때문에 아직 세상은 살 만한 거란다. 너희들 중에도 성인이 있을 수 있어. 꼬마 성인이라고 할까? 믿음직하고 남을 먼저 생각하는 친구가 바로 꼬마 성인이겠지."

수철이의 머릿속에 떠오르는 꼬마 성인의 얼굴이 있습니다. 바로 민동이의 얼굴이지요. 민동이는 자기에게 주어진 일을 열심히 할 뿐 아니라 남을 돕는 데도 열심이지요. 누구에게나 친절하게 대하고요. 민동이는 아마도 아버지가 말씀하시는 꼬마 성인인가 봅니다.

"민동이네 서재에는 원래 책이 천 권이 넘었대요. 그런데 민동이가 이미 읽은 책들을 고아원에 가져다줘서 팔백 권만 있는 거래요. 그럼 민동이는 꼬마 성인이라고 할 수 있겠지요?"

"그렇지. 정말 마음이 착한 친구구나. 민동이처럼 사람으로서 할 수 있는 도리를 다하면 그게 바로 성인인 거란다. 우리 집에도 성인이 있을 수 있고 옆집에도 성인이 있을 수 있지."

"저도 성인이 될 수 있을까요?"

"물론이지. 우리 수철이가 성인이 못 될 이유가 어디 있겠니? 태극을 본받으면 성인이란다. 태극이 무엇인지는 이제 수철이도 잘 알고 있지?

"그럼요. 태극은 우주의 올바른 이치잖아요."

"맞아. 태극이 우주의 올바른 이치인 것처럼 사람이 해야 할 올바른 이치를 인극이라고 하는 거지."

"태극의 인간 버전이라서 인극인가요?"

"수철아, 아무래도 넌 눈치에 있어 정교한 기질을 받아서 난 것 같구나."

"아하, 드디어 제 기질을 찾았네요!"

"어머니가 정성을 다해 수철이를 보살피면 그것이 어머니의 인극을 다하는 것이고, 수철이가 학교에서 열심히 공부를 하면 그로써 학생의 인극을 다하는 것이지."

"그렇게 해서 성인이 될 수 있다면 정말 좋겠어요."

—《주돈이가 들려주는 태극 이야기》 중에서

나 우리 중에는 전쟁으로 어머니를 잃고 아버지와 어린 동생 둘과 함께 살아가는 중학교 3 학년짜리 아이가 있었다. 이 아이는 항상 누런 얼굴로 골목에 나와 있었는데, 누가 쉴 때에 잠시 우리 놀이에 끼어들 수 있었다. 그렇지만 농구공을 잡는 것도 힘겨워 보일 정도로 힘이 없어 보였기에, 누구도 한패가 되는 것을 꺼려하였다. 그런데 이 아이가 언제부터인지 모르는 사이에 농구를 잘하게 되어 우리를 놀라게 하였다. 어느 날 저녁, 우리는 두 패로 갈라서 건빵내기 농구 경기를 하였는데, 이 아이의 활약으로 그가 속한 팀이 이기게 되었다. 모두 놀랐다. 그 후로도 며칠 동안 이 아이가 속한 팀이 꼭 이기는 것이었다.

그러던 어느 날 밤, 경기가 끝나고 뿔뿔이 집으로 돌아갈 때였다. 이 아이는 윗동네 산꼭대기에 있는 움막 같은 판자촌에 살고 있어서 윗길로 가야 하는데, 우리 집 쪽으로 나를 따라오느냐고 물었지만, 그는 그냥 웃기만 했다. 집에 들어오니, 시골에서 친척 한 분이 올라와 있었다. 친척에게 몇 푼의 용돈을 탄 나는 군고구마를 사러 다시 골목길로 나갔다. 그런데 어두운 골목 끝 카바이드 등불이 출렁거리고 있는 군고구마 통 옆에 그 아이가 아저씨와 다정하게 앉아 있는 것이 보였다. 이튿날, 골목에서 그 아이를 만났을 때 사연을 들을 수 있었다. 아저씨가 밤이면 팔다 남은 군고구마를 주고, 또 학비도 도와준다는 것이었다. 그래서 그 아이는 배고픔을 잊게 되었고, 힘이 솟아나 농구를 잘 할 수 있게 된 것이었다. 나는 이 사연을 친구들에게 퍼뜨렸고, 우리는 건빵내기 대신에 군고구마내기를 하게 되었다. 군고구마 장수 아저씨는 가난한 동네 아이 둘을 이렇게 돕고 있었다.

아저씨는 봄이 될 무렵, 다른 장사를 해야 한다며 우리 곁을 떠났지만, 그 후에도 아이를 도와주는 일은 그치지 않았다.

가난하지만 마음씨 착했던 군고구마 장수 아저씨가 우리와 한패가 되어 놀면서, 어질고 착하게 자라기를 빌던 아름다운 마음을 지금도 기억하고 있다, 아이들과 함께 놀아 주던 아저씨의 그런 따뜻한 정이 지금은 왜 사라지고 없을까?

— 중학교 《국어 3》 중에서

생각 쓰기

생각 쓰기

case 4 (가)를 바탕으로 (나)의 수철이와 (다)의 동수가 보여준 행동의 차이를 설명하시오.

가 우주에는 태극이 있습니다. 이 태극을 사람에 적용시키면 바로 인극이라 할 수 있습니다. 태극이 우주가 존재하고 작용하는 원리라면, 인극은 바로 인간의 차원에서 우리가 존재하고 활동하는 원리인 것입니다. 다시 말하면 인극이란 인간이 지켜야 할 삶의 표준을 뜻합니다.

수나라의 왕통(王通)이 그의 저서 《문중자(文中子)》의 〈술사(述史)〉 편에 다음과 같은 말이 나옵니다. "우러러서는 우주의 무늬를 보고 굽어서는 지리를 살펴서 그 가운데에 인극을 세운다." 이것은 《주역》에서 말하는 하늘의 운행, 땅의 존재, 그리고 인간의 삶의 이치, 이 세 가지가 본래 '태극' 이라는 하나의 근원으로 연결된다는 생각에서 나왔습니다. 이는 즉 천지인, 삼재(三才)의 조화를 의미합니다. 그와 같은 삶이 인간으로서 최고의 삶이라고 할 수 있습니다.

그리하여 송나라 때 주돈이가 《태극도설》에서 "성인이 중용 · 정의 · 사랑을 가지고 표준을 정하고 고요함을 주로 하는 공부를 통하여 인극을 세웠다" 고 하기에 이릅니다. 인극은 사람이 해야 할 도리의 극치이며, 이것을 다하는 사람이 바로 성인입니다.

여기서 우리는 성인이 될 수 있음을 명심해야 합니다. 우리가 할 수 있는 사람의 도리를 다할 때 우린 이미 성인이 되어 있을 것입니다. 신념으로써 나에게 주어진 일을 정성껏 다하면서 보다 크게 마음을 열고 이 세상을 바라보노라면, 그것이 바로 삶의 표준이고 성인이 되는 방법일 것입니다.

— 《주돈이가 들려주는 태극 이야기》 중에서

나 "제가 주돈이의 태극도가 그려진 우리나라 최초의 우표를 친구에게 줘 버렸어요."

잠시 식탁에 침묵이 내려앉습니다. 수철이의 심장은 두근거리다 못해 바깥으로 튀어나올 지경입니다. 먼저 침묵을 깨는 것은 어머니의 목소리입니다.

"친구에게 줬다고? 언제?"

"2주 전쯤에……. 죄송해요."

"말도 없이 왜 그랬어?"

"친구 필통이 너무 탐나서…… 우표랑 바꿨어요."

수철이는 아버지의 눈치를 보면서 쭈뼛쭈뼛 사죄를 드립니다. 아버지께서는 아무 표정도 없이 수철이에게 물으십니다.

"누구에게 줬니?"

"그게…… 민동이 필통하고 바꿨어요. 그 필통을 너무 갖고 싶은 마음에 그만……. 정말 잘못했어요. 전 그 우표가 그렇게 귀한 것일 줄은 꿈에도 몰랐어요."

"아빠한테 물어보지도 않고?"

"죄송해요."

"수철아, 너 그게 어떤 우표인지나 알고 그런 거니?"

"……."

"어떻게 그 귀한 걸……."

어머니께서 냉랭하게 말씀하십니다. 아버지께선 석고상처럼 표정이 바짝 굳어서 아무 말도 없습니다. 수철이는 그런 부모님 반응을 보며, 정말 자신이 집안 대대로 내려오던 가보라도 잃어버린 것인지 싶어 온몸이 사시나무처럼 떨리기 시작합니다. 이러다 호적에서 제외되기라도 하면 어쩌죠? 수철이는 부모님께 버림이라도 받을까 봐 걱정돼서 숨이 막힐 지경입니다.

"정말…… 잘못했어요……."

수철이 눈가에 눈물이 그렁하게 맺혀 오릅니다. 목소리가 바들바들 떨리기까지 합니다. 아버지의 입 꼬리가 움틀 거리는 게 불벼락이 떨어지는 건 시간문제입니다! 아버지께서 무슨 말씀을 하시든, 수철이는 무릎 꿇고 통사정을 해야겠다고 마음을 먹어 둔 상태입니다.

—《주돈이가 들려주는 태극 이야기》 중에서

다 둘째 시간이 끝나고 쉬는 시간이었습니다. 담임선생님께서 우유를 나누어 주시고, 실험 준비를 하기 위해 자료실에 가셨습니다.

선생님께서 나가시자 교실 안은 금세 시끄러워졌습니다. 우유가 먹기 싫었던 동수는 아이들 모르게 창밖으로 슬쩍 손을 내밀어 우유갑을 아래로 떨어뜨렸습니다. 그리고는 우유갑이 떨어지는 것을 보려고 창문으로 얼굴을 살짝 내밀었습니다.

그때 꽃밭을 보살피고 계시던 교장 선생님께서 우유갑 떨어지는 소리에 놀라 위를 쳐다보셨습니다. 순간, 교장 선생님과 동수의 시선이 마주쳤습니다. 깜짝 놀란 동수는 황급히 일어나 밖으로 나갔습니다.

동수의 이러한 행동을 본 사람은 은진이밖에 없었습니다.

잠시 후, 교장 선생님께서 교실로 들어오셨습니다. 아이들은 교장 선생님께서 들어오신 줄도 모르고 계속 떠들고 있었습니다.

"모두들 자리에 앉아요."

교장 선생님의 말씀에 아이들은 서둘러 제자리에 앉았습니다. 교실은 금방 조용해졌습니다.

교장 선생님께서 터진 우유갑을 들어 보이며 물으셨습니다.

"조금 전에 이 우유갑을 창문으로 던진 학생이 누구지?"

교장 선생님께서 되풀이해서 물었지만, 아무도 나서지 않았습니다.

순간, 은진이의 가슴은 쿵쾅거렸습니다.

때마침 담임선생님께서 실험 자료를 가지고 교실로 들어오셨습니다. 동수도 선생님의 뒤를 따라 들어와 슬며시 자리에 앉았습니다. 교장 선생님께서는 동수를 쳐다보며 다시 한 번 물으셨으나, 동수는 모르는 척했습니다.

— 초등학교 《도덕 5》 중에서

생각 쓰기

생각 쓰기

실전 논술

예시 답안

case 1

주돈이는 〈애련설〉이라는 글을 통해 연꽃에 대한 애정과 사랑을 과시하였습니다. 도연명은 국화를 사랑했고 또 어떤 사람들은 모란을 사랑했지만, 주돈이는 특히 연꽃을 사랑했고 그 감상을 글로 남긴 것이 바로 〈애련설〉입니다. 그가 연꽃을 사랑했던 이유는 그것이 단지 외적으로 아름답기만 해서가 아닙니다. 주돈이는 연꽃의 모습에서 어떤 의미를 발견하고 있습니다. 진흙탕 속에서 나왔지만 더러움에 물들지 않으며 화려하거나 튀지 않는 자태, 가운데가 비어 있어도 꿋꿋한 모습, 멀리에서도 느낄 수 있는 향기 등을 그 아름다움으로 꼽고 있습니다. 마치 연꽃에서 사람의 모습과 성품을 발견하고 있는 듯합니다. 세상의 때에 물들지 않고 잘난 척하지 않으며 멀리까지 그 아름다운 모습을 발할 수 있는 인격을 갖춘 사람 말이지요. 그래서 주돈이는 연꽃을 일컬어 꽃 중의 군자라고 칭하며 극찬을 아끼지 않고 있습니다.

(나)의 시조 윤선도의 오우가는 자연에서 벗을 삼는 시인의 모습을 볼 수 있습니다. 그리고 시인이 벗하고 싶은 자연물은 물, 돌, 소나무, 대나무, 달 이렇게 다섯입니다. 6수의 시조는 그 다섯 개의 자연과 벗 삼고 싶은 이유를 한 수 한 수 나열하는 내용으로 이루어져 있습니다. 물과 바위와 소나무와 대나무를 좋아하는 이유는 그들이 늘 변함없이 한결같은 마음을 유지하고 있기 때문입니다. 또 달과 벗하고 싶은 이유는 어둠을 환하게 밝혀 주는 달의 속성 때문입니다.

주돈이와 윤선도는 모두 자연을 그냥 바라보고 감상하는 대상으로 여기는 것이 아니라, 그 모습과 속성을 잘 살펴 삶의 의미를 부여하고 그것에서 배울 점을 찾고 있습니다. 연꽃과 같은 사람, 물과 돌과 소나무와 대나무와 달과 같은 사람을 좋아했고 또 스스로 그런 사람이 되기를 원했던 것이지요. 선인들은 이렇게 자연 속에서 인간 세상에 대한 배움과 깨달음을 얻고자 했습니다.

case 2

(가)의 시에서 말하고 있는 화자는 남동생을 가진 여자아이입니다. 그리고 남동생은 삼대독자입니다. 삼대독자란 세 세대 동안 아들이 하나밖에 없었다는 말입니다. 따라서 삼대독자란 그만큼 귀한 아들이라는 의미로 사용됩니다. 그래서 할머니도 친척들도 모두 삼대독자인 남동생에게만 관심을 갖고 있습니다. 동생은 온 가족들의 사랑 속에서 오락을 하고 있고 나는 가족의 관심 밖에서 심부름을 간다는 설정은 우리 사회에 만연해 있는 남아 선호 사상을 단적으로 보여줍니다. 즉 남자아이와 여자아이를 차별하는 것이죠. 따라서 이 사회는 남녀를 차별하는 사회입니다.

(나)에서는 주돈이의 〈태극도설〉을 통해 남녀의 생성에 대해 설명하고 있습니다. 주돈이에 의하면 인간은 무극의 참다움과 음양오행의 정교한 본바탕이 합하여 형성되었습니다. 그리고 그 중 하늘의 기운이 남자가 되고 땅의 기운이 여자가 되었습니다. 그런데 여기서 하늘과 땅이란 우리가 일반적으로 사용하는 '남자는 하늘, 여자는 땅' 과 같은 말에서 사용되는 의미와는 차원이 다릅니다.

땅이 없으면 하늘이 없고 하늘이 없으면 역시 땅도 없습니다. 따라서 여기에서는 땅이 하늘보다 상대적으로 낮은 위치에 있는 것은 중요하지 않습니다. 땅은 만물을 생성해 내고 또 만물이 마지막으로 돌아가는 곳입니다. 따라서 하늘과 땅은 그 중요함에 있어 크고 적음을 따질 수 없는 대상입니다. 똑같이 중요하다는 이야기이지요. 다만 하늘의 기운이 남자가 되고 땅이 기운이 여자가 되었던 것입니다.

따라서 (가)에서처럼 남자와 여자를 차별하는 것은 옳지 않습니다. 남자나 여자나 모두 우주의 참다운 기운을 타고 난 소중한 존재들이니까요.

case 3

세계 4대 성인은 예수, 마호메트, 공자, 부처를 일컫는 말입니다. 그렇게 보면 우리와 같은 보통 사람은 성인이 될 수 없다고 생각하기가 쉽겠지요.

하지만 (가)에서는 누구나 성인이 될 수 있다고 말합니다. 사람이란 우주의 지극함이 만들어 낸 가장 고귀한 존재입니다. 따라서 모든 사람이 다 고귀한 존재이며 자신의 노력에 따라 얼마든지 성인이 될 수 있습니다. 세상에 완벽한 사람이 따로 있는 것이 아닙니다.

주돈이는 배움을 통해 누구나 성인이 될 수 있다고 말했습니다. 태극, 즉 우주의 올바른 이치를 본받아 그것을 실천하면 성인이 될 수 있습니다. 그리고 사람은 본래 태극을 타고난 것이므로 자신에게 주어진 일을 잘 수행한다면 그것만으로도 성인이 될 수 있습니다. 그리고 더 나아가 사람이 해야 할 올바른 이치를 실행에 옮긴다면 더없이 훌륭한 성인이 될 수 있을 것입니다.

(나)의 글에서 군고구마 장수 아저씨는 팔다 남은 고구마를 형편이 어려운 아이에게 줍니다. 나보다 더 어려운 사람에게 도움을 준다는 것은 생각하기는 쉽지만 그것을 실행에 옮기기란 쉬운 일이 아닙니다. 더군다나 너나할 것 없이 어려운 시절에 말이지요. 그러나 군고구마 아저씨는 자신도 형편이 어려웠을 텐데도 불구하고 나보다 더 어려운 사람들을 위해 기꺼이 도움을 주는 사람이었습니다. 사람으로서 할 도리, 서로 돕고 보살펴야 하는 도리를 다한 것이지요. 그런 의미에서 군고구마장수 아저씨는 태극의 올바른 도리를 본받아 몸소 실천하는 성인이라고 할 수 있습니다.

case 4

우주에는 태극이 있고 사람에게는 인극이 있습니다. 인극이란 인간이 살아가면서 지켜야 할 삶의 표준입니다. 사람이 살아가면서 마땅히 해야 할 도리에는 여러 가지가 있겠지요. 자신이 맡은 일에 최선을 다 하는 것도 될 수 있고 사람들 사이에 서로 돕는 것도 될 수 있습니다.

그리고 (나)와 (다)의 글을 통해서 우리는 사람이란 정직해야 한다는 인극을 발견할 수 있습니다. (나)의 수철이는 아빠가 아끼시는 우표를 친구에게 몰래 주고 말았습니다. 자기가 갖고 싶은 필통과 맞바꾸기 위해서였죠. 그리고 그 사실을 아버지께 숨겨 왔습니다. 그러나 수철이는 몰래한 자신의 행동을 반성하고 아버지께 사실대로 털어놓습니다. 사실을 말하면 크게 혼날 것이 걱정되었지만 정직하게 행동하고 말하는 것이 올바르다고 판단했기 때문입니다.

그런데 (다)의 동수는 그렇게 하지 못했습니다. 동수는 우유가 먹기 싫어서 우유갑을 창밖으로 던집니다. 그것을 본 교장선생님께서 교실에 올라오셔서 누가 던졌느냐고 묻습니다. 그러나 동수는 야단을 맞을 것이 두려워 자신이 그랬다고 나서지 않습니다. 이러한 동수의 행동은 자신을 속이는 행위로 사람이 마땅히 해야 할 도리에는 어긋난 것입니다.

사람은 누구나 잘못을 저지를 수 있습니다. 그러나 문제는 잘못 자체가 아니라 자신의 잘못에 대해 반성하고 뉘우칠 줄 모르는 태도에 있습니다. 잘못을 했다면 자신의 잘못을 시인하고 용서를 구할 줄 아는 용기가 인극이며 그 용기를 가진 자가 바로 성인이고 군자일 것입니다. 그러나 자신의 잘못을 깨닫지 못하고 정직하게 행동하지 못한다면 그 사람은 소인이 되고 마는 것입니다.

Abitur

철학자가 들려주는 철학이야기 059

듀이가 들려주는 실용주의 이야기

저자_**박기호**
고려대에서 교육학 석사를 받았다. 윤리학과 철학에 대해 고민하며 살아오다가 대입논술을 지도하게 되었다. 그 결과 부엉이 눈으로 논제 분석하기, 매트릭스법으로 제시문 읽기, 마인드맵으로 개요 짜기, 토피카로 차별화하기 등의 독특한 논술방법론으로 대입논술과 로스쿨 LEET 논술에서 마감강사가 되었다. 경향신문 대입논술 출제 집필진으로 활동한 바 있으며, 현재 유명 대입학원과 로스쿨 전문학원에서 논술을 지도하고 있다. 저서로는《아비투어 철학논술》- 맥루한이 들려주는 미디어 이야기(초급),《快(쾌) 논술 LEET 시리즈》 전4권,《대학별논술 예상문제집》 전25권,《4개년간 논술기출문제해설》,《논술자세잡기》등이 있다.

배경 지식 넓히기

John Dewey

듀이와 '실용주의'

존 듀이 주요 개념

1. 존 듀이을 만나다

존 듀이(John Dewey, 1859~1952)는 실용주의의 완성자이며 실용주의를 토대로 교육철학을 완성시킨 철학자입니다. 미국 철학자 중에서 교육에 가장 큰 영향력을 미친 인물이지요. 그는 미국의 학교 제도에 막대한 영향을 준 진보주의 교육철학을 이끌었습니다.

1) 존 듀이는 어떤 시대를 살았나

듀이는 1859년 미국 버몬트 주의 중소도시인 벌링턴의 한 중산층 가정에서 태어났습니다. 그의 부친은 식료품 상점을 운영하는 개척민이었고, 듀이는 4형제 중 셋째 아들이었습니다. 그는 어린 시절부터 학교 다니는 일 이외에도 집안일을 돕거나 신문 배달, 농장 일 등으로 책 살 돈을 마련하는 등 노동을 즐겨 하였다고 합니다. 이러한 유년 시절의 영향으로 그는 만년까지도 손수 노동을 하였는데, 실제 생활 속에서의 실천은 훗날 그의 교육 사상에도 큰 영향을 끼치게 됩니다.

1879년 버몬트 대학을 졸업한 그는 존스 홉킨스 대학원에 진학하여 철학을 전공합니다. 대학원 진학 이전에 잠시 중등학교에서 교편을 잡기도 했던 듀이는 정치학, 역사학, 교육 등 여러 분야에 관심을 갖기 시작하였고, 1894년에는 시카고 대학교 철학 교수로 초빙되어 1902년부터 1904년까지 교육학부장을 지냈습니다.

시카고 대학교에 재임하는 동안 듀이는 일부 학부형의 지원으로 소규모 초등학교를 대학부속학교로 개발하였는데, 이것이 바로 유명한 '실험학교(The Laboratory School)' 로 흔히 '듀이 스쿨' 로 불렸습니다. 듀이 스쿨은 7년 반 동안 계속되었습니다. 이 학교에서 얻은 경험은 이후 듀이의 여러 저작에 큰 영향을 미치게 되며, 미국의 진보주의 교육사상에도 결정적인 영향을 주게 됩니다. 이후 콜롬비아 대학에서 약 26년간 재직하는 동안 듀이는 교육학, 미학, 윤리학, 심리학, 역사학, 정치학, 철학의 모든 영역에 걸쳐 많은 책들을 남깁니다.

"헤겔과의 만남이 나의 사유에 영원한 침전물로 남아있다" 고 스스로 말할 정도로 듀이는 헤겔로부터 많은 영향을 받았습니다. 그는 대학원 시절 헤겔 철학에 매혹되었으며, 이후 다윈의 생물학적 진화론을 접하면서 헤겔 철학의 관념론과 절대주의 사상에서 벗어났습니다. 다윈을 따라 듀이는 인간이 의식적 지성을 갖춘 존재로까지 발전되어 온 것을 하나의 진화 과정으로 보고, 인간의 계속적인 성장과 발전을 강조하였습니다. 그의 진보주의 교육 사상은 당시 최신 생물학으로부터 자양분을 공급받은 것입니다. 한편 듀이는 기능주의와 실용성에 대한 강조를 바탕으로 결정론적인 세계관을 부정하고 '개척주의 세계관'을 지향하였는데, 이렇게 탄생한 실용주의나 도구주의는 미국인의 생활 철학과 개척 정신의 상징이 되었습니다.

진화론

진화론을 확립한 사람은 찰스 다윈입니다. 그는 저서 《종의 기원 : The Origin of Species》에서 자연선택설을 근간으로 하여 새로운 종이 생기는 메커니즘을 설명하였습니다. 다윈에 따르면 인간은 의식을 갖춘 존재로 진화하고 발전한 것이지요. 이를 따라 듀이도 경험과 교육을 통해 인간이 성장하고 발전한다고 보았으며, 특히 교육 환경을 강조하였습니다.
한편 다윈의 자연선택설은 영국의 산업자본주의 발전을 반영한 것으로 자유경쟁에 의한 번영의 이념을 생물계에 도입한 것으로 간주되기도 합니다. 《종의 기원》이 종교적인 반감을 일으키면서도 급속히 보급될 수 있었던 것은 이 때문이라고 하지요. 다윈의 진화론은 생물학의 각 분야에 영향을 주었을 뿐만 아니라 사회사상에도 많은 영향을 주었습니다. 스펜서가 제창한 사회다윈주의는 생존경쟁설에 따라 인종차별이나 약육강식을 합리화하여 강대국의 제국주의 식민정책을 합리화하는 데 이용되기도 하였습니다.

2) 진보주의 교육

진보주의(Progressivism)는 실용주의를 모태로 하여 미국에서 전개된 교육 운동입니다. 이전까지의 전통적인 교육이 성인 중심 교육이거나 교사 중심 교육이던 것을 반성하고 아동 중심 교육으로 전환하고자 했습니다. 이러한 아동 중심 교육 운동은 루소 시대부터 싹트기 시작하여 페스탈로

치, 프뢰벨을 거쳐 미국으로 건너와 비로소 그 꽃을 피우게 되었습니다.

진보주의 교육 운동의 주요 목표는 어린이를 전인적으로 기르는 것, 즉 지적 성장뿐만 아니라 신체적 · 정서적 성장까지도 도모하는 것입니다. 그들은 학교란 어린이가 직접 무언가를 함으로써 배우는 장소이며, 학습과 관련된 실천 또한 스스로 해 봄으로써 가장 잘 배울 수 있다고 생각하였습니다. 그래서 듀이는 이러한 학급을 민주주의를 실천하는 작은 우주로 보았습니다.

듀이의 생각을 바탕으로 진보주의 교육학자들은 진보주의교육협회를 결성하여 조직적인 교육운동을 전개하였습니다. 진보주의 교육학자들은 ① 권위적 교사, ② 교재 중심의 딱딱한 교육 방식, ③ 암기 위주의 수동적 학습, ④ 교육을 사회로부터 고립시키는 폐쇄적 교육철학, ⑤ 체벌이나 공포 분위기에 의한 교육 방식 등 전통적인 교육 방식에 반대하였습니다. 한마디로 어린이가 학교의 주인이 되고 교육의 중심이 되어야 한다고 생각한 것이지요.

이렇듯 진보주의 교육학자들이 강조하는 교육 방식은 아동의 흥미와 욕구와 경험을 존중하는 교육입니다. 학교는 어린이들이 가고 싶어 하는 곳이 되어야 합니다. 진보주의 교육은 기계적 암기 학습, 학과의 암송, 그리고 교재 중심 학습을 강조하는 전통적인 교육 방식으로부터 아동을 해방시키고자 했습니다. 또한 진보주의 교육은 교과서보다는 학습자인 아동에 초점을 두었기 때문에 교과서 중심의 교육보다 활동과 경험을 중시하고 특히 협동적, 집단적 학습활동을 강조하였습니다. 이러한 집단적인 체험 활동을 통해서 자연스럽게 민주주의 생활 방식을 체득할 수 있다고 보았던 것이지요.

진보주의교육협회

존 듀이의 교육 사상을 바탕으로 한 1918년 진보주의교육협회(PEA)가 조직되어 국제 사회에 큰 영향을 끼쳤습니다. 진보주의교육협회의 7가지 강령은 다음과 같습니다.

① 아동에게 외적 권위에 의하지 않고 자신의 사회적 필요에 의하여 스스로 발견할 수 있는 자유를 주어야 한다.
② 아동의 흥미가 모든 학습활동의 동기가 되게 하여야 한다.
③ 교사는 아동의 엄격한 감독자가 되지 말고 적절한 정보를 제공해 주는 안내자이어야 한다.
④ 아동의 발달은 학업성적뿐만 아니라 아동의 신체, 지성, 도덕성, 사회성 발달 또는 전인적인 발달을 돕는 것이 되어야 한다.
⑤ 교육의 제일의 목표를 아동의 건강에 두며 따라서 학교의 시설, 환경, 인적 조건은 명랑해야 한다.
⑥ 학교는 가정과 밀접한 연락 아래 아동의 생활에 만족을 줄 수 있도록 수행하여야 한다.
⑦ 진보적인 학교는 과학적인 연구를 통하여 새 교육 운동의 중심이 되어야 한다.

2. 실용주의와 교육

듀이의 교육 사상은 그의 실용주의 철학에 바탕을 두고 있습니다. 실용주의란 19세기 말과 20세기 초 미국에서 전개된 현대 철학으로 프래그머티즘(pragmatism)이라고도 합니다. 프래그머티즘(pragmatism)은 그리이스어인 pragma로부터 나온 말이며 어원적으로 pragma는 praxeis와 같습니다. praxeis는 행위 또는 행동을 뜻하는데, 그래서 우리나라에서는 프래그머티즘을 실용주의(實用主義)라 번역하는 것이지요.

1) 듀이의 실용주의

실용주의는 두 가지 특징이 있는데 첫째는, 어떤 사상이 진리를 갖고 있는지 아닌지는 그 사상 자체에 의하는 것이 아니라 그 사상을 만들어 낸 행위의 결과에 의해서 결정된다고 보는 것입니다. 둘째, 행위 실천을 중시함으로써 진리를 역동적인 과정으로 파악합니다. 즉, 진리는 이미 있는 것이 아니라 만들어지는 것이라고 보며 선천적 이유, 고정된 원리, 폐쇄된 체계, 모든 절대자를 배척합니다.

프래그머티즘 창시자인 퍼스(C.S. Peirce)에 의하면 "이론(理論)이란 머릿속에만 있는 것이 아니고 실험의 조작을 규정하고 지정하는 동시에 그 결과에 의해서 실증되는 것이며 실험 행위에 의해 증명되지 아니하는 관념은 무의미하다"고 합니다. 이러한 생각을 받아들인 듀이는 도덕이나 윤리도 변화하고 성장하며, 고정적이고 절대적인 가치는 존재하지 않는다고 주장하였습니다. 듀이는 전적으로 자연과학과 실제적인 경험의 문제에 관심을 두고 이 영역을 초월하는 것은 모두 배제하였습니다. 이론이란 오직 행동을 위한 도구이며 따라서 사상도 도구로서의 가치를 지녀야 한다고 본 것입니다. 그래서 듀이의 사상은 '도구주의' 라고 합니다.

실용주의와 목적론적 윤리설

서양 윤리의 흐름은 의무론적 윤리와 목적론적 윤리로 나누어 볼 수 있습니다. 의무론적 윤리는 도덕 법칙의 명령에 따르는 것을 인간의 의무라고 하면서, 행위의 결과보다는 그러한 행위를 하게 된 의지나 동기에 주목합니다. 칸트에 의하면, 행위의 결과란 우리 의지의 능력 바깥에 놓여 있는 것으로서 너무나 많은 변수가 있기 때문에 도덕성의 척도가 될 수 없습니다, 따라서 도덕적 가치 판단은 행위자가 책임질 수 있는 영역, 다시 말해서 행위자의 의지와 관련해서만 내려질 수 있다고 봅니다.

한편 목적론적 윤리란, 우리가 추구해야 할 어떤 목적이 있음을 전제하고서 전개되는 윤리로, 그 목적에 해당되는 것은 대개 넓은 의미로는 행복이고 좁은 의미로는 쾌락입니다. 여기서는 최선의 결과를 가져오는 행위가 선하고 옳은 행위라 여겨집니다. 그리고 행위의 옳고 그름을 평가하는 유일한 기준은 행위에 의해서 생겨날 쾌락과 고통의 양이라고 봅니다. 목적론적 윤리에는 모든 일에 있어 효용성을 중시하는 경험주의적 관점이 잘 반영되어 있으며, 듀이의 실용주의 역시 이러한 목적론적 윤리관과 함께 경험을 중시합니다.

이러한 실용주의 철학에 바탕을 둔 듀이의 교육은 '과학적 방법' 을 중시합니다. 듀이는 그의 여든다섯 번째 생일에, "선생의 철학을 한마디로 표현하면 무엇이냐"는 기자의 질문에 '과학' 이라고 답변하였습니다. 이 때 듀이가 말한 과학은 물리학이나 화학과 같은 과학만은 아닙니다. 듀이가 말한 과학적 방법이란 '실험적 탐구' 와 유사하다고 볼 수 있습니다. 듀이는 《경험과 교육》이라는 책에서 어떤 학설이나 실천이든 엄중한 검토 없이는 독단이 될 수 있다고 주장합니다. 그래서 듀이의 사상은 '실험주의' 라고도 칭해집니다.

한편 듀이는 교육을 통한 민주 사회 건설도 강조하였습니다. 그의 책《민주주의와 교육》에서 그는 교육을 '성장'으로 정의하고, 따라서 더 좋고 더 많은 경험을 서로 나누어 가지기 위해 더 많은 성장이 있어야 하며 그런 것이 더 좋은 민주사회를 이루는 것이라고 보았습니다. 듀이가 보기에 부자와 가난한 자, 유한계층과 노동계층, 귀족과 천민, 지배인과 피지배인 사이의 교육은 판이하게 달랐습니다. 그는 바로 이 '다름'을 맹렬히 비판하였습니다. 지적 교육과 직업 · 기술 교육이 따로 존재하는 상황을 타파할 때에야 비로소 당면한 현대 문제들을 해결할 수 있다고 보았습니다.

듀이의 《민주주의와 교육》

'민주주의와 교육'이라는 제목이 무색하게, 정작 이 책에서는 민주주의에 관해 거의 언급되고 있지 않습니다. 자유와 평등, 대의제 문제나 선거제도에 관한 내용보다는 다만, '교육'에 관한 내용들로 채워져 있습니다.
바로 이 점에서 듀이가 이해하는 민주주의를 알 수 있습니다. 듀이는 민주주의를 생활의 한 방식으로 파악했기 때문에, 민주주의를 유지하는데 필요한 '제도적 장치'에 대해서는 특별한 관심을 두지 않았던 것도 사실입니다.

2) 듀이의 실험학교

듀이는 자신이 교육에 대해 품고 있던 꿈을 이루기 위하여 시카고 대학 안에 실험학교를 세웠습니다. 듀이는 그곳에서 학생들을 대상으로 다양한 교육 경험을 제공했는데, 그는 학생이 스스로 생각하고 활동할 수 있는 존재라고 믿고 있었습니다. 듀이는 일방적으로 지식을 암기시키는 것보다는 경험을 통해서 학생 스스로 깨닫게 하는 교육을 중시했습니다.

또한 듀이는 인간의 도덕적인 면에 관심이 많았습니다. 사람들은 나이가 들면서 다양한 경험을 통해 점점 성숙하지만 모두 좋은 방향으로 성숙하는 건 아니기 때문에 교육이 사람들의 도덕적인 성격을 발달시켜 좋은 방향으로 성숙할 수 있도록 도와주어야 한다고 생각했습니다. 바로 이러한 도덕적 성격 발달을 위해 학교가 필요하다고 생각했습니다. 학교는 학생들에게 가치 있는 경험을 제공하여 올바른 성숙을 도와주는 곳이라 생각했던 것입니다.

가치 있는 경험이란 우리가 살아가면서 부딪히는 문제를 해결할 수 있게 하는 경험입니다. 듀이는 학교가 실생활 속에서 가치 있는 경험을 하도록 해야 한다고 주장했습니다. 즉, 우리가 미래에 잘 살기 위해서 교육을 받는 것이 아니라 지금 생활하는 데 문제가 없도록 하기 위해 교육을 받는 것이라는 이야기입니다.

그러나 애석하게도 듀이의 실험학교는 7년 만에 문을 닫아야 했습니다. 듀이는 학생들의 수준과 흥미를 고려하여 교육하려고 했지만, 시카고 대학이 그의 그러한 새로운 시도를 인정해 주지 않았기 때문입니다.

학급 집단이 작다는 것 외에 교육과정이나 교육방법에 있어 듀이의 실험학교가 기존의 초등학교와 다를 바는 없었습니다. 결코 색다른 계획 하에 학교를 운영하려는 것은 아니었습니다. 다만, 그는 학습지도법에 있어 좀 더 자연스러운 것을 발견해 가는 여러 조건을 갖추려고 하였을 뿐이었습니다.

교사들에게도 완전히 새로운 방법을 실천하도록 명령한 것이 아니고, 다만 학교와 지역사회 사이의 장벽을 타파해 가는 방법을 발견할 것을 목표로 세웠습니다. 암기와 어구 해석에 허덕이고 있는 어린 학생들에게 학습 부담을 증가시키는 일이 없으면서도 내용은 보다 풍부하고 다양한 것을 채택하는 방향으로 운영하고자 했던 것이지요. 또한 어린이들에게 읽기, 쓰기, 셈하기를 더욱 흥미 있고 생생한 활동을 통해서 습득시킬 것을 요구하였습니다. 읽기, 쓰기, 셈하기가 다른 것들을 학습하는 데 기초가 된다는 필요성을 스스로가 느꼈을 때, 학생들은 노력하게 되고 능률도 오르게 될 것이라고 생각하였던 것입니다.

듀이의 실험학교 〈듀이스쿨〉

듀이는 그가 세운 실험학교를 다음과 같은 가설 아래 운영하였습니다.

① 학생들은 그들의 생활 속에서 교육의 근본 경험을 갖추어야 한다.

② 학습은 사회적 활동의 부산물이다.

③ 학습의 검증은 사려 있는 행위로써 사회에 유연하게 대처할 수 있는 개인의 능력을 바탕으로 행한다.

④ 학교교육은 사회의 발전에 유익한 영향을 미친다.

오늘날 듀이의 실험학교의 정신을 이어 받아 "1온스의 경험은 1톤의 이론과 같다", "행함으로써 배운다(Learning by Doing)"는 그의 뜻을 실천하는 학교가 있습니다. 영국의 자유 학교인 〈서머힐 학교〉나 일본의 〈키노쿠니 어린이 마을〉이 대표적입니다. 이들 학교는 듀이의 교육 이론에 따라 경험과 실천을 통해 지식의 자유를 중시하는 새로운 형태의 교육 모델을 제시하고 있습니다. 그러면 〈키노쿠니 어린이 마을 학원〉에는 '절대' 없는 일곱 가지는 무엇일까요?

① 국어, 과학, 산수, 사회 같은 교과 이름이 없다.
② 1학년이니 5학년이니 하는 학년이 없다.
③ '선생님'이 없다. 정확하게 말하면 '선생님'이라고 불리는 어른이 없다.
④ 시험이나 숙제가 없다.
⑤ 도덕교육이 없다.
⑥ 교문도 담도 없다.
⑦ 어른들의 급료에 차이가 없다.

우리나라에도 대안교육, 대안학교라고 해서 듀이의 교육정신을 실천하고자 하는 사례들이 있습니다. 오늘날까지 듀이의 실험학교가 남긴 교육적 가치는 여전히 의미 있는 다양한 도전과 성과에 큰 영향을 미치고 있습니다.

대안학교

공교육의 문제점을 보완하고, 학습자 중심의 자율적인 별도 교육 프로그램을 운영하도록 고안된 특별학교를 '대안학교'라고 합니다.

1921년 영국의 교육자이자 작가인 A. S. 닐이 설립한 서머힐 학교가 대표적입니다. 대안학교는 자연친화적이며 공동체적인 삶을 이어간다는 교육목표 아래 비정형적인 교육과정과 다양한 교수방식을 추구합니다. 학급 수나 학생 수를 줄여 학습자와 교사 간의 인간적 교류가 가능하도록 하고, 학습자와 교사가 동등한 자격에서 학습계획에 참여하며, 경쟁주의 원리를 지양하는 것이 특징입니다.

대안학교의 유형에는 학교 중도 탈락자나 부적응 학생들에게 정상적인 사회인으로 복귀할 수 있도록 기회를 주는 위탁형 대안학교, 교육과정과 학사운영이 자유롭고 일반학교와 마찬가지로 정규 학력을 인정받는 특성화형 대안학교, 그밖에 계절학교나 주말학교 등이 있습니다. 현재 우리나라에는 정규 학력이 인정되는 특성화형 대안학교는 많지 않은 편이며 중학교 1개교, 고등학교 13개교 정도가 있습니다.

3. 기출 문제에서 만난 듀이

1) 전통 방식의 교육과 경험 중심의 교육

서울대 2000년 학교장 추천 지필고사 기출문제에서는 루소의 《에밀》과 듀이의 《경험과 교육》을 제시하여 교사 주도 지식중심교육의 문제점을 지적하고자 하였습니다. 두 고전에서 비판하고 있는 전통적 교육방법은 위로부터 과제를 부과하고 강제하는 것으로서 학생의 직접 경험보다는 간접적인 상징물에 의존하고 있습니다. 참된 교육은 가능한 한 학생의 직접적인 경험을 풍부하게 함을 통해 이뤄져야 하는 것으로 학생을 어떠한 경험의 수준에 이르게 하기 위해서는 그 이전에 학생 스스로가 그에 필요한 직전 경험을 이미 갖고 있어야 합니다. 하지만 모든 경험이 교육적인 것은 아니고 중요한 것은 경험의 질로, 경험의 계속적 성장을 방해하는 경험은 비교육적인 것입니다. 학생이 교육적인 경험을 계속해서 성장하기 위해서는 교사의 역할이 매우 중요하며, 교사는 학생의 경험이 계속적으로 성장할 수 있도록 선택하고 유도하는 역할을 적극적으로 담당해야 합니다.

전통적 방식의 교육은 본질적으로 위로부터, 혹은 밖으로부터 무엇을 부과(賦課)하는 것을 특징으로 한다. 이는 이제 겨우 조금씩 성숙해 가면서 성장하고 있는 사람들에게 성인의 기준과 내용과 방법을 부과하는 것이다. 그 사이의 간격은 매우 크기 때문에 배우고 행동하도록 요구되는 내용과 방법은 어린이들로서는 감당하기에 생소한 것이다. 그것들은 어린 학습자가 이미 지니고 있는 경험으로써는 도저히 도달할 수 없는 수준의 것이다. 그래서 결과적으로 억지로 부과할 수밖에 없다. 비록 훌륭한 교사는 이러한 거친 모양을 덜 보이기 위하여 기술적인 방법을 써서 억지로 부과하는 것이 안 되게 하려고 하지만 그런 경우에도 별로 다를 바는 없다. 아동의 의무는 오직 명령하는 대로 행하고 배울 뿐이다. 배운다는 것은 단지 이미 책이나 어른의 머릿속에 있는 바를 습득한다는 것을 의미한다. 더욱이 가르쳐지는 내용은 본질적으로 정태적인 것으로 여기게 된다.

그것은 완결된 결과물로서 가르쳐지고, 애초에 그것이 어떻게 만들어졌다든가 혹은 미래에 어떻게 변화할 것인가에는 거의 아무런 관심을 두지 않는다. 모든 참된 교육은 경험을 통해서 가능한 것이다. 그러나 모든 경험이 다 같이 교육적이라고는 말할 수 없다. 경험과 교육은 동일한 것이 아니기 때문이다. 어떤 경험이든지 다음에 오는 경험의 성장을 저지하거나 삐뚤어지게 하는 결과를 가져온다면 그 경험은 비교육적인 것이다. 어떤 경험은 무감각을 일으킬 수 있으며, 감수성과 감응성을 결하게 할 수도 있다. 그리하여 장래에 더 풍부한 경험을 가질 가능성을 제한해 버린다. 어떤 경험은 당장은 즐길 만한 것이지만, 방만하고 경박한 태도의 형성을 조장하기도 한다. 이러한 태도는 후속되는 경험의 성질을 왜곡시켜 그 경험이 해야 할 기능을 할 수 없도록 만들어 버린다. 또한 어떤 경험들은 서로 관련성이 없어서, 각각은 그 자체로서 즐길 만하고 감동적이기까지도 하지만 집합되어 있다는 상태, 그것으로서는 서로 연결이 되지 않기도 한다. 이러한 경우에 활동력은 낭비되고 사람은 산만해져 버린다.

경험의 필요를 고집하는 것만으로는 충분하지 않다. 또한 경험을 동반하는 활동의 중요성을 강조하는 것만으로도 충분하지 않다. 모든 것은 경험의 질에 달려 있다. 교육자의 임무는, 학생을 위하여 싫증을 일으키지 않고 그의 행동에 열중할 수 있는 동시에, 즉각적인 쾌감을 초월하여 장래의 유리한 경험을 촉진시키는 그러한 종류의 경험을 학생들이 가질 수 있도록 하는 일이다. 학생의 활동이 바람직한 미래의 경험을 가질 수 있도록 촉진시키는 것이어야 하므로, 교사의 역할은 한편 학생으로 하여금 싫증내지 않고 오히려 활동에 열중하게 하고 그러면서도 즉각적인 즐거움 이상의 것이 되도록 하는 그러한 종류의 경험을 할 수 있도록 해주는 일이다. 마치 사람은 누구나 자기 혼자서 살다가 죽는 것이 아닌 것과 같이, 어떤 경험도 따로 따로 고립되어 존재할 수는 없다. 모든 경험은 다음의 후속되는 경험들 속에 계속 살아있는 것이다. 그러므로 경험 중심 교육의 중심 문제는 미래의 의미 있고 창조적인 경험의 전형을 현재의 경험들 중에서 선택하는 일이다.

— 듀이, 《경험과 교육》 중에서

루소의 《에밀》

프랑스의 작가 · 사상가인 장 자크 루소의 저서로 '교육에 관하여' 라는 부제가 딸린 근대 교육학 고전 중 하나입니다. 주제는 교육이지만 동시에 루소의 인간론 · 종교론이며, 시적 자질이 풍부한 루소의 천품에 의해 문학성 또한 돋보이는 글입니다. 구체제를 비판하는 글도 들어 있어 1762년 5월말 간행된 직후 교회와 정부의 비판을 받았으며, 그것이 루소가 만년에 방랑생활을 하게 되는 원인이 되었습니다. 이 책은 어린이를 발견한 책이며, 어린이의 권리를 널리 알려 공감을 불러일으킨 책입니다.

당시 민중은 억압의 대상이었고, 어린이는 '작은 어른' 에 지나지 않았습니다. "사람들은 어린이에 대해 모르고 있다. 교육에 대한 고찰은 어린이가 무엇인가를 연구하는 데서 시작해야만 한다"는 루소의 생각은 에밀이라는 고아를 통해 자연의 흐름에 따르는 교육 이상론을 펼쳤습니다. "조물주의 손에서 떠날 때는 모든 것이 선(善)하지만, 인간의 손으로 넘어오게 되면 모든 것이 악(惡)해진다"는 유명한 서두의 구절에서 볼 수 있듯, 사회 · 가족 등 외적 환경이나 나쁜 습관, 편견의 영향으로부터 어린이를 보호하며 '자연의 싹'을 틔울 수 있게 하자는 것이 이 책의 중심 내용입니다. 당시 그는 보편적으로 행해지던 주입식 교육을 반대하고 체육 · 품성 등 전인교육(全人教育)을 중시하며, 인간 중에서 가장 순수하게 자연성을 간직하고 있는 어린이에게 그 본래의 자연과 자유를 되돌려줄 것을 주장했습니다.

2) 교육의 목적

가톨릭대 2004년 고령자 수도자 전형 논술 고사 기출 문제에서는 막스 베버와 존 듀이의 시각을 제시하여 교육의 가치에 대한 생각을 묻고 있습니다. 베버는 사회적으로 대접받고 높은 관직에 오르려면 과거에는 명문족보(名門族譜)가 있어야 했지만 이제는 학력 증명이 있어야 한다고 주장합니다. 즉, 대학졸업장을 가진 사람은 명문가에 청혼할 수 있고 명성 있는 단체에 회원 가입을 신청할 수 있고, 노동에 대한 품삯이 아니라 점잖은 보수를 요구할 수 있고, 승진과 아울러 노후(老後)의 생활 보장을 요구할 수 있으며, 더욱 중요한 것으로는 사회경제적으로 높은 지위를 차지할 수 있다는 것입니다. 이것은 교육을 대학졸업장을 받기 위한 하나의 수단으로 여기는 것입니다. 따라서 졸업장이라는 목표를 이루게 되면 수단은 더 이상 필요 없게 됩니다.

그러나 듀이의 생각은 다릅니다. 듀이는 교육이 졸업과 동시에 끝나서는 안 된다고 주장하였습니다. 학교교육의 목적은 성장하는 힘을 조직적으로 길러 줌으로써 교육을 계속해 나갈 수 있도록 하는 데에 있다는 것입니다. 삶 그 자체에서 학습하려는 성향, 모든 사람으로 하여금 삶의 과정에서 학습할 수 있도록 삶의 조건을 만들어 나가는 성향은 학교교육이 가져올 수 있는 최상의 결과입니다. 성장은 삶의 특징이므로 교육은 성장과 완전히 동일합니다. 교육은 그 자체 이외의 다른 목적이 없습니다. 학교교육의 가치를 판단하는 기준은 그것이 계속적인 성장에의 열의를 얼마나 일으키는가, 그리고 그 열의를 실천에 옮기는 수단을 얼마나 제공하는가에 있습니다.

성장에는 더 성장한다는 것 이외의 다른 목적이 없으며, 따라서 교육에도 더 교육받는 것 이외의 다른 고려사항이 없다. 교육이 졸업과 동시에 끝나서는 안 된다. 이 말의 의미는, 학교교육의 목적은 성장하는 힘을 조직적으로 길러 줌으로써 교육을 계속해 나갈 수 있도록 하는 데에 있다는 것이다. 삶 그 자체에서 학습하려는 성향, 모든 사람으로 하여금 삶의 과정에서 학습할 수 있도록 삶의 조건을 만들어 나가는 성향은 학교교육이 가져올 수 있는 최상의 결과이다. (……) 성장은 삶의 특징이므로 교육은 성장과 완전히 동일하다. 교육은 그 자체 이외의 다른 목적이 없다. 학교교육의 가치를 판단하는 기준은 그것이 계속적인 성장에의 열의를 얼마나 일으키는가, 그리고 그 열의를 실천에 옮기는 수단을 얼마나 제공하는가에 있다.

— 듀이, 《민주주의와 교육》 중에서

실전 논술

논술 문제

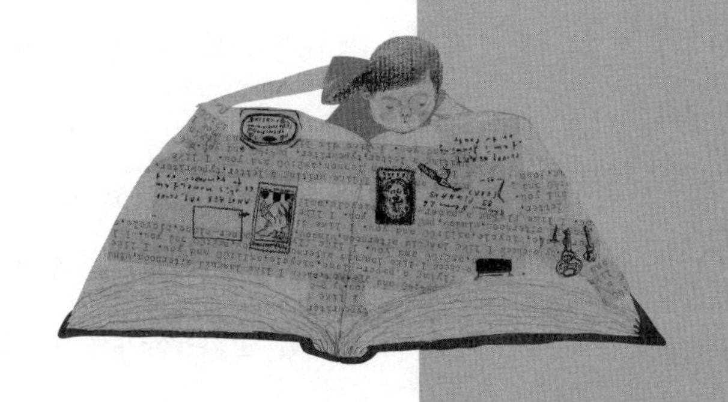

case 1 다음 제시문을 읽고 물음에 답하시오.

가 '문자 학교'는 초창기에서부터 로마의 유일한 학교였던 루두스에서 비롯된 것이다. 직위와 계층을 불문하고 6~7세에서 12세까지의 소년 소녀를 대상으로 하였다. 교육 내용은 읽기, 쓰기, 셈하기 중심이었다. 산수를 위한 특수 교사와 독서를 위한 교사가 있었으나 수준은 매우 낮은 것으로 알려져 있다. 12석(동)판본 단 한 권을 교재삼아 철자 한 자 한 자씩을 읽어가며 익혔고 그 다음은 글자들을 계속해서 베꼈다. 어린이는 손가락을 이용해서 셈하기를 배웠다. 로마 숫자의 모양은 이것에서 유래한 것이다. 반면에 체육, 음악, 율동은 전혀 가르치지 않았다. 강압과 벌은 로마 학교의 일반적 관행이었다. 그들이 체벌을 사용한 이유는 그것이 어린이의 기개를 살리고 규율 의식을 기른다고 믿었기 때문이다. 옹색하고 불편하기 짝이 없는 한 건물 내에서 여자아이들과 남자아이들이 뒤섞여 같이 수업을 받았고, 성(性)의 구분이나 나이 구분도 전혀 없었다.

나 서울에서는 매일 책을 읽고 수학 문제를 풀고 영어 숙제를 해야 했는데, 여기서는 꼭 현장 학습에 온 기분이 듭니다. 책 내용을 배우는 게 아니라 실험을 하거나 무언가 만들어 보는 수업을 하거든요.

그저께는 방송반 언니, 오빠들이 만든 광고 테이프를 보고 이야기를 나누었습니다. 학교 텃밭에서 자라고 있는 배추를 파는 광고인데 덤으로 무를 준다는 내용이었습니다. 광고를 보고 나서 친구들이 배추를 얼마나 사야 무를 주는지, 광고에 나오는 문구가 너무 흔한 것 아닌지 등의 비판을 하기는 했지만 밀짚모자를 쓰고 농부 흉내를 내는 언니, 오빠들 때문에 너무 재밌었습니다.

또 찰흙을 빚어 연필꽂이나 컵을 만들기도 했습니다. 나는 원통 모양으로 연필꽂이를 만들었습니다. 예쁘게 만들려고 겉면에 하나하나 그림도 새겨 넣었습니다. 우리 반 아이들이 만든 연필꽂이와 컵이 구워져서 오면 나는 연필꽂이를 가을이에게 선물할 생각이에요.

참, 어제는 학교에서 큰 행사가 열리기도 했습니다. 서울에서도 가끔 하는 행사인데 일종의 벼룩시장 같은 것입니다. 전학 오자마자 벼룩시장을 하다니 정말 행운입니다. 벼룩시장을 하면 싼 값에 책이나 게임 CD 등을 살 수 있거든요. 이번에도 내가 갖고 싶었던 이야기책과 게임 CD를 사게 되어서 아주 기뻤습니다.

—《듀이가 들려주는 실용주의 이야기》 중에서

다 어느 초등학교의 수학 시간에 있었던 일이다. 분수의 이해를 배우는 시간이었는데, 수업의 내용을 어려워하는 학생들이 선생님의 주의를 받았는데도 계속해서 잡담을 하고 있었다. 그러자 선생님은 "계속 떠들면서 수업을 방해하지 말고 복도에 나가 서 있어" 하고 소리쳤다. 구석에서 떠들던 학생 두 명이 일어서더니 교실 밖으로 나갔다. 얼마 지나지 않아 수업이 끝나고 선생님은 복도에 서 있는 학생들에게 다가가서 말했다.

"너희들 도대체 왜 그렇게 떠드는 거니? 수업을 들어야 할 것 아냐!"

"수업 내용을 하나도 모르겠어요. 그래서 들어도 재미도 없고요."

"그렇다고 떠들면 어쩌니? 조용히 앉아서 수업을 들어야 알 것 아니니?"

선생님은 학생들을 혼내시고는 교실로 들어가라고 하셨다. 풀이 죽은 학생들이 교실로 들어가면서 선생님에게 말했다.

"우리에게 가요 만들기나 뭐 그런 걸 가르쳐 주면 공부를 잘 할 텐데요."

그러자 선생님은 학생들에게 꿀밤을 주면서,

"쓸데없는 소리 좀 하지 마!"

1. 〈가〉와 〈나〉에서 제시된 학교의 차이를 설명하고 자신이 생각하는 학교의 바람직한 모습에 대해 설명하시오. (600자 내외)

2. 〈다〉에서 비판하고 있는 학교의 모습이 무엇인지 서술하시오. (300자 내외)

생각 쓰기

case 2 다음 제시문을 읽고 물음에 답하시오.

가 내가 보고 있는 것이 사실은 밀랍이 아닐 수 있으며, 또 내가 아무것도 볼 수 없게끔 눈을 갖제 가지지 않을 수도 있으나, 내가 볼 때, 혹은 내가 본다고 생각할 때, 생각하는 나 자신이 아무것도 아니라고 하는 것은 전혀 있을 수 없으니 말이다. 마찬가지로 내가 밀랍을 만짐으로써 그것이 있다고 판단한다고 하면, 역시 같은 것, 즉 내가 있다는 것이 귀결된다. (……) 밀랍에 대한 인식이 시각이나 촉각에 의해서만 아니라, 또한 다른 여러 가지 원인에 의하여 나에게 생긴 후, 더 한층 판명한 것으로 여겨진다고 하면, 나 자신은 얼마나 더 판명하게 나에게 인식될 것인가? 그리고 정신 자체 속에는 그 본성에 대한 지식을 더욱 판명하게 해주는 것이 이 밖에도 무척 많이 있으므로, 위에 말한 바와 같은 물체에 의존하는 것들은 문제 삼을 것이 못 된다. 즉 물체들도 본래 감각이나 상상의 능력에 의하여 파악되는 것이 아니라, 오직 오성에 의하여 파악된다는 것, 또 만지거나 봄으로써 파악되는 것이 아니라, 오직 이해함으로써 파악된다는 것이 분명하므로 나는 내 정신보다도 더 쉽게 그리고 명증적으로 나에게 파악되는 것은 하나도 없다는 것을 분명히 인식한다.

— 데카르트, 《성찰》 중에서

나 "듀이는 생활에 변화를 주지 못하고, 지식이기 때문에 추구되는 지식은 의미가 없다고 주장했어요. 예를 들어 '물은 아래로 흐른다' 라는 지식은 그 자체가 중요한 것은 아니래요. 그 원리를 이용해서 물레방아를 만들어 사용하는 것처럼 일상생활에 도움이 될 때에만 가치가 있대요.

보통 학자들은 시간이 흘러도 변하지 않는 지식이 있다고 믿지만 사회가 변화하고 발전하면 지식도 변하기 마련이래요. 그래서 듀이는 우리 생활에 더 많이 도움이 되는 지식이 '더 나은 지식' 이라고 했어요."

"그래, 맞다. 듀이는 그처럼 지식을 생활의 수단으로 여기는 견해를 도구주의라고 불렀단다."

— 《듀이가 들려주는 실용주의 이야기》 중에서

다 듀이는 교육에 있어 경험이 가지는 가치에 대해서 언급하였다. 그는 '지도가 실제의 여행을 대신하지 못 한다. 논리적으로 명료하게 정리된 과학 교재가 개인의 경험을 대신하지 못 하며, 낙하하는 물체에 대한 수학 공식이 낙하하는 물체에 대한 직접적인 개인의 경험을 대신할 수 없다' 고 하였다.

라 물을 이용한 여러 가지 놀이하기

실험 방법

(1) 빨대와 클립을 이용하여 잠수함을 만들어 조정해 보고 그 원리를 알아봅시다.

(2) 고무 찰흙으로 배를 만들어 보고, 배를 물 위에 띄워 봅시다.

실험결과

(1) 내가 조정하는 잠수함 만들기

① 빨대를 잘라 양 끝에 클립을 끼웁니다.

② 양 끝의 클립을 다른 클립으로 서로 연결하고 몇 개 더 끼웁니다.

③ 물이 든 플라스틱 병에 넣고 손으로 눌러 봅니다.

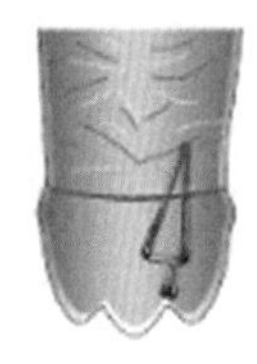

가라앉았을 때

떠 있을 때

④ 손으로 눌렀을 때 : 잠수함 빨대 속에 물이 들어가 아래로 가라앉습니다.

⑤ 손을 놓았을 때 : 잠수함 빨대 속의 물이 빠져 나와 위로 올라갑니다.

⑥ 이와 같은 원리를 이용한 것에는 물고기의 부레가 있습니다.

(2) 고무 찰흙으로 배 만들기

① 고무 찰흙을 배 모양으로 만들어 물 위에 놓으면 뜹니다.

② 고무 찰흙으로 만든 배 위에 물체를 실을 수도 있습니다.

③ 고무 찰흙을 둥글게 공 모양으로 만들어 물 위에 놓으면 가라앉습니다.

— 초등학교 《과학 6-2》 중에서

1. 〈가〉와 〈나〉를 비교해 보고 경험과 지식의 관계에 대한 자신의 생각을 쓰시오. (400자 내외)

2. 〈다〉의 글이 의미하는 바가 무엇인지 생각해 보고, 〈라〉의 실험을 해 보시오.

생각 쓰기

생각 쓰기

case 3 〈가〉의 법조문에서 보장하고 있는 국민의 권리를 실현할 수 있는 방안에 대하여, 〈나〉의 주장과 연계하여 자신의 생각을 설명하시오. (600자 내외)

가 제31조

① 모든 국민은 능력에 따라 균등하게 교육을 받을 권리를 가진다.

② 모든 국민은 그 보호하는 자녀에게 적어도 초등교육과 법률이 정하는 교육을 받게 할 의무를 진다.

③ 의무교육은 무상으로 한다.

④ 교육의 자주성 · 전문성 · 정치적 중립성 및 대학의 자율성은 법률이 정하는 바에 의하여 보장된다.

⑤ 국가는 평생교육을 진흥하여야 한다.

⑥ 학교교육 및 평생교육을 포함한 교육제도와 그 운영, 교육재정 및 교원의 지위에 관한 기본적인 사항은 법률로 정한다.

— 《헌법》, 제31조

제10조(사회교육)

① 국민의 평생교육을 위한 모든 형태의 사회교육은 장려되어야 한다.

② 사회교육의 이수(履修)는 법령으로 정하는 바에 따라 그에 상응하는 학교교육의 이수로 인정될 수 있다.

③ 사회교육시설의 종류와 설립 · 경영 등 사회교육에 관한 기본적인 사항은 따

로 법률로 정한다.

—《교육기본법》, 제10조

나 듀이의 교육개념은 지나치게 넓은 개념이라는 비판을 받을 수도 있다. 이 개념은 인간이 환경 속에서 스스로를 형성해 가는 과정을 교육으로 보기 때문에 교육의 개념과 학습의 개념을 구분하지 못한다. 즉, 교육은 학습을 전제해야 하는 것이지만 학습이 곧 교육이 될 수는 없다는 것이다. 교육은 가르치고 배우는 행위를 모두 포함하고 있으며, 의도적이고 계획적인 과정이기 때문이다. 듀이의 교육개념 자체에 의하면 무의도적이고 비계획적으로, 즉 우연히 일어나는 학습도 모두 교육에 포함하게 된다. 교육의 개념은 교육과 교육이 아닌 것을 구분할 수 있게 하는 기준이 되어야 한다는 점에서 듀이의 개념은 다소 충실하지 못하다.

이뿐 아니라 이 개념은 인간이 생명을 유지하기 위하여 하는 모든 활동, 즉 환경과의 상호작용을 교육에 포함시킴으로써 인간의 삶의 과정 전체가 곧 교육의 과정이 되는 포괄성까지 갖게 된다. 그렇기 때문에 이러한 듀이의 교육에 대한 정의는 그 개념이 지나치게 포괄적이라는 비판을 피할 수 없을 것이다. 그러나 이러한 포괄성은 평생교육의 관점에서 보면 오히려 장점이 된다. 듀이의 교육개념은 교육을 단지 학교교육에만 국한시키는 것이 아니라 삶의 전 과정에서 보다 나은 경험의 질적 성장을 추구하는 것이기 때문이다.

생각 쓰기

case 4 다음 제시문을 읽고 물음에 답하시오.

가 학생 : 듀이는 생활에 변화를 주지 못하고 지식이기 때문에 추구되는 지식은 의미가 없다고 주장했어요. 예를 들어 '물은 아래로 흐른다' 라는 지식은 그 자체가 중요한 것은 아니래요. 그 원리를 이용해서 물레방아를 만들어 사용하는 것처럼 일상생활에 도움이 될 때에만 가치가 있대요. 보통 학자들은 시간이 흘러도 변하지 않는 지식이 있다고 믿지만 사회가 변화하고 발전하면 지식도 변하기 마련이래요. 그래서 듀이는 우리 생활에 더 많이 도움이 되는 지식이 '더 나은 지식' 이라고 했어요.

선생님 : 그래, 맞다. 듀이는 그처럼 지식을 생활의 수단으로 여기는 견해를 도구주의라고 불렀단다.

— 《듀이가 들려주는 실용주의 이야기》 중에서

나 "글을 읽고서 실용을 모른다면 학문 연구가 아니다. 학문 연구를 귀중히 하는 것은 실용에 있다. 선비들이 성(性), 명(命)은 소리 높여 떠들면서도 실제 생활에 필요한 경제에 대해서는 주의를 돌리지 않으며, 문장의 형식만을 헛되이 숭상하면서 정치에 대해서는 아무런 시책이 없다. 선비는 비실용적인 공리공담이 아니라 실용적인 농업, 수공업에 대한 연구를 하여야 한다. 선비가 논사에 대한 이치를 밝히고, 상업을 원활하게 하며 공업을 장려하는 일을 하지 않으면 누가 하겠는가?"

— 박지원, 《연암집》 중에서

다 다음 ①, ②, ③의 그림을 보고 의식주 생활 속에 나타난 우리 조상의 지혜를 찾아보시오.

① ② ③

① 의생활

그림의 내용:

알 수 있는 사실:

② 식생활

그림의 내용:

알 수 있는 사실:

③ 주생활

그림의 내용:

알 수 있는 사실:

— 초등학교 《국어 4-1》 중에서

1. 〈가〉와 〈나〉의 공통된 주장을 밝히고, 실용의 진정한 가치에 대한 자신의 견해를 설명하시오. (400자 이내)

2. 〈다〉에서 나타난 우리 조상의 지혜를 각각 찾고, 듀이의 실용주의와 관련하여 설명해 보시오.

생각 쓰기

생각 쓰기

case 5 아래의 대화와 표를 참고하여, 대안학교에 대한 자신의 생각을 서술하시오. (400자 이내)

가 교사A : 들꽃학교는 대안학교지요? 흔히들 대안학교는 정상적인 학교에 적응하지 못한 학생들이 다니는 곳이라고 들었습니다. 이 의견에 대해서는 어떻게 생각하십니까?

교사B : 하하하, 대안학교에는 문제아들이 다닌다고 생각하시는 분이 꽤 많다는 것은 압니다. 물론 그런 학생들도 없지 않아 있습니다. 그러나 대안학교는 전통적인 방식의 학교가 지니는 단점을 보완하고 새로운 교육을 시도하는 곳입니다. 교육부에서도 대안학교를 개인 특성에 맞는 교육을 받기 원하는 학생들에게 체험학습, 적성교육, 진로지도 등 다양한 교육내용을 제공하기 위해 설립된 학교라고 정의하고 있습니다.

교사A : 어제 첫 수업으로 요리 수업을 들었는데, 두 시간이 넘게 식빵을 만드는 것이 수업 내용으로 적절하다고 생각하십니까?

교사B : 그건 관점의 차이지요. 저는 식빵을 만드는 과정에서 아이들이 많은 것을 배울 수 있다고 생각하니까요. 요즘 아이들은 너무나 쉽게 음식을 구할 수 있어서 먹을 것의 소중함을 잘 느끼지 못합니다. 하지만 오랫동안 공을 들여서 만든 음식을 맛보게 되면 음식이 얼마나 소중한 것인지를 깨달을 수 있어요.

또 우리가 일상생활 속에서 듣게 되는 'cc'나 'ts'과 같은 계량 단위에 대해서도 알 수 있고, 요리할 때 주방 기구들을 어떻게 다루어야 하는지, 주의할 점이 무엇인지도 알 수 있어요. 이 아이들도 언젠가는 직접 요리를 할 테니 나중에라도 도움이 되지 않겠습니까?

교사A : 모든 아이들이 다 직접 요리를 하게 되지는 않을 것 같은데요?

교사B : 제 수업 내용이 모든 학생들에게 다 완벽하지는 않을 것입니다. 다만 학생들에게 최대한 도움이 되는 내용을 수업 내용으로 계획하려고 노력할 뿐이지요. 그럼 이하은 선생님께서는 어떤 수업을 하십니까?

교사A : 저는 아이들이 많은 지식을 얻을 수 있도록 교육하고 있습니다. 아이들에게는 무한한 가능성이 있고, 각자의 꿈이 있지요. 그 꿈을 실현하기 위해서는 많은 공부를 해야 하고, 좋은 대학에 가야 한다고 생각합니다.

이 들꽃학교에도 입시를 위한 보충 수업반이 있다고 들었는데, 다 아이들을 좋은 대학에 보내고자 하시는 것 아닌가요?

교사B : 네, 그런 현실적인 문제가 있다는 것은 저도 인정합니다. 우리 아이들에게 다양한 능력이 있지만 시험을 잘 보는 것과는 다른 능력일 수도 있으니까요. 그렇지만 들꽃학교에서 보충 수업반이 중점이 되고 있는 것은 아닙니다. 이하은 선생님께서도 아시겠지만 이 학교는 듀이의 사상 아래 지어진 학교니까요.

듀이는 교육이란 여러 가지 주제들에 관해 가르치는 것이 아니라 사회의 성장을 촉진시킬 수 있는 시민들의 발달에 기여하는 노력이라고 했습니다. 다시 말해 성숙한 사회를 이끌어 나갈 수 있는 성숙한 시민을 길러내는 것이 교육이라고 한 것이지요.

우리들은 바람직한 사회를 만들기 위해서 우리가 성숙한 인간이 되어야 한다는 것을 잘 알고 있습니다. 하지만 일류 대학에 들어가기 위한 입시 위주의 교육과 좋은 직장에 들어가기 위한 취직 위주의 교육에만 치중하고 있어요. 앞으로도 이런 현상이 계속된다면 우리 사회는 성숙보다는 경쟁이 우선시 될 것입니다. 저는 이런 현실이 안타까워서 이 학교를 세운 것입니다.

— 《듀이가 들려주는 실용주의 이야기》 중에서

나 학업중단 청소년 현황

구분		1990	1995	1997	1999	2000	2001	2002
중학생	중퇴생(명)	23,568	19,817	26,897	19,481	17,338	19,097	19,842
	비율(%)	1.0	0.8	1.2	1.0	0.9	1.0	1.1
일반고	중퇴생(명)	26,283	16,100	17,470	15,920	16,520	18,921	20,966
	비율(%)	1.5	1.1	1.8	1.4	1.2	1.5	1.7
합계	중퇴생(명)	75,043	64,962	90,433	69,116	66,046	71,223	67,974
	비율(%)	1.6	1.4	2.0	1.7	1.7	1.9	1.9

생각 쓰기

case 6 〈가〉와 〈나〉를 참고해서, 듀이가 추구하는 예술 교육 방법이 무엇인지에 대해 자신의 생각을 서술하시오. (400자 이내)

가 예술은 문화의 전반적인 흐름과 매우 긴밀한 관계를 유지하며 발전한다. 다시 말하면, 예술은 예술 작품을 만들어 내는 사람들의 일반적 활동으로부터 유리될 수 없다. 예술가들의 내적 경험이 그들이 속해 있는 문화 또는 시대와 동떨어져서 이루어질 수 없다는 사실은 예술을 어떤 형태로든 그 예술이 창조되는 시대의 정신과 전망을 반영한다는 것을 말해 준다. 문화가 시대와 환경의 산물이듯이, 예술의 특성도 시대와 환경에 따라 다양하게 나타난다. 인간이 만들어 내는 예술작품은 그것들이 속해 있는 시기에 유행하는 문화적 표상이다. 듀이에 의하면 예술은 삶의 질에 관한 판단인 동시에 삶의 발전을 촉진시키기 위한 수단이다. 그리고 예술은 그 예술이 산출되는 공동체의 경험을 재구성하여 그것을 보다 큰 질서와 통일을 위하여 사용할 수 있는 수단이기도 하다.

— 고등학교 《철학》 중에서

나 듀이가 말하는 경험의 재구성 활동은 어린 아이, 성인, 학생, 전문가, 예술가, 소수자 누구든 간에 동등한 교육적 가치를 향유할 수 있게 한다. 그리고 그러한 교육적인 가치의 체험은 언제나 계속되어야 한다. 이러한 연속성과 유기적 통합성 안에서 일상적 경험과 경험의 재구성, 그리고 표현 활동은 문화와 교육과 예술로 구분될 수는 있지만 서로 떨어져 있는 것은 아니다. 강조하는 바가 다른 활동들이 서로 연결될 때 듀이가 말하는 의미대로 교육은 꽃을 피울 수 있고, 예술 또한 향유되고 그때 민주주의는 실현될 것이다.

생각 쓰기

생각 쓰기

생각 쓰기

실전 논술

예시 답안

case 1

1. 글 〈가〉의 학교는 실용성을 근거로 문학과 웅변 이외의 것은 교육의 필요를 생각하지 않았다. 단지 로마가 정한 인간을 만들어 내기 위한 수단으로 교육이 이루어졌다. 반면 글 〈나〉의 학교는 교과서 암기에서 벗어나 아동이 중심이 된 다양하고 자율적인 교육을 중시하고 있다. 특히 학생들이 사회활동을 하는데 있어 중요한 가치들과 인간적인 교류를 강조하여 다양한 경험을 쌓아 교육으로 활용하고 있다.

이들을 비교할 때, 로마의 학교는 경직되어 있고 강압적이며 개인의 특성을 전혀 고려하지 않는 획일적인 교육이다. 〈나〉의 학교는 학생들의 특성이 존중되고 생활 속에서 경험할 수 있는 모든 것들이 지식으로 가치를 인정받는 열려 있는 교육이다.

로마의 학교에서도 우수한 학생, 훌륭한 학생이 자랄 수 있을 것이다. 그러나 모든 학생이 우수하고 훌륭할 수 있는 것은 〈나〉의 학교에서 가능할 것이다. 이렇게 자신의 가치를 발견하고 그것을 활용할 수 있도록 하는 것이 학교와 사회가 원하는 진정한 교육의 모습일 것이다.

2. 오늘날 우리가 흔히 볼 수 있는 학교는 교사가 학생에게 교과의 내용을 일방적이고 획일적인 방법으로 전달하고 평가하는 모습이다. 학생들이 그들의 개인적인 경험이나 다양한 생각을 자유롭게 나눌 수 있는 시간이나 공간이 없이 같은 내용을 반복하면서 외우고 따라 하기 바쁘다. 특히 학생 개인의 능력과 관심사, 이

해도 등을 중심으로 교육이 진행되는 것이 아니라 같은 내용을 일정한 수준에 도달시키는 것을 중요시하는 수동적이고 단편적인 교육 방식을 추구한다. 이러한 점은 학생들을 존중하고 다양한 경험을 추구하는 교육과는 많은 차이가 있고 달라져야 할 부분이다.

case 2

1. 지금까지 많은 사람들은 우리가 꼭 알아야 할 많은 진리와 법칙이 있다고 믿고, 그것을 알기 위해 노력하고 있다. 눈에 보이는 것만이 아니라 우리가 보지 못해도 분명히 존재하는 진실을 찾기 위한 이러한 노력은 변하지 않는 하나의 원리를 찾아내려는 우리의 바람을 드러낸다. 이러한 변함없는 진리에 대한 사람들의 욕망은 우리 사회의 원칙과 규범을 만들고 과학과 수학을 배우게 하였다. 또한 사람들은 비록 자신이 그 진실과 원리를 직접적인 경험으로 찾아내지 못하더라도 그것이 참이라는 것을 의심하지 않는다. 그러나 이러한 태도는 현실에서 사람들이 직접 부딪치는 다양한 상황과 문제들에 대처하는 데는 재빠르게 대응하기 어려울 수가 있다. 지식이 풍부하나 그 지식을 활용하지 못하거나, 다양한 현실을 담아내지 못하는 경우가 그러하다. 쉬지 않고 변하는 생활에 유용하게 활용될 수 있는 지식은 변화에 적응하고 대처하는 데 더욱 큰 역할을 할 수 있다. 따라서 이러한 실용적인 지식을 키우는 데 힘을 쏟아야 할 것이다.

2. 글 〈가〉는 듀이가 교육에 있어 경험이 얼마나 중요한지를 예시한 부분이다. 교과서에서 알려 주는 많은 내용들이 일상생활에서 활용되고 경험되어야 하는 이유를 설명하는 것이다. 책 속에 고정되어 있는 어떠한 법칙이나 사실들은 학생들에 의해 직접 경험될 때 가장 큰 힘을 발휘하고 가치를 가지게 됨을 보여 준다.

〈나〉의 실험은 6학년 2학기 과학 실험에서 소개되고 있는 내용이다. 이 실험들은 모두 '부력의 원리'를 가지고 활용되는 사례를 직접 찾아보고 그 원리를 경험하면서 학생들의 이해를 높이는 데 의미가 있다 하겠다. 위와 같은 실험뿐만 아니라 교과서나 과학적 지식을 소개하는 많은 자료들을 보고 듣는 것에서 그치지 않고 직접 경험하는 것이야 말로 듀이가 주장하는 교육의 경험론을 가장 손쉽게 접하고 실천하는 것이다.

case 3 사람들은 교육을 단순히 가르치고 배우는 것에만 제한해서 생각하는 경향이 있다. 그런데 교육은 단지 특정한 과목이나 어떤 주요 내용을 가르치고 배우는 것으로 끝나는 것이 아니다. 사람들이 태어나서 죽을 때까지 우리 사회에서 일어나는 모든 사건과 상황을 받아들이고 이해하는 과정이 바로 교육의 과정이다. 학교라는 기관에서 정해진 과목을 배우는 것으로 교육이 이루진다고 생각한다면, 그것은 너무나도 좁은 의미의 교육에 대한 정의이다. 교육은 사람들이 사회를 이루고 살면서 그 사회의 문화, 정치, 생활 등 일상과 더불어 가정,

직장, 동호회 등의 다양한 모임을 통해 이루어지는 모든 경험들의 통합이다. 따라서 사람들은 평생에 걸쳐 교육의 과정을 겪게 되는 것이다. 즉 사람들은 교육을 하면서 살아가고 살아가면서 교육을 실천하는 것이다. 이렇게 생활 속에서 실행하는 교육이 우리가 나아갈 모습이라고 생각한다.

case 4

1. 듀이는 실용이라는 것을 일상생활 속에서 마주치는 다양한 문제들을 해결할 수 있는 역할에서 찾고 있다. 사회가 변하는데도 불구하고 그 변화에 대처하지 못 하는 지식은 '더 나은 지식' 이라 할 수 없으며, 실용을 벗어난 것이다. 연암 역시 학문의 가치는 생활의 필요를 만족시키고 실제로 쓰임으로 증명되어야만 빛이 나는 것이라 하였다. 학문을 하면서 사회의 활용이 되지 않는다면 그것은 실용이라 할 수 없다. 그러므로 실용은 지식과 학문의 가치를 더욱 높이고, 사회의 변화와 발전에 큰 역할을 하는 힘이라고 할 수 있다. 즉 지식과 학문을 연구하는 데 있어 실용은 최종 목적이자 이유가 되어야 한다.

2. ① 그림의 내용 : 우리 조상들이 입었던 여름철과 겨울철의 옷

알 수 있는 사실 : 여름에는 삼베, 모시옷 등의 시원한 옷과 흰옷을 입고, 겨울에는 검은색의 무명옷에 솜을 넣어 입었다.

② 그림의 내용 : 우리 조상들이 즐겨 먹었던 음식

알 수 있는 사실 : 쌀에 여러 잡곡을 섞어 영양을 보충하고 간장, 된장, 김치 등의 발효 식품으로 암을 예방하였다.

③ 그림의 내용 : 우리 조상들이 집을 지을 때에 사용한 재료

알 수 있는 사실 : 건축 재료인 돌, 흙, 나무 등은 우리 기후와 풍토에 알맞고 기둥과 벽, 지붕이 조화를 이루도록 하였다.

case 5 주변에서 쉽게 찾을 수 있는 학교의 모습은 들꽃 학교의 풍경과는 아주 다르다. 학교에서 정해 준 과목을 정해 준 시간 동안 정해진 방법으로 배우고 정해진 기준에 따라 순위가 매겨지고, 최종적으로 그 순위에 의해 학생들은 평가 받는다. 그래서 우등생과 열등생이 쉽게 판결난다. 그러나 한 번 결정된 우등생과 열등생의 역할은 쉽게 바뀌지 않고 그들을 바라보고 판단하는 시선도 쉽게 바뀌지 않는다.

그런데 들꽃 학교에서는 학생 개인의 특성에 맞는 다양한 방법으로 교육한다. 그리고 꼭 도달해야 할 일정한 기준이 있는 것도 아니다. 수업의 과정에서 학생 개인이 자신의 특성에 맞게 다양하고 많은 지식을 얻을 수 있도록 각자의 꿈을 존중한다. 교육의 목적을 대합 입시에 두지 않으며, 성숙한 인간으로서 사회의 구성원으로 자라나는 것에 두고 있다.

이렇게 다른 모습을 하고 있는 두 학교라면, 학생들에게 자율적이고 창의적인

교육을 하는 학교를 선택하는 것이 어렵지 않을 것이다. 대안학교는 기존의 학교가 가지지 못한 중요한 교육의 철학을 실현하는 것을 중시한다. 따라서 대안학교의 이러한 교육 철학은 기존의 학교에도 긍정적인 자극이 되고, 교육이 나아갈 방향을 제시할 수 있을 것이다.

case 6 듀이는 예술 교육에 있어서도 직접적인 경험과 체득의 중요성을 강조하였다. 그는 예술이 인간의 삶과 자연 속에서 창조되고 향유될 때 진정한 가치를 드러내는 것이라 생각했다. 그래서 예술은 생활 속에서 작품화되어야 하며, 경험으로서의 교육과도 서로 조화될 수 있다고 본다. 다시 말해 예술은 '예술이 되기 위해' 창조되는 것에서 벗어나 자연과 인간의 삶 속에서 드러나야 한다. 이렇게 완성된 예술은 우리의 다양한 경험과 더불어 적극적이고 자유로운 표현 활동으로 자리 잡을 수 있다.

그러므로 예술은 생활 속에서 그 의미를 찾고, 생활 속에 구현된 예술은 표현 활동으로 이어지고, 표현을 통한 경험으로 교육 활동으로 이어지는 것이다. 틀에 박힌 획일적인 교육 내용과 방법에서 벗어나 자연과 삶의 경험을 담아내는 방법으로서 예술 교육이 이루어져야 할 것이다.

Abitur

철학자가 들려주는 철학이야기 060

존 롤즈가 들려주는 정의 이야기

저자_**김광식**

서울대학교 철학과에서 학사·석사과정을 마쳤다. 독일 베를린 자유대학교와 공과대학교에서 철학을 공부하고 공과대학교 과학·기술·철학과에서 철학박사학위를 받았다. 저서는《체화된 행위방식으로서의 행위지식》(Mensch & Buch),《사회철학대계4: 기술시대와 사회철학》(공저, 민음사),《철학대사전》(공저, 동녘)과 자음과모음에서 펴낸 〈아비투어 철학 논술 시리즈〉 중《롤즈》,《데리다》,《리쾨르》,《화이트헤드》,《한나 아렌트》,《흄》,《맹자》,《왕수인》,《복희씨》,《이이》,《최한기》 등이 있으며, 2007년 경향신문에 "하버마스 '의사소통행위론'", "존 롤즈의 '정의론'", "아도르노 '계몽의 변증법'", "맹자의 '성선설'", "이이의 '이기론'"을 연재했다. 번역서는《흄-나는 존재하지 않는다》(스트래던, 편앤런) 등이 있으며, 논문은《본질과 현상의 범주를 통해서 본 인식들 사이의 모순의 문제》(서울대),《하버마스의 보편화용론에 대한 연구》(서울대) 등이 있다. 독일학술진흥협회의 연구프로젝트 (준비중) "조종-조형-소통: 미디어비판적 행위이론에 초점을 맞춘 음악적 인간-기계-상호작용"의 공동연구자로 참여하고 있으며, 인지과학철학을 중심으로 인지과학(신경생물학, 사이버네틱스 등), 인식론, 행위론, 과학·기술철학, 언어 및 커뮤니케이션이론, 미디어이론, 문화이론, 윤리학, 동양철학에 걸친 광범위한 분야를 통합하는 연구를 하고 있다.

배경 지식 넓히기

John Rawls

존 롤즈의 '정의'

존 롤즈 주요 개념

1. 벤담(J. Bentham)

벤담(1748~1832)은 공리주의를 주장한 영국의 철학자이자 법학자입니다. 그는 쾌락은 곧 선이요, 고통은 악이라고 주장하면서, 인생의 목적은 '최대 다수의 최대 행복' 의 실현에 있다고 주장합니다. 우리는 어떤 행위를 할 때는 보다 많은 사람들을 위해 보다 많은 유용성을 만들어 내는 행위를 하도록 해야 한다는 것입니다. 그는 쾌락과 고통의 양을 비교할 수 있는 계산법을 만들어 내기도 했습니다. 그의 공리주의의 바탕에는 쾌락을 만들어 내고 고통을 막는 능력이야말로 모든 도덕과 법의 기초 원리라는 생각이 놓여 있습니다.

2. 칸트(I. Kant)

칸트(1724~1804)는 독일의 철학자입니다. 그는 가난한 집안의 아들로 태어났습니다. 대학을 졸업한 후에 7년간 가정교사 생활을 한 뒤 대학 강사로 일하기 시작했습니다. 강사로 생활하는 동안 칸트는 유익하고 재미있는 강의와 해박한 저술로 명성을 얻었습니다.

칸트는 쾨니히스베르크 대학의 교수로 임명되었고 1781년 마침내 〈순수 이성 비판〉을 발표합니다. 〈순수 이성 비판〉을 포함하여 〈실천 이성 비판〉, 〈판단력 비판〉은 칸트의 비판철학을 대표하는 명작입니다. 칸트의 비판철학은 영국의 경험론과 대륙의 합리론을 비판적으로 종합한 철학입니다.

3. 공리주의(Utilitarianism)

공리(Utility), 즉 유용성을 가치 판단의 기준으로 삼는 윤리설을 뜻합니다. 윤리적 행위의 목적이 최대 다수의 최대 행복(공리)에 이바지하는 데 있다고 주장하고 있습니다. 제러미 벤담과 존 스튜어트 밀이 공리주의를 주장한 대표적인 철학자입니다. 현대판 행복주의 또는 쾌락주의라고 할 수 있습니다.

4. 무지의 베일

계약 당사자가 자유롭고 합리적인 상태에서 정의 원칙에 따라 만장일치로 합의하기 위한 도덕적 관점인 원초적 입장이 성립하기 위한 인지적 조건을 만족시키는 가상의 도구입니다. 무지의 베일은 합리적인 판단에 필요한 모든 지식은 가지고 있지만 자신의 이해관계에 영향을 끼치는 능력이나, 재산 또는 사회적 지위 등에 대한 지식은 모르게 만듭니다.

5. 기회 균등의 원칙

기회가 모든 사람에게 균등하게 주어져야 한다는 원칙입니다. 이 원칙에 따르면 정치, 경제, 사회, 문화, 교육 등 여러 분야에 참여할 기회가 균등하게 주어져야 합니다. 예를 들어 선거에 참여할 기회나 직업을 얻을 기회나 사회 및 문화 활동에 참여할 기회나 교육을 받을 기회 등이 균등해야 하는 것입니다.

기회는 형식적 기회 균등과 실질적 기회 균등으로 나뉘는데 형식적 기회 균등은 법이나 제도에 의해 형식적으로 균등하게 참여할 가능성을 보장하는데 반해 실질적 기회 균등은 실질적으로 균등하게 참여할 가능성을 보장합니다.

예를 들어 헌법은 대학 교육을 받을 형식적 기회를 주고 있지만 대학 교육이 무상 교육이 아닌 경우 등록금을 내지 못하는 학생들에게는 실질적으로 기회를 주지 않는 것과 마찬가지입니다. 대학 교육을 무상 교육으로 실시하거나 가난한 학생들만이라도 무상으로 교육할 때 비로소 실질적인 기회 균등이 이루어질 수 있습니다.

6. 평등

개인과 개인 사이나 집단과 집단 사이에 차별이 없는 상태를 말합니다. 예를 들어 남자와 여자 사이가 평등해야 하며, 국가와 국가 사이가 평등해야 하며, 인종과 인종 사이가 평등해야 합니다. 또한 법 앞에서는 누구나 평등해야 합니다. 가난하고 권력이 없다고 불평등하게 대우해서는 안 되는 것입니다.

평등은 형식적 평등과 실질적 평등으로 나눌 수 있습니다. 예를 들어 어린아이와 어른이 모두 일하거나 남자와 여자가 모두 군사 훈련을 받는 것은 형식적으로는 평등한 일이지만 실질적으로는 불평등한 일입니다. 어린아이와 여자는 남자에 비해 힘이 약하기 때문입니다.

7. 자유

인간이 자연이나 사회의 법칙을 지배하거나 그 법칙의 지배로부터 벗어난 정도를 말합니다. 자유는 자연과 사회의 법칙을 인식하고 그 인식을 적용하거나 활용함으로써 자연과 사회를 지배하거나 그 지배로부터 벗어날 때 생깁니다. 그러므로 자유는 자연과 사회의 자연적, 정치적, 경제적, 법적 조건들에 의해 영향을 받습니다.

아리스토텔레스는 의도적 행위와 의도적이지 않는 행위로 구분했습니다. "의도적이지 않는 행위는 강제로 당한 행위와 모르고 한 행위입니다. 반면에 의도적인 행위는 행위의 상황을 완전히 알고 자신의 의지로 한 행위입니다." (아리스토텔레스, 《니코마코스 윤리학》 중에서) 이때 의도적인 행위가 바로 자유로운 행위입니다.

8. 샴쌍둥이

샴쌍둥이는 몸의 일부가 붙은 채로 태어난 쌍둥이를 말합니다. 일란성 쌍둥이의 수정란이 완벽하게 분리되지 않았을 때 발생합니다. 결합쌍둥이라고도 합니다. 샴쌍둥이라고 부르는 이유는 1811년에 타이의 샴에서 창

벙커와 엥 벙커 형제가 태어났기 때문입니다.

결합 쌍둥이는 20만 번에 한 번 꼴로 태어나며, 절반은 죽은 채로 태어납니다. 산 채로 태어났다 해도 조기에 사망할 확률이 높습니다. 쌍둥이의 전체 사망률은 5~25% 사이입니다. 오늘날에는 분리 수술을 받는 경우가 많습니다. 결합 쌍둥이는 여성이 70~75% 정도로 높은 편입니다. 가슴이 붙은 경우에는 하나의 심장을 나누어 쓰는 경우가 있는데 생존할 확률은 35~40%입니다.

철학 법정

존 롤즈와 '정의'의 철학 법정

아비투어 철학 법정에 오신 것을 환영합니다. 철학 법정에서는 슈퍼 아이돌 스타 나정의 씨의 소속을 둘러싼 문제로 연예기획사 퍼포즈(Purpose)의 대표 최이익 씨와 연예기획사 듀티(Duty)의 대표 고의무 씨와 연예기획사 콘센트(Consent)의 대표 전합의 씨가 법정 소송을 제기했습니다. 이번 재판을 맡으실 분은 아비투어 판사님이시며, 여러분을 배심원으로 모셨습니다. 재판의 진행을 잘 관찰하시고 어떤 분이 옳은지 심판해 주시기 바랍니다. 재판에 앞서 명변호사이신 존 롤즈 씨를 모셨습니다. 신사 숙녀 여러분! 존 롤즈 변호사님을 소개합니다!

위대한 변호사, 존 롤즈

이름 : 존 롤즈(John Rawls, 1921년~2002년).

나이 : 81살.

성별 : 남자.

국적 : 미국.

직업 : 철학자.

업적 : 정의의 새로운 이론을 발전시킴.

저서 : 《공정으로서의 정의》(1958), 《정의론》(1971) 등이 있음.

아비투어 철학 법정 배심원 여러분, 위대한 변호사 존 롤즈 씨입니다.

자모 : 바쁘신데도 이렇게 인터뷰에 응해 주셔서 감사합니다. 변호사님, 먼저 변호사님께서 어떻게 해서 이 재판의 변호를 맡게 되셨는지 그 이유를 말씀해 주시죠.

롤즈 : 에, 이 재판을 맡게 된 것은 아마도 1971년에 쓴 〈정의론〉 때문일 것입니다.

자모 : 달랑 책 한 권 때문에 변호를 맡게 되셨다니 믿을 수 없군요. 도대체 그 책이 어떤 내용을 다루고 있습니까? 구체적으로 예를 들어 쉽게 설명해 주시죠.

롤즈 : 여러분은 아마도 솔로몬의 재판에 대한 이야기를 알고 있을 것입니다. 두 명의 여인이 한 아이를 두고 서로 자기 아이라고 주장하자 솔로몬왕은 아이를 둘로 잘라 나누어 가지라고 판결을 내렸습니다. 그러자 한 여인이 자신은 재판에 져도 좋으니 제발 아이를 자르지 말라고

했습니다. 솔로몬왕은 자신의 양육권보다 아이의 생명을 더 소중히 여기는 그 여인이 진짜 어머니라는 최종 판결을 내렸습니다.

자모 : 웬 뚱딴지같이 솔로몬 이야기를 하죠? 제가 물은 것은 당신의 정의론 내용인데요.

롤즈 : 성미도 급하시군요. 다 연관이 있습니다. 제가 쓴 〈정의론〉은 두 여인 모두 자신들은 재판에 져도 좋으니 제발 아이를 자르지 말라고 만들 수 있는 비결을 담고 있습니다.

자모 : 그게 뭔가요?

롤즈 : 비결은 바로 맛있는 케이크입니다.

자모 : 비결이 케이크라니, 도대체 어떻게 케이크 하나가 어느 누구도 억울해 하지 않는 정의로운 해결책이 될 수 있습니까?

롤즈 : 재판 과정에서 변호를 통해 그 까닭을 알게 되기를 바랍니다.

자모 : 인터뷰 감사합니다. 재판에 꼭 이기시기를 바랍니다.

첫 번째 재판 — 정의

아비투어 : 지금부터 슈퍼 아이돌 스타 나정의 씨에 대한 제 1차 공판을 시작하겠습니다. 나정의 씨, 앞으로 출두해 주십시오. 이름이 나정의

씨 맞습니까?

정의 : 네 맞습니다. 바르다는 뜻의 정(正) 자와 옳다는 뜻의 의(義) 자가 모여서 된 '바르고 옳은 것' 이란 뜻인 정의(正義)가 제 이름입니다.

아비투어 : 그런데 당신의 무엇이 바르고 옳다는 말인가요? 우리는 행동뿐만 아니라 생각이나 결정, 제도, 사람, 사회, 국가도 정의롭다고 하잖아요?

정의 : 하지만 자세히 살펴보면 그러한 것들을 정의롭다고 판단하는 이유는 결국 그러한 것들과 관련된 행동이 정의롭기 때문입니다. 어떤 생각이나 결정 또는 제도가 정의로운 이유는 정의로운 행동을 낳기 때문이며, 어떤 사람이나 사회 또는 국가가 정의로운 이유는 정의로운 행동을 하기 때문입니다.

아비투어 : 그러니까 당신의 행동이 정의롭다는 말씀이시군요. 문제는 당신의 어떤 행동이 정의로운지 입니다. 여기 당신이 서로 자신들의 소속이라며 소송을 제기하신 분들이 계십니다. 최이익 씨, 고의무 씨, 전합의 씨! 앞으로 출두해 주십시오. 최이익 씨부터 나정의 씨가 당신 연예기획사 소속이라고 주장하는 이유를 말씀해 주십시오.

최이익 : 연예기획사 퍼포즈(Purpose)의 대표 최이익입니다. 퍼포즈는 목적이라는 뜻입니다. 저희 '목적' 기획사는 좋은 목적을 좇는 행동을 하는 연예인들이 소속된 곳입니다. 나정의 씨는 좋은 목적을 좇는 행

동을 하는 연예인이므로 저희 기획사 소속이 맞습니다.

아비투어 : 다음에는 고의무 씨 차례입니다. 나정의 씨가 당신 연예기획사 소속이라고 주장하는 이유를 말씀해 주십시오.

고의무 : 연예기획사 듀티(Duty)의 대표 고의무입니다. 듀티는 의무라는 뜻입니다. 저희 '의무' 기획사는 올바른 규칙이나 의무를 따르는 행동을 하는 연예인들이 소속된 곳입니다. 나정의 씨는 올바른 규칙이나 의무를 따르는 행동을 하는 연예인이므로 저희 기획사 소속이 맞습니다.

아비투어 : 마지막으로 전합의 씨 차례입니다. 나정의 씨가 당신 연예기획사 소속이라고 주장하는 이유를 말씀해 주십시오.

전합의 : 연예기획사 콘센트(Consent)의 대표 전합의입니다. 콘센트는 합의란 뜻입니다. 저희 '합의' 기획사는 공정한 합의를 하는 연예인들이 소속된 곳입니다. 나정의 씨는 공정한 합의를 하는 연예인이므로 저희 기획사 소속이 맞습니다.

아비투어 : 배심원들이 알아듣기 쉽게 예를 들어 설명해 주십시오.

최이익 : 예를 들어 모든 사람을 이롭게 하려는 '목적'을 좇는 행동을 하는 연예인들은 저희 기획사 소속입니다.

고의무 : 예를 들어 거짓말을 하지 말라는 옳은 규칙이나 '의무'를 따르는 행동을 하는 연예인들은 저희 기획사 소속입니다.

전합의 : 예를 들어 욕을 하지 말자는 공정한 합의를 하는 연예인들은 저희 기획사 소속입니다.

아비투어 : 하지만 '목적' 기획사와 '의무' 기획사는 쉽게 구분이 가지 않는군요. 어떤 사람이 도둑을 잡았다고 합시다. 도둑을 잡는 것을 목적을 좇는 행동이라고 봐야 할까요? 의무를 따르는 행동이라고 봐야 할까요?

최이익 : 목적을 좇는 행동과 의무를 따르는 행동을 구분하는 기준의 하나는 추구하거나 따르는 대상의 차이에 있습니다. 목적을 좇는 행동의 대상은 '좋은 것' (goodness)이지만 의무를 따르는 행동의 대상은 '옳은 것' (rightness)입니다.

아비투어 : 좋은 것과 나쁜 것을 가르는 기준은 그것이 가져다주는 이로움이나 해로움이지만, 옳은 것과 옳지 못한 것을 가르는 기준은 규칙이나 원칙과의 적합성이란 말씀이십니까?

고의무 : 바로 그겁니다. 목적을 좇는 행동과 의무를 따르는 행동을 구분하는 또 다른 기준은 관심의 차이에 있습니다. 목적을 좇는 행동은 결과에 관심을 가지고 있지만, 의무를 따르는 행동은 동기에 관심을 가지고 있습니다. 도둑을 잡는 행동이 목적을 좇는 행동이라면 그 행동은 도둑을 잡는 것이 가져다주는 이로운 '결과' 를 목적으로 하는 것입니다. 반면에 도둑을 잡는 행동이 의무를 따르는 행동이라면 그 행

동은 '도둑은 잡아야 한다.' 는 옳은 규칙이나 의무를 따르려는 '동기' 에서 하는 것입니다.

아비투어 : 그래서 '목적' 기획사를 '결과' 기획사라고도 부르고 '의무' 기획사를 '동기' 기획사라고도 부르는군요. 말씀 감사합니다. 그럼 다음 공판에서 뵙겠습니다.

두 번째 재판 — 변호사들

아비투어 : 제 2차 공판을 시작하겠습니다. 이번 공판에서는 변호사들의 변호를 들어보겠습니다. '목적' 기획사의 변호사 벤담(Bentham) 씨, '의무' 기획사의 변호사 칸트(Kant) 씨, '합의' 기획사의 변호사 롤즈(Rawls) 씨! 모두 앞으로 출두해 주십시오. 먼저 자기소개를 해 주십시오.

벤담 : '목적' 기획사에 소속된 벤담입니다. 제 대표곡은 '공리주의' 입니다. '목적' 기획사의 대표 증인으로 나온 것을 영광으로 생각합니다.

칸트 : '의무' 기획사에 소속된 칸트입니다. 제 대표곡은 '의무주의' 입니다. '의무' 기획사의 대표 증인으로 나온 것을 영광스럽게 생각합니다.

롤즈 : 합의' 기획사에 소속된 롤즈입니다. 제 대표곡은 '합의주의' 입니다. '합의' 기획사의 대표 증인으로 나온 것을 영광으로 생각합니다.

아비투어 : 먼저 벤담 씨께 묻습니다. 공리주의가 '목적' 기획사의 목적주의나 결과주의와 무슨 관계가 있습니까?

벤담 : '목적' 기획사의 목적주의나 결과주의는 좋은 결과를 목적으로 추구하는 행동이 정의로운 행동이라고 주장합니다. 좋은 결과란 다름 아니라 이로운 것입니다. 저의 '공리주의' 는 바로 최대 다수(공중公衆)에게 이로운 결과를, 다시 말해 '최대 다수의 최대 행복' 이라는 공공의 이익인 공리(공리公利)를 목적으로 추구하는 행동이 정의로운 행동이라고 생각합니다. 그러므로 정의 씨는 우리 '목적' 기획사 소속입니다.

아비투어 : 이번에는 칸트 씨께 묻습니다. 칸트 씨의 '의무주의' 가 내세우는 의무는 무엇입니까?

칸트 : 제 의무주의가 내세우는 가장 근본적인 보편적이며 필연적인 행동법칙(의무)은 "네 의지가 따라야 할 법칙이 항상 동시에 보편적인 법칙을 만드는 원리로서 타당하도록 행위하라!" 입니다. 마땅히 따라야 할 모든 행동법칙(의무)은 이 근본법칙(의무)으로부터 끌어낼 수 있습니다. 이 근본법칙으로부터 끌어낸 마땅히 따라야 할 행동법칙에

따르려는 선한 의지(동기)로 행한 행동이 정의로운 행동입니다. 그러므로 정의 씨는 우리 '의무' 기획사 소속입니다.

아비투어 : 그 근본법칙이란 것을 이해하기 어렵군요. 쉽게 풀어 설명해 주시죠.

칸트 : 제가 말하는 근본법칙이란 자신이 따르고자 하는 법칙을 남들도 따르고자 하면 옳은 법칙이라는 말입니다. 다시 말해 자신이 남의 입장이 되어도 그 법칙을 따르고자 하면 옳은 법칙이라는 말이지요. 입장을 바꾸어 보는 역지사지(易地思之)를 해 보라는 말입니다.

아비투어 : 예를 들어 주시면 더 이해하기가 쉬울 것 같습니다.

칸트 : 두 사람이 케이크를 나누어 먹으려고 한다고 가정합시다. 내가 많이 먹게 자른다는 법칙을 상대편도 따르고자 할까요? 다시 말해 내가 상대편의 입장이 되어도 그 법칙을 따르고자 할까요? 아니라면 그 법칙은 옳은 법칙이 아니며, 그 법칙에 따라서 한 행동은 옳은 행동이 아닙니다.

벤담 : '의무' 기획사의 주장은 옳지 않습니다.

아비투어 : 그 이유를 말씀해 주시죠.

벤담 : '의무' 기획사의 최대의 약점은 어떤 의무를 따라야 하는지를 알기가 힘들며, 서로 주장하는 의무들이 서로 충돌하는 경우에 어떤 의무가 옳은 것인지 판단하기가 힘들다는 데 있습니다. 그 의무가 옳다

는 것을 직관으로 알 수 있다고 하는데, 사람들의 직관이 서로 다르다 면 그 옳음을 판가름할 신의 직관이 필요할 수밖에 없습니다.

아비투어 : 또 다른 이유는 없습니까?

벤담 : 있지요. 제 공리주의의 '최대 다수의 최대 행복'은 다수가 원하는 것이므로 다수에게 설득하기가 쉽지만 의무주의의 '역지사지'의 의무는 가난하고 힘없는 사람들을 설득하기는 쉽겠지만 부유하고 힘이 있는 사람들을 설득하기는 어렵습니다. 현실적으로 가난하고 힘없는 처지가 될 가능성이 희박한데 그 처지에 있는 사람들의 입장에 서서 자신들의 행동의 옳고 그름을 판단하라고 설득하기는 어렵기 때문이지요.

아비투어 : 그렇다면 정의 씨는 '목적' 기획사 소속입니까? 칸트 씨는 '목적' 기획사에 대해 할 말씀이 없으십니까?

칸트 : 당연히 있지요. 유감스럽게도 '목적' 기획사도 약점을 가지고 있습니다. '목적' 기획사의 최대의 약점은 목적이나 결과를 위해 누구나 옳은 것으로 받아들이는 도덕적인 규칙이나 의무가 희생될 수도 있다는 점입니다. 최대 다수의 최대 행복을 목적으로 추구하는 공리주의는 다수의 이익(공리)을 위해 개인의 권리가 제한될 수 있다는 단점이 있습니다.

아비투어 : 어떤 권리가 제한될 수 있다는 말씀입니까?

칸트 : 개인은 누구나 자유롭게 행동하고 평등하게 대우를 받을 권리를 가지고 있습니다. 밤 12시 이후에 통행을 금지하면 범죄율이 현격히 떨어지고, 장애인의 통행을 금지하면 다수의 정상인들이 편리하게 다닐 수 있다고 합시다. 아무리 다수의 이익을 위한다고 하지만 개인의 자유를 제한하거나 불평등하게 대우하는 그러한 행동은 정의로운 행동이라고 볼 수 없는 일이지요.

아비투어 : 아직 롤즈 씨의 변호를 듣지 못했는데 벌써 공판을 끝내야 할 시간이 되었습니다. 롤즈 씨의 변호는 다음 공판 때 듣기로 하고 롤즈 씨! 간단하게 하실 말씀이 있으면 말씀해 주시죠.

롤즈 : 두 분이 좋은 말씀들을 해 주셨습니다. 결국 정의 씨가 두 기획사 소속이 아니라는 말씀이군요. 저는 다만 칸트 씨가 말씀하신 자유와 평등 관계도 그렇게 좋은 사이가 아니라는 말씀을 하고 싶어요.

아비투어 : 도대체 어떤 말씀을 하시는 건지요?

롤즈 : 자유와 평등도 서로를 제한하는 갈등관계에 있어요. 개인의 무한한 자유는 능력이 뛰어나거나 부유하고 힘 있는 자들과 능력이 모자라거나 가난하고 힘없는 자들 사이의 커다란 불평등을 초래할 수 있습니다. 어른과 아이나, 말을 타고 달리는 자와 맨발로 뛰는 자가 공정한 경쟁이 될 수 없습니다.

아비투어 : 평등하게 하면 되잖아요?

롤즈 : 그렇다고 평등만을 강조하다 보면 개인의 자유를 제한할 수 있어요. 말을 타고 싶은데 모든 사람이 탈만큼 말이 많지 않다고 아예 말을 타는 것을 금지하거나 장애인들이 자전거를 탈 수 없다고 아예 자전거를 타는 것을 금지한다면 이 또한 옳다고 할 수 없지 않겠습니까?

아비투어 : 둘을 화해시킬 방법은 없을까요?

롤즈 : 제가 다음 공판 때 그 둘을 화해시켜 보지요.

아비투어 : 이것으로 제 2차 공판을 마치겠습니다. 감사합니다.

세 번째 재판 — 롤즈의 변호 I

아비투어 : 제 3차 공판을 시작하겠습니다. 저번 공판 때 롤즈 씨의 변호를 듣지 못했습니다. 그래서 이번 공판에는 롤즈 씨의 변호를 들어 보겠습니다. 롤즈 씨 말씀하시죠.

롤즈 : 저희 '합의' 기획사는 '목적' 기획사와 '의무' 기획사의 단점들을 피하고 장점들을 아우를 수 있으며, 자유와 평등의 갈등도 조화롭게 해결할 수 있는 일거양득(Two in One)의 정의론을 만들었습니다. 그러므로 정의 씨는 '합의' 기획사 소속일 수밖에 없습니다.

아비투어 : 어떤 정의론인지 밝혀 주시죠.

롤즈 : 바로 '케이크 정의론' 입니다.

아비투어 : 케이크 정의론이라니요?

롤즈 : 케이크가 하나 있습니다. 세 사람이 나누어 먹으려고 합니다. 모든 사람이 가지고 싶은 만큼 가지고, 먹고 싶을 만큼 먹을 평등한 자유를 가지고 있어요. 하지만 모든 사람들이 다른 사람보다 더 많이 먹기를 원한다면 결국 싸움이 일어날 것이며 힘이 가장 센 자가 혼자서 다 차지할 것입니다. '최대 다수의 최대 행복' 도 이루어질 수 없으며, 다른 사람의 입장에서 판단하는 '역지사지의 의무' 도 지켜질 수 없지요. 다수의 먹을 자유도 충족될 수 없으며, 똑같이 나누어 먹는 평등도 이루어질 수 없습니다.

칸트 : 그렇다면 당신은 그걸 해결할 비결이라도 있나요?

롤즈 : 비결은 '무지의 베일' 입니다. 이 베일을 씌우면 자신이 어떤 처지에 있는지를 전혀 알 수 없는 '원초적 입장' 에 서게 됩니다. 자신이 어떤 처지에 있는지 알 수 없다면 어떤 처지에 있더라도 손해를 보지 않을 결정을 내릴 것입니다.

벤담 : 하지만 그런 신기한 도깨비 베일이 세상에 존재할 리가 없잖아요?

롤즈 : 없지요. 하지만 그런 베일을 만들 수 있어요. 케이크의 경우 케이크를 세 덩이로 자르고 나서 사다리타기와 같은 우연한 방법에 의해 가지고 갈 순서를 정하면 됩니다. 그러면 케이크를 자르는 사람은 자

신이 제일 먼저 가져가게 될지, 제일 나중에 가져가게 될지 전혀 모르게 됩니다. 케이크를 자르는 사람은 자신이 어떤 처지에 놓일지 전혀 알 수 없기 때문에 어떤 처지에 놓이더라도 손해를 보지 않도록 똑같이 세 덩이로 자를 것입니다.

아비투어 : 그러니까 케이크를 똑같이 자를 의무도 없었고, 최대 다수의 최대 행복을 목적으로 하지도 않았으며, 케이크를 평등하게 자를 것을 강요하지도 않았고 케이크를 불평등하게 자를 자유를 빼앗지도 않았는데도, 완전한 자유 속에서 내린 결정이 마치 똑같이 자를 의무를 따른 것처럼, 최대 다수의 최대 행복을 목적으로 한 것처럼, 케이크를 평등하게 자를 것을 강요한 것처럼, 케이크를 불평등하게 자를 자유를 빼앗은 것처럼 됐네요. 그야말로 일거양득이네요. 케이크 정의론의 키포인트는 어디에 있을까요?

롤즈 : '케이크 정의론' 의 핵심은 무엇이 옳은 행동인지 미리 결정하여 강요하지 않고 스스로 옳은 행동을 자유롭게 결정하게 만드는 데 있습니다. 다시 말해 '이것이 정의다' 라고 적극적으로 주장하지 않고 '정의를 찾을 수밖에 없도록 만드는 절차 또는 계약' 만을 따르도록 하여 '무엇이 정의인지 스스로 찾도록 만드는 것' 입니다.

아비투어 : 아하, 그래서 당신의 정의론을 절차적 정의론 또는 계약적 정의론이라고도 부르는군요.

칸트 : 이의를 제기합니다. 판사님이 공정한 입장을 지키지 못하시고 롤즈 씨 편을 드는 것 같습니다. 더군다나 롤즈 씨는 저희 '의무' 기획사의 '역지사지' 아이디어를 훔쳐 갔습니다.

아비투어 : 어떤 근거로 그런 주장을 하시는 겁니까?

칸트 : 롤즈 씨가 선택한 '무지의 베일' 이라는 외부 절차는 결국 자신의 처지(地)를 가장 불리한 사람의 처지와 바꾸어(易) 생각(思)하는 '역지사지' (易地思之)라는 내부 절차를 따르도록 만듭니다. 다시 말해 '무지의 베일' 이라는 절차는 결국 제가 주장한 '역지사지의 의무' 를 '스스로' 따르도록 만드는 역할을 합니다. 다만 제가 마땅히 따라야 할 행동법칙이나 의무를 스스로 따르려는 선한 의지에 호소했다면, 롤즈 씨는 손해를 보지 않으려는 악한 의지에 호소했다고 볼 수 있지요.

아비투어 : 롤즈 씨 칸트 씨의 지적을 인정하십니까?

롤즈 : 인정합니다. 하지만 모든 창조는 모방으로부터 나옵니다. 제 역지사지는 '무지의 베일' 로 새롭게 탄생한 완전히 새로운 역지사지입니다.

아비투어 : 칸트 씨가 아이디어 도용에 대한 의심이 남아 있으시면 '합의' 기획사를 상대로 특허 법원에 소송을 제기하시기 바랍니다. 오늘 공판은 이것으로 마치겠습니다. 감사합니다.

네 번째 재판 — 롤즈의 변호 II

아비투어 : 제 4차 공판을 시작하겠습니다. 어느 분이 먼저 말씀하실까요? 벤담 씨는 '합의' 기획사의 롤즈 씨에 대한 강력한 반대 증거를 가지고 나오신 것 같은데 벤담 씨부터 말씀하시죠.

벤담 : 먼저 변호 기회를 주신 판사님께 감사드립니다. '합의' 기획사는 거짓 변호를 하고 있습니다.

아비투어 : 증거가 있습니까?

벤담 : 물론 있지요. '합의' 기획사의 '케이크 정의론' 은 재판에 이기기 위해 급조한 가짜 정의론입니다. '합의' 기획사의 진짜 정의론은 이 '정의의 원칙' 입니다. 조명을 어둡게 해 주십시오. 스크린에 파워포인트 빔을 쏘겠습니다.

'합의' 기획사가 출시한 획기적인 신상품!

정의의 원칙

1. 평등한 자유의 원칙
누구나 평등하게 자유를 누려야 한다.

2. 불평등한 조건의 원칙

가) 기회 균등의 원칙

사회적 약자도 균등한 기회를 가지게 될 경우에만 불평등이 허용된다.

나) 약자 우선의 원칙

사회적 약자가 가장 유리하게 될 경우에만 불평등이 허용된다.

롤즈 : 아하, 오해를 하셨군요. 그것은 '케이크 정의론'과 전혀 다른 정의론이 아니라 우리 '합의' 기획사가 '케이크 정의론'을 알아보기 쉽게 간단한 원칙으로 정리한 것입니다.

벤담 : 이 정의의 원칙이 도대체 '케이크 정의론'과 무슨 관계가 있다는 말씀이죠?

롤즈 : 케이크를 누구나 자를 수 있으며, 누구나 자신이 원하는 대로 마음껏 자를 수 있는 자유를 평등하게 가지고 있습니다. 이것이 첫 번째 평등한 자유의 원칙입니다.

벤담 : 그럼 두 번째 원칙들은요?

롤즈 : 힘이 센 사람은 사다리타기에 반대하고 팔씨름으로 가져갈 순서를 정하자고 주장할 자유가 있습니다. 두 사람은 힘이 세고 한 사람만 힘이 약하다고 합시다. 자유를 평등하게 주면 결국 팔씨름으로 결정이

날 것입니다. 이럴 경우 힘이 약한 자가 유리하게 되는 사다리타기로 결정을 내리도록 힘 센 두 사람의 자유를 제한하고 약자의 자유에 우선권을 주는 불평등한 조건이 허용됩니다. 이것이 약자 우선의 원칙입니다.

벤담 : 그럼 기회 균등의 원칙은요?

롤즈 : 힘이 센 두 사람은 힘이 약한 사람에게 아예 케이크 자르기에 참여할 기회를 빼앗을 자유도 있습니다. 그럴 경우 힘이 약한 사람도 참여할 자유를 누릴 수 있도록 힘이 센 두 사람의 그러한 자유를 제한하고 힘이 약한 사람에게 참여할 자유를 허용하여 기회를 균등하게 주는 불평등한 조건이 허용됩니다. 이것이 기회 균등의 원칙입니다.

벤담 : 그러니까 결국 이 원칙들은 케이크를 공정하게 자르도록 '무지의 베일'을 씌워 자신의 처지를 모르는 원초적인 입장에 서도록 하는 원칙들이란 말씀입니까?

롤즈 : 그래요. 모든 결정에서 케이크 자르기에서처럼 '무지의 베일'을 씌우는 분명한 절차를 발견하기는 쉽지 않기 때문이죠. 그래서 '평등한 자유를 주되 최소의 혜택을 받는 약자에게 최대의 혜택이 돌아가도록 하는 것이 정의다'는 '최소 극대화의 원칙'으로 간추릴 수 있는 정의의 원칙으로 무지의 베일을 대신하고자 하는 것입니다.

아비투어 : 벤담 씨! 아직도 이의가 있습니까?

벤담 : 없습니다. 제가 엉뚱한 오해를 했었군요.

아비투어 : 그럼 이것으로 제 4차 공판을 마칩니다. 감사합니다.

마지막 재판 — 판결

아비투어 : 오늘이 마지막 공판입니다. 이번 공판에는 존 롤즈의 정의론을 감정해 주실 전문가 한 분을 모셨습니다. 한국 철학계의 자존심, 존심(John Sim) 씨입니다. 존심 씨 존 롤즈의 정의론을 감정해 주시죠.

존심 : 안녕하십니까? 존심입니다. 존경하는 존 롤즈 박사의 정의론을 평가할 영광을 갖게 되어 기쁩니다. 존 롤즈 박사의 '케이크 정의론'은 지극히 현실적이면서 또 비현실적입니다.

칸트 : 아니, 그런 모순된 평가가 어디에 있습니까?

존심 : 이유를 말씀드리죠. 현실적인 이유는 정의의 문제를 반드시 따라야 할 '명령'이나 '의무'의 문제가 아니라 스스로 선택하는 '계약'의 문제로 보았고, 계약 당사자들을 다른 사람의 이익을 위해 자신의 이익을 희생하는 이타적인 존재가 아니라 어떤 경우라도 한 치의 손해도 보지 않으려하며 자신의 이익만을 극대화하려는 이기적인 존재로 전제했다는 데 있지요.

벤담 : 과거의 정의론들에도 이기적인 존재를 전제하고 출발하는 경우가 있지 않았습니까?

존심 : 물론 있었지요. 하지만 그것들은 결국 그 이기적인 속성을 교화하거나 억제함으로써 정의를 이룰 수 있다는 결론에 도달합니다. 반면에 롤즈 박사의 정의론은 이기적인 사람들에게 이타적이길 요구하는 대신에 자신의 처지를 알지 못하는 '무지의 베일' 을 씌움으로써 손해를 보지 않으려는 이기심을 이용하여 어쩔 수 없이 이타적이게 행동하도록 합니다.

칸트 : 하지만 그토록 이기적인 사람들이 과연 자신들에게 불리한 결과를 낳는 '무지의 베일' 을 스스로 쓸 리가 없습니다. 그래서 제가 그토록 의무를 강조했던 것 아닙니까?

존심 : 바로 그것이 롤즈 박사의 정의론이 비현실적인 이유입니다. 이기적인 사람들이 무지의 베일을 스스로 쓰고 역지사지를 하려고 하지 않기 때문에 수많은 정의론자들이 교육이나 감화를 통해 스스로 쓰게 하거나 도덕이나 법으로라도 강제로 씌우려고 했던 것입니다.

아비투어 : 그렇다면 롤즈 정의론의 가치는 어디에 있습니까?

존심 : 롤즈 정의론의 가치는 그 현실성에 있기 보다는 어떤 것이 정의인지를 가상적인 사고 실험을 통해 분명히 보여 주었다는 데 있습니다. 흔히들 현대 사회는 복잡해서 어떤 것이 정의인지 알기 힘들다고

합니다. 더 나아가 정의는 없다는 극단적인 상대론이나 회의론까지 주장하는 사람들도 있습니다. 롤즈의 정의론은 상대론이나 회의론의 함정에 빠지지 않고 정의를 손쉽게 찾을 수 있는 방법과 그렇게 찾은 정의가 무엇인지를 보여 줍니다.

아비투어 : 그러니까 누구나 자신의 처지를 알지 못하는 공정한 원초적 입장에서 선택하게 되는 '최소 극대화의 원칙' 이 정의라는 것을 보여 준다는 말씀입니까?

존심 : 그렇습니다. 다시 말해서 가장 가난하고 힘없는 사람들에게 유리한 것이 정의라는 사실은(자신의 처지만 모른다면) 누구나 받아들이는 절대불변의 진리라는 것을 보여 줍니다.

아비투어 : 존심 씨, 감사합니다. 이제 아비투어 철학 배심원들 여러분들의 판결만 남았습니다. 어떻게 판결하시겠습니까? 슈퍼 아이돌 스타 정의 씨는 어느 기획사 소속일까요?

자모 : 재판장님! 제가 재판이 시작되기 전에 롤즈 변호사와 인터뷰를 했는데 그때 롤즈 변호사께서 솔로몬의 재판에 참가한 두 여인이 모두 자신들은 재판에 져도 좋으니 제발 아이를 자르지 말라고 만들 수 있는 비결을 가지고 있다고 들었습니다. 이번 재판과 비슷한 경우인 것 같은데 롤즈 변호사에게 그 비결을 들어 보는 것이 어떻겠습니까?

아비투어 : 다른 변호사들이 동의한다면 가능합니다. 동의합니까?

칸트 : 동의합니다.

벤담 : 동의합니다.

아비투어 : 롤즈 변호사님 그 비결을 말씀해 주십시오.

롤즈 : 공판 과정에 제가 변호한 내용을 잘 이해하신 분들은 이미 그 비결을 아실 것입니다. 그 두 여인들에게 자신이 진짜 어머니인지 아닌지를 모르게 '무지의 베일'을 씌운 뒤 합의를 하게 하는 것입니다. 그러면 두 여인 모두 자신이 진짜 어머니일지도 모르기 때문에 진짜 어머니의 입장이 되어 아이를 자르지 말라고 합의를 할 것입니다.

아비투어 : 말씀 감사드립니다. 배심원들의 판결이 나왔습니다. 배심원 대표께서 판결을 읽어 주시죠.

배심원대표 : '이익' 기획사 대표, '의무' 기획사 대표, '합의' 기획사 대표의 소속 회원에 대한 기억을 최면술로 잠깐 없앤 다음 합의를 보게 한다. 만장일치로 합의를 못 보면 정의 씨의 연예 활동을 전면 금지한다.

대표들 : (쑥덕쑥덕……) 재판장님, 합의를 봤습니다.

자모 : 어떤 합의를 봤을까요? 아래 합의문을 작성해 보세요.

합 의 문

배심원 :

(서명)

실전 논술

논술 문제

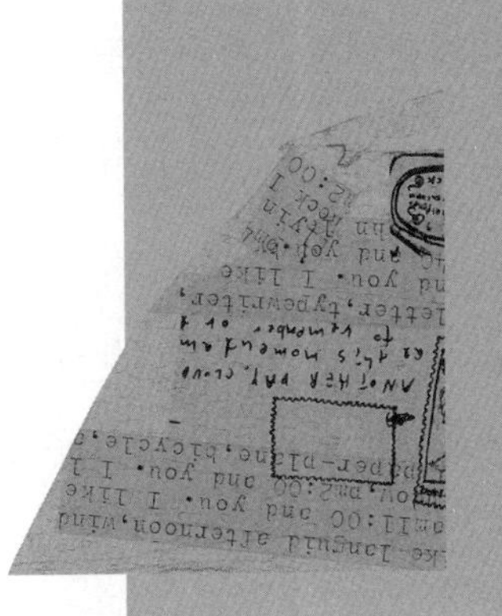

case 1 다음 제시문을 읽고 답하시오.

가 "오늘부터 급식 당번을 번호 순서대로 3명씩 일주일 동안 하면 돼요."

담임선생님께서 말씀하셨습니다. 선생님께서 나가신 뒤 반장이 임원들을 불러 놓고 말했습니다.

"우리들은 급식 당번을 하지 않기로 하는 게 좋겠어. 학급 일을 해야 하니까. 아이들에게 밥을 다 나누어 주고 언제 우리들의 일을 하겠어. 그치?"

공리는 부반장인 나와 부장들의 반응을 천천히 살피면서 조곤조곤 말했습니다. 다른 부장들은 모두 공리의 말에 찬성하였습니다.

사실 급식 당번이 제일로 하기 싫은 일 중의 하나이기는 합니다. 왜냐하면 급식차가 오면 밥을 아이들에게 다 나누어 주고, 마지막에 남은 음식을 당번들이 나누어 먹기 때문입니다. 그러면 맛있는 것도 거의 못 먹게 될 때가 많고, 늦게 시작하기 때문에 점심시간에는 아무 것도 할 수가 없습니다.

게다가 음식물 쓰레기를 모아서 급식차를 식당 앞까지 갖다 놓아야 하기 때문에 그 일이 즐겁지는 않습니다. 하지만 저는 왠지 찜찜했습니다. 반장의 말이 다 틀린 것은 아니지만 왠지 다른 아이들은 싫어할 것 같았습니다.

드디어 반장이 아이들 앞에서 급식 당번 이야기를 하였습니다. 아이들 중에 몇 명은 강력하게 반대하였습니다.

"반장. 그런 게 어디 있어? 임원이면 다야?"

"야, 그건 특권 의식 아니냐? 지금이 무슨 옛날도 아니고. 임원이면 임원이지 귀족이나 대통령은 아니잖아."

저는 아이들이 싸움이 날까 봐 걱정이 되었습니다. 저도 누군가의 편이 되어 다른 사람들의 입장을 설득해야 했습니다.

"급식 당번은 해야 된다고 생각해."

저는 반대하는 아이들의 편을 들어주었습니다. 물론 제가 가만히 있으면 공리의 뜻대로 귀찮은 급식 당번을 안 할 수도 있겠지요. 그렇지만 그것은 공평하지가 않은 것 같았습니다.

—《존 롤즈가 들려주는 정의 이야기》 중에서

나 양치기 소년이 양들이 풀을 뜯어먹는 모습을 지켜보고 있었습니다. 그런데 힘세고 튼튼한 양들이 약하고 어린 양들을 밀쳐 내고 자신들만 연하고 맛있는 풀들을 독차지하는 모습을 발견했습니다.

'어린 양들도 연하고 맛있는 풀을 먹을 방법이 없을까?'

양치기 소년은 양들을 새끼 양, 늙은 양, 젊은 양으로 나누어서 우리에 가두었습니다. 다음 날 아침, 소년은 새끼 양들이 있는 우리를 열어 주었습니다. 새끼 양들은 마음껏 연하고 맛있는 풀들을 뜯어먹을 수 있었습니다. 한참 지난 뒤에 늙은 양들의 우리를 열어 주었습니다. 늙은 양들도 마음껏 연하고 맛있는 풀들을 먹었습니다. 마지막으로 젊은 양들을 풀어 주었습니다. 연하고 맛있는 풀들은 거의 사라지고 거칠고 억센 풀들만 남아 있었습니다.

젊은 양들은 그날 밤 꿈속에서 하느님께 하소연했습니다.

"하느님, 이건 공평하지 않아요. 다시 자기 힘으로 정정당당하게 경쟁을 할 수 있게 해 주세요."

다 드디어 영재 교육원 입학시험일입니다. 가슴이 두근두근했습니다. 1년 동안 열심히 준비했지만 잘 못 볼까 봐 걱정이 태산입니다. 학원에서 준비한 버스에 올랐습니다. 새벽까지 공부하느라 잠을 거의 자지 못해서 버스에 오르자마자 모자를 푹 뒤집어쓰고 잠을 청했습니다. 막 잠이 들려고 하던 참이었는데 옆자리에 앉은 친구가 흔들어 깨웠습니다.

"일어나. 여기 이거 받아."

"뭔데?"

졸린 목소리로 물었습니다.

"학원 선생님께서 주신 수학 시험지야. 이번 시험에 나올 수도 있으니까 꼭 봐 두라고 하셨어."

"몇 분 뒤면 도착할 텐데 풀어 볼 시간이 없는 걸?"

그렇게 중요한 시험지면 어제 줄 것이지 지금 주면 어쩌란 말이냐는 투로 심드렁하게 말했습니다.

"풀어 볼 시간이 없으면 답이라도 외우래."

"이 시험지에 있는 문제가 오늘 시험에 꼭 나온다면 몰라도 꼭 나온다는 보장도 없는데 답만 외워 뭐하게?"

이렇게도 한심한 선생님이 다 있나 싶어 다시 잠을 청하려 했습니다.

"이 바보야. 그렇게도 눈치가 없냐? 답만이라도 외우란 뜻은 이 문제들이 꼭 나온다는 뜻이야."

"뭐라고? 어떻게 족집게처럼 그걸 알 수 있어?"

"낸들 아냐? 외우라면 외워 둬. 나중에 후회하지 말고."

라 케이크가 하나 있다. 세 사람이 나누어 먹으려고 한다. 모든 사람이 가지고 싶은 만큼 가지고, 먹고 싶을 만큼 먹을 평등한 자유를 가지고 있다. 하지만 모든 사람들이 다른 사람보다 더 많이 먹기를 원한다면 결국 싸움이 일어날 것이며 힘이 가장 센 자가 혼자서 다 차지할 것이다. '최대 다수의 최대 행복' 도 이루어질 수 없으며, 다른 사람의 입장에서 판단하는 '역지사지의 의무' 도 지켜질 수 없게 된다. 다수의 먹을 자유도 충족될 수 없으며, 똑같이 나누어 먹는 평등도 이루어질 수 없다.

하지만 '무지의 베일' 을 씌우면 자신이 어떤 처지에 있는지를 전혀 알 수 없는 '원초적 입장' 에 서게 된다. 자신이 어떤 처지에 있는지 알 수 없다면 어떤 처지에 있더라도 손해를 보지 않을 결정을 내릴 것이다. 하지만 이런 신기한 도깨비 베일이 세상에 존재할 리가 없다. 그러나 그런 베일을 만들 수는 있다. 케이크의 경우 케이크를 세 덩이로 자르고 나서 사다리타기와 같은 우연한 방법에 의해 가지고 갈 순서를 정하면 된다. 그러면 케이크를 자르는 사람은 자신이 제일 먼저 가져가게 될지, 제일 나중에 가져가게 될지 전혀 모르게 될 것이다. 케이크를 자르는 사람은 자신이 어떤 처지에 놓일지 전혀 알 수 없기 때문에 어떤 처지에 놓이더라도 손해를 보지 않도록 똑같이 세 덩이로 자를 것이다.

1. 제시문 (라)는 어떻게 행동하는 것이 정의로운지를 알 수 있는 방법을 가르쳐 주는 이야기입니다. (라)에서 가르쳐 주는 방법이 무엇인지 쓰시오. (100자 내외)

2. 여러분 자신이 (가)의 주인공, (나)의 젊은 양, (다)의 주인공이라면 어떻게 행동하는 것이 정의로울지 (라)에서 가르쳐 주는 방법으로 판단해 보시오. (300자 내외)

생각 쓰기

case 2 다음 제시문을 읽고 답하시오.

가 "빙산이다!"

외마디 외침과 함께 거대한 타이타닉호는 빙산에 부딪혔다. 몇 시간 후면 침몰할 운명에 빠졌다. 하지만 구명보트는 턱없이 부족했다. 일부만 구명보트에 오르고 타이타닉호는 서서히 침몰한다. 헉슬리의 질투로 감옥에 갇힌 잭을 구하려고 로즈는 안간힘을 썼다. 잭을 겨우 구출했지만 배는 결국 두 동강이 나면서 완전히 침몰해 버렸다.

차가운 북극의 바다 위에 떨어진 잭은 나무판자를 구해 로즈와 함께 올라갔다. 하지만 나무판자는 두 사람을 받치기에는 너무 작았다. 함께 올라가면 물에 몸이 잠기게 되어 결국 두 사람 모두 죽게 될 판이었다. 잭은 로즈만 올려 주고 자신은 판자에 매달렸다. 시간이 지나자 북극의 차디찬 바다는 잭의 목숨을 앗아갔다. 잭은 로즈의 손을 꼭 잡은 채 말했다.

"약속해 줘요. 나를 위해 꼭 살아남겠다고……."

구명보트에 탄 사람들은 바다에 빠진 사람들이 보트에 올라탈까 봐 멀리 노를 저어갔다. 멀리 떨어진 곳에서 바다에 빠져 떠 있는 사람들이 얼어 죽는 것을 지켜봤다. 아직 더 태울 수 있는 보트들이 있었지만 혹시나 많은 사람들이 올라타려고 하면 자신들의 목숨조차 위험해질까 두려워 다가가지 못했다. 일부 사람들이 보트를 몰고 다가가려고 하자 다른 사람들과 실랑이가 벌어졌다. 실랑이가 벌어지고 있는 사이에 사람들은 점점 얼어 죽고 있었다. 의식을 잃지 않으려고 안간힘을 쓰던 로

즈도 마침내 정신을 잃고 말았다. 책의 마지막 말을 떠올리며.

'미안해요. 약속을 못 지켜서…….'

나 "아앙!" 아내가 모진 산통 끝에 마침내 아이를 낳았다. 아니 아이들을 낳았다. 아니, 아이를 낳았다. 어떤 말이 옳은 말일까? 두 아이가 붙어 있었다. 아니 한 아이가 둘로 나누어져 있었다. 아이를 가슴에 안은 내 뺨을 타고 하염없이 눈물이 흘러내렸다.

"빨리 수술을 해야 합니다. 결정을 내리셔야 합니다."

의사가 말했다.

"두뇌 발달이 부진한 한 아이가 다른 아이의 심장에서 피를 나눠 받고 있습니다. 그냥 두면 두 아이 모두 생명이 위험합니다. 한 아이의 생명을 살리려면 다른 아이의 생명을 빨리 포기해야 합니다."

아내는 두 눈을 감고 내 손을 꼭 잡았다.

"하느님, 저희에게 왜 이런 시련을 주십니까?"

다 "야옹!" 치즈를 갉아먹던 쥐들은 먹던 치즈를 내팽개치고 놀라서 달아났다. 그들의 천적인 고양이 톰이 어슬렁거리며 나타나 쥐들이 버리고 간 맛있는 치즈를 가로챘다. 매번 같은 상황이 반복되었다. 힘들게 먹이를 구해서 먹으려고 하면 어김없이 톰이 나타나 가로채 버렸다. 쥐들은 드디어 대책을 마련하려고 비상 회의를 소집했다. 이 집에 살고 있는 모든 쥐들이 모였다.

"무슨 뾰족한 수가 없을까요?"

대장 쥐가 말했다. 모두 방법을 생각해 내느라고 머리를 쥐어짰다.

"뾰족한 수가 있기는 한데 워낙 위험해서……."

나이가 가장 많은 쥐가 말했다.

"말씀해 보세요. 무슨 방법인지."

대장 쥐가 재촉했다.

"톰의 목에 방울을 달아 놓읍시다. 그러면 멀리서 방울소리가 들리면 얼른 먹이를 감출 수 있을 것입니다."

"그것 좋은 생각이네요. 하지만 누가 고양이 목에 방울을 달 것이요?"

대장 쥐가 말했다.

"제리가 가장 어리니까 제리가 방울을 달면 됩니다. 목숨을 잃는다고 해도 힘이 센 어른 쥐가 죽는 것보다 덜 손해잖아요."

가장 영리한 어른 쥐가 말했다.

"안 돼요. 저는 죽기 싫어요. 그냥 이렇게 살면 안 될까요?"

제리가 두려움에 떨며 말했습니다.

라 공리주의자들은 '최대 다수의 최대 행복' 을 선의 원리라고 주장한다. 왜냐하면 공리주의자들은 절대적인 선은 없고 상대적인 선밖에 없으므로, 보다 많은 사람에게 보다 많은 쾌락을 가져다 줄 수 있는 것을 선의 기준으로 삼기 때문이다.*

우리는 어떤 행위를 해야 할 것인지 말 것인지를 그 행위가 많은 사람들의 쾌락을 증진시키고 고통을 감소시키는지에 따라 결정한다. 이 원리에 부합되는 행위는 마땅히 해야 할 행위다. 모든 행위의 목적은 공공의 이익을 증진시키는 것이다. 공공의 이익이란 모든 개인들의 이익을 합한 것에 지나지 않는다. 공공의 이익을 감소시키는 것은 악이므로 모두 제거해야 한다.**

— * 고등학교, 《시민윤리》 중에서

- ** J. 벤담, 《도덕과 입법 원리 입문》 참고

마 진리가 사상 체계가 추구해야 할 최고의 덕목이라고 한다면, 정의는 사회 제도가 추구해야 할 최고의 덕목이다. 이론이 아무리 논리적으로 빈틈이 없고 간단하고 명료하다고 할지라도 그것이 진리가 아니라면 고치거나 버려야 한다. 마찬가지로 법이나 제도도 아무리 효율적이고 완벽한 것일지라도 그것이 정당하지 못하다면 고치거나 버려야 한다. 모든 사람은 사회 전체의 복지라는 명목으로도 침해할 수 없는 정의에 대한 권리를 가지고 있다. 그러므로 다른 사람들이 가지게 될 더 큰 선을 위하여 소수의 자유를 빼앗는 것은 정당화될 수 없다. 다수가 누릴 더 큰 이익을 위해서 소수에게 희생을 강요하는 것은 정의롭지 못하다. 따라서 정의로운 사회라면 누구에게나 동등한 시민적 자유를 보장하며 정치적 거래나 사회적 이익의 계산을 이유로 이미 정의에 의해 보장된 권리들을 빼앗을 수 없다.

— 존 롤즈, 《정의론》 중에서

1. 제시문 (라)와 (마)는 어떤 행동이 옳은가에 대해 서로 반대되는 입장을 가지고 있다. 그 입장들이 무엇인지 쓰시오. (100자 내외)

2. 여러분이 제시문 (가)의 구명보트에 타고 있거나, (나)의 부모이거나, (다)의 영리한 쥐라면 어떻게 행동하는 것이 정의로울지 (라)와 (마)의 입장에서 각각 판단해 보시오. (300자 내외)

생각 쓰기

생각 쓰기

case 3 여러분이 (가)의 성훈이나 (나)의 동영이라면, 어떻게 행동하는 것이 옳은 것인지 제시문 (다)의 정의의 원칙에 따라 판단하시오. (400자 내외)

가 우리 반은 매달 1일에 반장 선거를 한다. 그런데 이번 달에는 담임선생님께서 마음대로 반장을 뽑아 버리셨다. 그런데! 호명된 아이는? 바로 김승진.

후줄근한 옷차림에 느릿느릿 어눌한 말투, 게다가 누가 불러도 서둘러 대답도 않고 어깨를 축 늘어뜨린 채 눈만 빠끔히 치켜뜨고는 '왜……?' 소리만 길게 늘여 빼는 아이. 체육 시간에 체육복도 제일 늦게 갈아입고 합창할 때마다 음을 맞추지 못해 지적을 받는 아이. 승진이가 가장 빨리 할 수 있는 건, 점심시간에 싹싹 먹어 치운 빈 급식 판을 먼저 갖다 놓는 일뿐이다. 한마디로 승진이는 우리 반 왕따다.

점심시간. 빈 급식 판을 들고 앞으로 나가는 승진이에게 아이들이 우르르 몰려 나갔다.

"어라? 다 먹어 치웠네? 네가 무슨 음식물 쓰레기통이냐? 국물도 없이 싹싹 다 긁어 먹게? 넌 집에서 굶겨 보내냐? 이것도 먹을래?"

성훈이가 반이나 남긴 자기 급식판을 승진이 앞에 내밀었다.

"왜…… 그러는 건데? 나, 아…… 안 했어. 잘못……."

"어쭈! 말대꾸하기는? 이유 같은 건 필요도 없어. 네가 반장이 된 것뿐만 아니라 우리 반이라는 것 자체가 싫단 말이야."

—《한나 아렌트가 들려주는 전체주의 이야기》 중에서

나 몸이 불편한 친구를 목욕탕에서 만났습니다.

친구는 혼자서 애를 쓰며 목욕을 하고 있습니다. 물을 뜨기도 힘들어 합니다.*

"아니, 그런 몸으로 왜 공중목욕탕에 와."

"그러게 말이야. 집에서 씻지. 부끄럽지도 않나? 쯔쯧……."

온몸이 화상으로 보기 흉하게 일그러져 있는 친구 무현이는 아이들의 말에 아무런 대꾸도 하지 않고 몸을 불리려 탕 속으로 들어갑니다.

"얘, 여러 사람이 같이 쓰는 탕 속에 들어오면 어떻게 하니?"

탕 속에 있던 아이들이 화들짝 놀라서 탕 밖으로 나오면서 무현이를 쏘아봅니다. 무현이는 여전히 아무런 대꾸도 없이 가만히 탕 속에 앉아 있습니다. 동영이는 마침 탕 속에 들어가 몸을 불리려 했는데 들어갈까 말까 고민을 했습니다.

'무현이가 나올 때까지 기다릴까? 아니면 무현이 보고 나오라고 할까? 아니면 그냥 들어갈까?

— * 초등학교, 《도덕 6》 중에서

다 정의의 원칙

1. 평등한 자유의 원칙

누구나 평등하게 자유를 누려야 한다.

2. 불평등한 조건의 원칙

가) 기회 균등의 원칙

사회적 약자도 기회를 균등하게 가지게 될 경우에만 불평등이 허용된다.

나) 약자 우선의 원칙

사회적 약자가 가장 유리하게 될 경우에만 불평등이 허용된다.

— 존 롤즈, 《정의론》 참고

생각 쓰기

생각 쓰기

실전 논술

예시 답안

case 1

1. 어떤 행동이 옳은지를 알려면 자신의 처지를 모르게 하는 무지의 베일을 씌워 보면 된다. 자신이 가장 불리한 처지가 될 수도 있는 공정한 상황에서 내리는 결론이 바로 정의로운 행동이다.

2. (가)의 경우 내가 무지의 베일을 쓰게 되면 자신이 임원이 아닌 보통 학생일 경우까지 고려하여 임원도 당번을 하는 것이 공정한 행동이라는 결론을 내릴 것이다. (나)의 경우 내가 하느님이 되어 젊은 양에게 무지의 베일을 씌우면 자신이 어린 양이나 늙은 양일 경우까지 고려하여 어린 양이나 늙은 양에게 먼저 풀을 뜯게 하는 것이 공정한 행동이라는 판단을 내릴 것이다. (다)의 경우 내가 무지의 베일을 쓰게 되면 자신이 시험지를 미리 못 본 학생일 경우까지 고려하여 시험지를 미리 보지 않는 것이 공정한 행동이라는 결론을 내릴 것이다.

case 2

1. 제시문 (라)는 최대 다수의 최대 행복을 가져오는 것이 정의라는 입장이며, 제시문 (마)는 최대 다수의 최대 행복을 위해 소수의 자유나 권리를 침해하는 것은 정의가 아니라는 입장이다.

2. 먼저 (라)의 입장에서 판단해 보겠다. (가)의 경우 구하러 가지 않는 것이 옳다. 너무 많은 사람이 올라타는 경우 모두가 몰살할 수 있기 때문이다. (나)의 경우 두

뇌 발달이 부진한 아이의 생명을 포기하는 것이 옳다. 한 아이의 생명을 잃게 되지만 다른 아이의 생명을 구할 수 있기 때문에 결과적으로 더 큰 이익을 가져오기 때문이다. (다)의 경우 제리가 목숨을 걸고 고양이 목에 방울을 달러 가게 하는 것이 옳다. 설사 제리가 목숨을 잃는다고 해도 더 큰 이익을 가져다주기 때문이다.

이제 (마)의 입장에서 판단해 보겠다. (가)의 경우 구하러 가는 것이 옳다. 구하러 갔다가 너무 많은 사람이 올라타는 경우 모두가 몰살할 위험도 있지만 소수의 생명에 대한 권리를 묵살하는 것은 옳지 않기 때문이다. (나)의 경우 두뇌 발달이 부진한 아이의 생명을 포기하는 것은 옳지 않다. 비록 두 아이의 생명을 잃을 위험이 있다고 해도 두 아이의 생명에 대한 권리는 동등하기 때문이다. (다)의 경우 제리가 목숨을 걸고 고양이 목에 방울을 달러 가게 하지 않는 것이 옳다. 방울을 달면 커다란 이익을 얻을 수 있다고 해도 제리의 생명에 대한 권리를 묵살하는 것은 옳지 않기 때문이다.

case 3

(다)의 '정의의 원칙' 은 불평등한 자유를 가지고 있는 사회적 약자에게 평등한 자유를 누릴 수 있도록 불평등한, 즉 다른 사람에게보다 더 유리한 조건을 제공하는 행동이 옳은 행동이라는 것이다.

(가)의 경우 승진이는 반장이 될 수 있는 자유와 사이좋게 지낼 자유를 평등하게 누리지 못하고 있다. 내가 성훈이라면 승진이에게 더 큰 관심을 보이고 따돌리

는 아이들을 꾸짖으며 그가 반장으로서의 역할을 잘 할 수 있도록 적극적으로 도울 것이다.

(나)의 경우 무현이는 공중목욕탕이나 탕에 마음 놓고 들어갈 수 있는 평등한 자유를 누리지 못하고 있다. 내가 동영이라면 당당하게 탕에 들어가 무현이에게 따뜻한 말을 건네고 더 많은 관심과 애정을 보일 것이며 아이들이 놀리면 잘못을 단호히 꾸짖을 것이다.

논술 답안 쓰기